COMO E POR QUE LER

OBJETIVA

Harold Bloom

COMO E POR QUE LER

Tradução
José Roberto O'Shea

Revisão
Marta Miranda O'Shea

OBJETIVA

Título original
HOW TO READ AND WHY

EDITORA OBJETIVA LTDA., rua Cosme Velho, 103
Rio de Janeiro – RJ – CEP: 22241-090
Tel.: (21) 556-7824 – Fax: (21) 556-3322
www.objetiva.com.br

Capa
Anna Feith

Revisão
Tereza da Rocha
Neuza Peçanha

Editoração Eletrônica
Abreu's System Ltda.

2001
10 9 8 7 6 5 4 3 2

B655c
Bloom, Harold
Como e por que ler / Harold Bloom ; tradução de José Roberto O'Shea. - Rio de Janeiro : Objetiva , 2001

275 p. ISBN 85-3702-347-3
Tradução de : *How to read and why*

1. Literatura - Teoria . 2. Leitura. I. O'Shea, José Roberto. II. Título
CDD 801.3

Para Miriam Bratu Hansen

AGRADECIMENTOS

Os meus maiores agradecimentos são para meu editor, Gillian Blake, indivíduo talentoso e dedicado, que me auxiliou na reestruturação deste livro.

Muito devo, também, aos meus agentes literários, Glen Hartley e Lynn Chu.

Mirjana Kalezic, minha pesquisadora assistente, contribuiu de modo marcante para a elaboração desta obra.

Agradeço, ainda, aos meus assistentes, na Universidade de Yale: Eric Boles, Trevor Eppeheimer, Scott Kershner, Octavio DiLeo, e agradeço, sempre, às bibliotecas e aos bibliotecários da Universidade de Yale.

Harold Bloom
Timothy Dwight College
Universidade de Yale
15 de outubro de 1999

Leitor tornou-se livro, e noite de verão
Era como o ser consciente do livro.

WALLACE STEVENS

SUMÁRIO

II. Poemas

III. Romances, Primeira Parte

IV. Peças Teatrais

V. Romances, Segunda Parte

PREFÁCIO

Não existe apenas um modo de ler bem, mas existe uma razão precípua por que ler. Nos dias de hoje, a informação é facilmente encontrada, mas onde está a sabedoria? Se tivermos sorte, encontraremos um professor que nos oriente, mas, em última análise, vemo-nos sós, seguindo nosso caminho sem mediadores. Ler bem é um dos grandes prazeres da solidão; ao menos segundo a minha experiência, é o mais benéfico dos prazeres. Ler nos conduz à alteridade, seja à nossa própria ou à de nossos amigos, presentes ou futuros. Literatura de ficção é alteridade e, portanto, alivia a solidão. Lemos não apenas porque, na vida real, jamais conheceremos tantas pessoas como através da leitura, mas, também, porque amizades são frágeis, propensas a diminuir em número, a desaparecer, a sucumbir em decorrência da distância, do tempo, das divergências, dos desafetos da vida familiar e amorosa.

Este livro ensina como e por que ler, recorrendo a inúmeros exemplos de obras literárias: poemas (curtos e longos), contos, romances e peças teatrais. As obras selecionadas não devem ser vistas como um roteiro exclusivo de leituras, mas como uma amostragem de textos capazes de ilustrar por que ler. A crítica literária, conforme aprendi a entendê-la, deve ser experimental e pragmática, e não teórica. Os críticos que considero meus mestres — especialmente Samuel Johnson e William Hazlitt — exercem seu ofício no sentido de explicitar, com elegância, o que está implícito na obra analisada. No presente estudo, ao analisar um poema lírico de A. E. Housman ou uma peça de Oscar Wilde, um conto de Jorge Luis Borges ou um romance de Marcel Proust, procuro, acima de tudo, perceber e articular o que pode e deve ser explicitado. Uma vez que, para mim, a questão "como ler" está sempre relacionada aos motivos e às aplicações da leitura, jamais separarei "como" de "por que" ler. Virginia Woolf, no ensaio "Como ler um livro?", que encerra o estudo *O Segundo Leitor Comum*, indaga, com muita graça: "Na verdade, o único conselho que se pode dar a alguém com respeito à leitura é não aceitar conselho algum". No entanto, no mesmo ensaio, ela apresenta uma série de preceitos que visam a garantir a liberdade do leitor, e que culminam na pergunta: "Onde começar?". Para chegar ao máximo do prazer da leitura, "não devemos desperdiçar nossas forças, lendo de modo errático e desavisado". Portanto, enquanto não amadurecermos como leitores, algum aconselhamento sobre leitura pode ser-nos útil, talvez, até mesmo essencial.

A própria Woolf buscara o conselho acima em Walter Pater (cuja irmã fora sua preceptora), em Johnson e nos críticos do Período Romântico — Thomas De Quincey e William Hazlitt; a respeito deste último, Woolf observa, com grande discernimento: "Trata-se de um daqueles raros críticos que de tanto refletirem podem prescindir da leitura". Woolf refletia incessantemente, mas jamais deixaria de ler. A escritora oferecia aos leitores muitos conselhos, os quais, com prazer, busco seguir neste livro. Sua melhor contribuição é o lembrete: "Temos sempre dentro de nós um demônio que sussurra em nossos ouvidos — 'detesto, gosto' — e somos incapazes de silenciá-lo". Não consigo silenciar o demônio que trago dentro de mim, mas neste livro só lhe darei ouvidos quando disser "gosto", pois não pretendo aqui suscitar polêmica, apenas ensinar a ler.

PRÓLOGO

POR QUE LER?

Caso pretenda desenvolver a capacidade de formar opiniões críticas e chegar a avaliações pessoais, o ser humano precisará continuar a ler por iniciativa própria. Como ler (se o faz de maneira proficiente ou não) e o que ler não dependerá, inteiramente, da vontade do leitor, mas o porquê da leitura deve ser a satisfação de interesses pessoais. Seja apenas por divertimento ou com algum objetivo específico, em dado momento, passamos a ler apressadamente. Os indivíduos que, por iniciativa própria, lêem a Bíblia, talvez constituam exemplos mais evidentes de leitura com objetivo específico do que os leitores de Shakespeare; no entanto, a busca é a mesma. Uma das funções da leitura é nos preparar para uma transformação, e a transformação final tem caráter universal.

Considero aqui a leitura como hábito pessoal, e não como prática educativa. A maneira como lemos hoje, quando o fazemos sozinhos, manifesta uma relação contínua com o passado, a despeito da leitura atualmente praticada nas academias. Meu leitor ideal (e herói preferido) é Samuel Johnson, que bem conhecia e tão bem expressou as vantagens e desvantagens da leitura constante. Conforme qualquer outra atividade mental, a leitura, para Johnson, devia atender a uma preocupação central, ou seja, algo que "nos diz respeito, e que nos é útil". Sir Francis Bacon, gestor de algumas das idéias postas em prática por Johnson, ofereceu o célebre conselho: "Não leia com o intuito de contradizer ou refutar, nem para acreditar ou concordar, tampouco para ter o que conversar, mas para refletir e avaliar". A Bacon e Johnson, eu acrescentaria um terceiro sábio da leitura, inimigo ferrenho da História e de todos os Historicismos, Emerson, que afirmou: "Os melhores livros levam-nos à convicção de que a natureza que escreveu é a mesma que lê". Proponho uma fusão de Bacon, Johnson e Emerson, uma fórmula de leitura: encontrar algo que nos diga respeito, que possa ser utilizado como base para avaliar, refletir, que pareça ser fruto de uma natureza semelhante à nossa, e que seja livre da tirania do tempo. Falando concretamente, antes de mais nada, busquemos Shakespeare, e deixemo-nos por ele ser encontrados. Para que *Rei Lear* nos "encontre" é preciso refletir e avaliar até que ponto a natureza da peça é como a nossa, até que ponto a peça nos diz respeito. Não considero tal posicionamento idealista, mas pragmático. Fazer uso da tragédia, basicamente, como uma denúncia do patriarcado é trair interesses cruciais, especialmente no caso de jovens leitoras, afirmação que parece bem mais irônica do que de fato o é. Shakespeare, mais do que Sófocles, é a autoridade máxima no que concerne ao conflito de gerações, e, com mais autoridade do que qualquer outro autor, fala das diferenças entre homem e mulher. Se nos mantivermos abertos a uma leitura plena de *Rei Lear*, compreenderemos melhor as origens do que julgamos ser o patriarcado.

Bacon, Johnson e Emerson concordam que, em última análise, lemos para fortalecer o ego, para tomar ciência dos autênticos interesses do ego. Trata-se de um crescimento que nos proporciona prazer, e, talvez, por isso os valores estéticos sejam sempre depreciados por moralistas, de Platão até os puritanos que hoje atuam em nossas universidades. Sem dúvida, o prazer da leitura é pessoal, não social. Não se consegue melhorar — diretamente — as condições de vida de alguém apenas tornando-o um leitor mais competente. Sou cético com relação à expectativa tradicional de que o bem-estar social possa ser promovido a partir do aumento da capacidade de imaginação das pessoas, e desconfio de qualquer argumentação que associe o prazer da leitura solitária ao bem público.

É lamentável que na leitura de caráter profissional raramente tenhamos a oportunidade de resgatar o prazer que a referida atividade nos trazia na juventude, quando livros despertavam o entusiasmo de que falava Hazlitt. Hoje em dia, a maneira como lemos depende, em parte, da distância em que nos encontramos das universidades, onde a leitura não é ensinada como algo que proporciona prazer, isto é, segundo os significados mais profundos da estética do prazer. Tanto para um jovem como para uma pessoa mais madura, não é nada cômodo confrontar, de peito aberto, o que há de mais intenso em Shakespeare, e.g., em *Rei Lear*; entretanto, deixar de ler *Rei Lear* plenamente (ou seja, sem expectativas ideológicas) é deixar-se enganar cognitiva e esteticamente. A infância passada diante de um aparelho televisor leva à adolescência diante de uma tela de computador, e a universidade recebe alunos que, dificilmente, aceitarão a idéia de que "é preciso / Sair como se chega [...] Quando for a hora".[1] A leitura se desintegra e, juntamente com ela, grande parte do ego se esvai. Porém, de nada adianta lamentar, e o problema não há de ser remediado com promessas e programas. O que é possível ser feito só pode ser implementado por meio de ingerências elitistas, o que, atualmente, é inaceitável, por bons e maus motivos. Ainda existem leitores solitários, jovens e idosos, em toda parte, mesmo nas universidades. Se resta à crítica literária, hoje em dia, alguma função, esta será a de dirigir-se ao leitor solitário, que lê por iniciativa própria, e não segundo interesses que, supostamente, transcendam o ser.

Os valores, na literatura e na vida, têm muito a ver com o idiossincrático, com excessos que geram significados. Não é por acaso que para os historicistas — críticos que acreditam sermos, todos nós, predeterminados pela História Social — os personagens literários não passam de nomes impressos em uma página. Uma vez que nossos pensamentos não nos pertencem, Hamlet não será sequer uma anamnese. Chego, então, ao princípio número um, se quisermos reparar o modo como lemos hoje em dia, princípio

[1] *Rei Lear*. Tradução de Barbara Heliodora. Rio de Janeiro: Nova Aguilar, 1998, p. 170. Ao longo do presente trabalho, cito traduções publicadas, sempre que me forem disponíveis. [N.T.]

esse que tomei emprestado a Johnson: *Livrar a mente da presunção.* No sentido aqui empregado, "presunção" implica discurso artificial, cheio de chavões, vocabulário profissional acessível apenas aos iniciados. Tendo as universidades conferido poderes a grupos fechados, e.g., adeptos de abordagens que privilegiam questões de "gênero e sexualidade", ou "multiculturalismo", a advertência de Johnson passa a ser: "Livra a tua mente da presunção acadêmica". Uma cultura universitária em que a valorização de roupas íntimas femininas na Era Vitoriana substitui a valorização de Charles Dickens e Robert Browning pode até parecer algo inusitado, ultrajante, como o ressurgimento de um Nathanael West, mas é tão-somente a norma. Um subproduto desse tipo de "poética cultural" é, precisamente, a impossibilidade de haver um novo Nathanael West, pois como poderia uma cultura acadêmica dessa natureza suster a paródia? Os poemas de ontem foram substituídos pelas meias-calças da cultura. Os neomaterialistas dizem ter recuperado o corpo humano, para uso do historicismo, e afirmam que trabalham em nome do Princípio da Realidade. A vida da mente deve ceder à morte do corpo, mas tal fato não precisa ser celebrado por seitas acadêmicas.

Livrar a mente da presunção enseja o segundo princípio para o resgate da leitura: *Não tentar melhorar o caráter do vizinho, nem da vizinhança, através do que lemos ou de como o fazemos.* O auto-aperfeiçoamento é projeto suficientemente grandioso para ocupar a mente e o espírito: não existe a ética da leitura. A mente deve guardar certa cautela, até ser expurgada da ignorância original; incursões precoces pelo ativismo têm o seu fascínio, mas consomem tempo demais, e, para a leitura, jamais haverá tempo bastante. O impulso historicista, seja com relação ao passado ou ao presente, é uma espécie de idolatria, uma veneração obsessiva das coisas no tempo. Devemos, portanto, ler à luz interior celebrada por John Milton e considerada por Emerson um princípio da leitura, o nosso terceiro: *O estudioso é uma vela acesa pelo afeto e pelo gosto de toda a humanidade.* Wallace Stevens, talvez esquecendo a fonte, criou belas variações dessa metáfora, mas a frase original de Emerson encerra, com grande clareza, o terceiro princípio da leitura. Não devemos recear o fato de nosso crescimento como leitores parecer por demais autocentrado, pois, se nos tornarmos leitores autênticos, os resultados

dos nossos esforços nos afirmarão como portadores de luz a outras pessoas. Penso sobre as cartas que tenho recebido de estranhos, ao longo dos últimos sete ou oito anos, e sinto-me, de modo geral, comovido demais para respondê-las. Para mim, o *pathos* nelas expresso advém do clamor freqüente pelo estudo literário com base no cânone, algo que as universidades desprezam e ignoram. Emerson dizia que a sociedade não pode prescindir de homens e mulheres cultos, e acrescentou, profeticamente: "O povo, e não a universidade, é o lar do escritor". Emerson referia-se a autores de peso, homens e mulheres que representam a si mesmos, e não os seus "eleitorados", pois a política por ele defendida era a do espírito.

O propósito da educação de nível superior, hoje em dia tão esquecido, consta, para sempre, do discurso de Emerson intitulado "O Intelectual Americano", quando o autor se refere aos apanágios do intelectual: "Resumem-se, todos, à autoconfiança". Recorro, novamente, a Emerson para definir o quarto princípio da leitura: *Para ler bem é preciso ser inventor.* O que, para Emerson, seria "leitura criativa" foi por mim chamado de "leitura equivocada", expressão que levou meus adversários a crer que eu sofresse de dislexia. O fracasso, ou o branco, que tais indivíduos vêem quando se deparam com um poema está em seus próprios olhos. Autoconfiança não é dom, mas o Renascimento da mente, o que só ocorre após anos de muita leitura. A estética não possui padrões absolutos. Se a ascendência de Shakespeare, segundo o entendimento de determinada pessoa, é fruto exclusivo do colonialismo, quem vai se incomodar em refutá-la? Passados quatro séculos, Shakespeare é mais corrente do que nunca; suas peças serão encenadas no espaço sideral, e em outros mundos, se tais mundos forem alcançados. Shakespeare não é uma conspiração da cultura ocidental; sua obra *encerra* todos os princípios da leitura, sendo, portanto, a pedra fundamental deste livro. Borges atribuía tal universalismo à suposta magnanimidade de Shakespeare, mas a referida qualidade constitui uma grande metáfora do diferencial shakespeariano, diferencial esse que, ao final, é sua imensa força cognitiva. Sem perceber, freqüentemente, lemos em busca de mentes mais originais do que a nossa.

Sendo a ideologia, especialmente em suas manifestações mais grosseiras, algo que tanto compromete a percepção e a apreciação da ironia, proponho que *resgatar a ironia* seja o quinto princípio da retomada da leitura. Consideremos, por exemplo, a infinita ironia de Hamlet, cujas palavras quase sempre têm significados diferentes dos literais, tantas vezes sugerindo o oposto do que diz o personagem. Esse princípio, porém, leva-me quase ao desespero, pois ensinar alguém a ser irônico é tão impossível quanto instruí-lo a ser solitário. Contudo, a morte da ironia é a morte da leitura, e do que havia de civilizado em nossa natureza.

Pisei de Tábua em Tábua
Com cautela a trilhar
À minha volta Estrelas
Sob os meus Pés o Mar.

Quiçá o próximo passo
O último da seqüência —
Daí o Andar precário
Para alguns Experiência.

De modo geral, o caminhar dos homens e das mulheres têm características próprias, mas, a menos que estejamos marchando, cada pessoa caminha à sua maneira. Dickinson, mestra do Sublime precário, dificilmente será compreendida, se lhe ignorarmos a ironia. Ela caminha pela única trilha disponível, "de Tábua em Tábua", mas toda a cautela, ironicamente, aparece justaposta a um espírito de revolta contra as convenções, que a faz se sentir em meio às estrelas, ainda que tenha os pés no mar. O fato de não saber se o próximo passo será "O último da seqüência" confere-lhe "o Andar precário", que ela própria não identifica, a não ser pelo fato de que "alguns" chamam-no de Experiência. Dickinson havia lido o ensaio de Emerson intitulado "Experiência", ponto culminante do pensamento do autor, assim como o ensaio "Sobre a Experiência" o fora para Montaigne, mestre de Emerson, e a ironia do poema expressa uma resposta cordata à primeira questão levantada por Emerson no referido ensaio: "Onde estamos? Em meio a um caminho do qual desconhecemos os pontos extremos, e que nos parece não ter início nem fim". Para Dickinson, o extremo é não saber se o próximo passo será o último da seqüência. "Se apenas soubéssemos o que estamos fazendo ou, aonde vamos, principalmente quando achamos que bem o sabemos!". O devaneio de Emerson difere do de Dickinson em temperamento, ou conforme ela assinala, em modo de "Andar". Na esfera da experiência, para Emerson, "Tudo flui e reluz", e a genial ironia do ensaísta é bastante diversa da ironia da precariedade expressa pela poeta. No entanto, nenhum dos dois é um ideólogo, e ambos sobrevivem através da força gerada pela rivalidade da ironia que praticam.

No fim da trilha da ironia perdida existe um passo derradeiro, depois do qual o valor literário será irrecuperável. A ironia é apenas uma metáfora, e a ironia de dois períodos literários distintos, raramente, será a mesma. Porém, se não houver um renascimento da visão irônica, algo mais do que aquilo que outrora chamávamos de "literatura de ficção" será perdido. Thomas Mann, o mais irônico dos grandes escritores deste século, já parece perdido. As biografias que surgem são alvos de resenhas que destacam o homoerotismo do autor, como se o único interesse que ele possa despertar é a constatação de ter sido *gay*, aliás, o que lhe assegura um lugar no currículo dos programas de Letras. É como priorizar no estudo de Shakespeare a sua suposta bissexualidade; o delírio da atual onda contrária ao puritanismo parece não ter limite. A ironia shakespeariana, como seria de se esperar, é a mais abrangente e dialética de toda a Literatura Ocidental; no entanto, essa ironia nem sempre nos promove a mediação das paixões dos personagens, de tão vasta e intensa que é a gama das emoções demonstradas. Shakespeare, portanto, vai sobreviver ao nosso tempo; perderemos a ironia shakespeariana, mas nos agarraremos aos demais aspectos da obra. Já em Thomas Mann todas as emoções, de natureza expositiva ou dramática, são mediadas por um esteticismo irônico; atualmente, na maioria dos cursos de graduação, mesmo nas melhores turmas, é quase impossível analisar *Morte em Veneza* ou *Unordnung und frühes Leid*. Quando um autor é destruído pela História, sua obra é, devidamente, considerada "datada", mas quando a ideologia historicista impede o acesso do leitor a um determinado autor, no meu entendimento, estamos diante de um fenômeno diferente.

Para ser percebida pelo leitor, a ironia requer certa atenção, além da habilidade de contemplar idéias opostas, conflitantes. Uma vez destituída de ironia, a leitura perde, a um só tempo, o propósito e a capacidade de surpreender. Se buscarmos, na leitura, algo que nos diz respeito, e que pode ser por nós usado para refletir e avaliar, constataremos que esse algo, provavelmente, terá um conteúdo irônico, mesmo que muitos professores de literatura desconheçam o que seja ironia, ou onde a mesma possa ser encontrada. A ironia liberta a mente da presunção dos ideólogos, e faz brilhar a chama do intelecto.

Quando se está com quase setenta anos, não se deseja ler mal, assim como não se deseja viver mal, pois o tempo é implacável. Não sei se morrer é nosso débito com Deus ou com a natureza, mas a natureza sempre fará a sua parte, e, certamente, nada devemos à mediocridade, a despeito de clamores de coletividade, supostamente, defendidos ou, ao menos, representados pela mediocridade.

Sendo Johnson, há meio século, meu leitor ideal, recorro agora ao trecho que mais me agrada do *Prefácio a Shakespeare*:

> Eis, portanto, o valor de Shakespeare, o fato de sua dramaturgia ser um espelho da vida; quem confundiu a própria imaginação, seguindo fantasmas nos labirintos criados por outros escritores, será [com Shakespeare] curado dos delírios extáticos, ao ler sentimentos humanos descritos em linguagem humana, ao assistir a cenas que permitem ao eremita entender as transações do mundo, e ao confessor prever o curso da paixão.

Para sermos capazes de ler sentimentos humanos descritos em linguagem humana precisamos ler como seres humanos — e fazê-lo plenamente. Somos mais do que ideologia, sejam quais forem as nossas convicções, e Shakespeare nos será mais relevante quanto mais a ele nos dedicarmos. Isto é, Shakespeare nos lê mais plenamente do que nós o lemos, mesmo após havermos libertado a nossa mente da presunção. Autor algum, antes ou depois de Shakespeare, exerceu controle da narrativa como ele o fez, o que desafia qualquer contextualização imposta às suas peças. Percebendo, com grande sensibilidade, esse atributo do poeta-dramaturgo, Johnson nos convoca a permitir que Shakespeare cure nossos "delírios extáticos". Levo adiante o argumento de Johnson, convocando o leitor a identificar os fantasmas que podem ser exorcizados através de uma profunda leitura de Shakespeare. Um deles é a Morte do Autor; outro é a asserção de que o ser é uma ficção; outro é a proposta de que personagens literários e dramáticos não passam de caracteres impressos em uma página. Um quarto fantasma, o mais pernicioso de todos, é a proposição de que a linguagem pensa, nós não.

Todavia, minha preferência por Johnson e pela leitura afastam-me, agora, da polêmica, e levam-me a homenagear os tantos leitores solitários que me cruzam o caminho, seja em sala de aula ou em mensagens recebidas. Lemos Shakespeare, Dante, Chaucer, Cervantes, Dickens, Proust e seus companheiros porque nos enriquecem a vida. Na prática, tais escritores tornaram-se a Bênção, no sentido primeiro conferido por Javé, "mais vida em um tempo sem limites". Lemos, intensamente, por várias razões, a maioria das quais conhecidas: porque, na vida real, não temos condições de "conhecer" tantas pessoas, com tanta intimidade; porque precisamos nos conhecer melhor; porque necessitamos de conhecimento, não apenas de terceiros e de nós mesmos, mas das coisas da vida. Contudo, o motivo mais marcante, mais autêntico, que nos leva a ler, com seriedade, o cânone tradicional (hoje em dia tão desrespeitado), é a busca de um sofrido prazer. Embora não me considere um apologista da erótica da leitura, creio que a expressão "sofrido prazer" articule uma plausível definição do Sublime; no entanto, a busca empreendida por um leitor encerra prazer ainda maior. Existe o Sublime alcançado através da leitura, ao que parece, a única transcendência secular que nos é possível, senão por aquela transcendência ainda mais precária que denominamos "amor, paixão". Exorto o leitor a procurar algo que lhe diga respeito e que possa servir de base à avaliação, à reflexão. Leia plenamente, não para acreditar, nem para concordar, tampouco para refutar, mas para buscar empatia com a natureza que escreve e lê.

I

Contos

Introdução

No livro *Lonely Voice*, o escritor irlandês Frank O'Connor exalta o conto, como gênero literário, e o considera o veículo ideal para discorrer sobre pessoas solitárias, especialmente aquelas marginalizadas pela sociedade. Se isso fosse uma verdade absoluta, o conto teria se tornado a expressão oposta de uma de suas origens mais prováveis, a balada folclórica. Se assim fosse, o conto, diferentemente do poema lírico e do romance, capazes do nos causar sensações múltiplas, de alegria e tristeza, provocaria em nós um efeito limitado, noção que jamais se aplicaria aos contos de Tchekhov e dos poucos contistas que a ele se igualam.

Contos não são parábolas, nem compilações de sábios provérbios, e, portanto, não podem ser meros fragmentos; do conto esperamos obter o prazer da conclusão. O esplêndido fragmento de Kafka, "Gracchus, o Caçador", termina quando o prefeito de um vilarejo litorâneo pergunta ao caçador, uma espécie de Judeu Errante, ou Velho Marinheiro, até quando se estenderá a sua visita. "Não sei, Burgomestre", Gracchus responde, "meu navio não tem leme, e é impulsionado por um vento que vem das terras geladas da morte." Não temos aqui uma conclusão, mas o que poderia

Kafka acrescentar? A afirmação final feita por Gracchus é mais memorável do que a grande maioria das conclusões encontradas em outras obras do gênero.

Como ler um conto? Edgar Allan Poe diria: sem interrupções. Os contos de Poe, a despeito da perene, e mundial, popularidade, são extremamente mal escritos (assim como os seus poemas), e muito se beneficiam da tradução, mesmo para a língua inglesa. Mas Poe não é, propriamente, um dos precursores do conto moderno. Os verdadeiros ancestrais do conto são Pushkin e Balzac, Gogol e Turgenev, Maupassant e Tchekhov, além de Henry James. No século XX, os mestres do gênero são James Joyce e D. H. Lawrence, Isaak Babel e Ernest Hemingway, bem como um grupo bastante variado, incluindo Borges, Nabokov, Thomas Mann, Eudora Welty, Flannery O'Connor, Tommaso Landolfi e Italo Calvino. Abordo aqui contos de autoria de Turgenev, Tchekhov, Maupassant, Hemingway, Flannery O'Connor, Vladimir Nabokov, Jorge Luis Borges, Tommaso Landolfi e Italo Calvino porque estes escritores, com sua arte, aproximaram-se da perfeição.

Ivan Turgenev

Para Frank O'Connor, o livro de Turgenev intitulado *Memórias de um Caçador* (1852) é a melhor coletânea de contos que existe. Um século e meio após ter sido publicada, a obra permanece surpreendentemente atual, ainda que o contexto da mesma, i.e., a emancipação dos servos, tenha cedido a vez aos desastres posteriores da História russa. Os contos de Turgenev têm uma beleza extraordinária; em seu conjunto, a meu ver, são a resposta mais contundente à pergunta "Por que ler?" (sempre, é claro, à exceção de Shakespeare). Turgenev, grande admirador de Shakespeare e Cervantes, divide a humanidade (i.e., os indivíduos propensos a empreender buscas) em dois grupos: os Hamlets e os Dom Quixotes. Ele bem poderia ter acrescentado dois outros grupos, os Falstaffs e os Sancho Panças, que, juntamente com Hamlet e o Dom, formam um quarteto paradigmático da criação de tantos outros seres ficcionais.

É difícil selecionar as melhores dentre as vinte e cinco *Memórias*, mas concordo com tantos outros críticos que confessam sua preferência pelos contos "O Prado de Bezhin" e "Kasian da Bela Terra". "O Prado de Bezhin" inicia em uma linda manhã de julho, com Turgenev caçando galos silvestres. O caçador se perde e, já noite, vê-se em uma campina, onde um grupo de cinco meninos, todos camponeses, reúne-se em torno de duas fogueiras. Juntando-se ao grupo, Turgenev apresenta-nos os jovens, um a um. Com idade variando entre sete e catorze anos, os meninos crêem que "duendes", "seres diminutos", habitam o mundo. Sabiamente, a arte de Turgenev permite aos rapazolas conversarem entre si, enquanto o autor os ouve, sem interferir. É-nos revelada a vida dura que levam (todos pertencem a famílias de servos), bem como a prevalecente aura de superstição, lendas, incluindo Trishka, o Anticristo que há de vir, sereias sedutoras que se apoderam de almas, mortos-vivos e indivíduos marcados para morrer. Um dos meninos, Pavlusha, o mais inteligente e cativante do grupo, demonstra grande coragem, ao rechaçar, desarmado, um suposto ataque de lobos aos cavalos que pastam à noite, vigiados pelo grupo.

Horas depois, Turgenev adormece, e desperta pouco antes do amanhecer. Os meninos ainda dormem, mas Pavlusha levanta-se e dirige ao caçador um último e intenso olhar. Turgenev toma o caminho de casa, descrevendo a bela manhã, e conclui a recordação informando que, mais tarde, naquele mesmo ano, Pavlusha morrera em conseqüência de uma queda de cavalo. Sentimos a dor da perda, juntamente com Turgenev, que observa ter sido Pavlusha um bom menino, mas o *pathos* da morte em si não é explorado. Arrebata-nos a seqüência da história: a beleza do prado e do alvorecer; a vividez das crenças sobrenaturais dos meninos; o destino inescapável de Pavlusha. No mais, temos um Turgenev, ao mesmo tempo, pragmático e quixotesco, caçando aves silvestres e registrando em seu caderno os meninos e a paisagem.

Por que ler "O Prado de Bezhin"? Quanto mais não seja, para melhor conhecermos a nossa realidade, a nossa vulnerabilidade perante o destino, e aprendermos a apreciar, do ponto de vista estético, o tato e o suposto distanciamento de Turgenev como contista. Se a história contém alguma ironia, a mesma decorre do próprio destino, um destino tão inocente quanto a paisagem, os meninos e o caçador. Turgenev é um dos escritores mais shakespearianos, na medida em que se abstém de julgamentos de ordem moral; e ele bem sabe que um herói, como Pavlusha, há de desaparecer em conseqüência de algum acidente de percurso. Não há uma interpretação exclusiva, quanto ao que ocorre no Prado de Bezhin. A voz do narrador não pode ser distinguida da do próprio Turgenev, sabiamente reclusa, afável, perspicaz. Essa "pessoa" do autor, como a de Pavlusha, é parte da riqueza da história. Sentimo-nos, a maioria de nós, em um local onde sempre desejamos estar, na companhia desses meninos, dos cavalos, do caçador compassível, em meio à conversa sobre duendes e ninfas, em um clima perfeito, no Prado de Bezhin.

Para alcançar a aparente simplicidade que Turgenev exibe na composição dessas histórias é preciso possuir raro talento, algo como a genialidade de Shakespeare ao redescobrir o humano. Turgenev, como Shakespeare, mostra-nos algo que sempre esteve diante de nossos olhos, mas que não conseguiríamos enxergar, não fosse por ele. Observando Iago, majestade satânica dos niilistas, Dostoiévski aprende a criar os exemplos máximos do niilismo, Svidrigailov e Stavrogin. Turgenev, como Henry James, aprende com Shakespeare algo mais sutil: o mistério daquilo que é, aparentemente, lugar-comum, a reprodução de uma realidade em perpétua mutação.

Em seguida a "O Prado de Bezhin" vem "Kasian da Bela Terra", em que Turgenev agracia-nos com um personagem verdadeiramente milagroso, o anão Kasian, servo místico, curandeiro, talvez a personificação de uma seita da qual ele próprio seja o único seguidor. Quando o autor retorna de uma caçada, o eixo das rodas da carroça em que ele viaja se parte. Em um vilarejo que sequer consta do mapa, Turgenev e o cocheiro carrancudo encontram

> um anão com cerca de cinqüenta anos de idade, de rosto pequeno, pele enrugada e tez morena, um nariz que não passava de um traço, olhinhos castanhos quase imperceptíveis, e fartas madeixas negras, encaracoladas, que lhe encobriam o topo da cabeça diminuta, como o píleo cobre a haste de um cogumelo. Seu corpo era extremamente frágil e franzino.

No conto, somos constantemente lembrados do caráter inusitado e imprevisível de Kasian. A despeito da voz suave e doce, Kasian condena, severamente, a caça, que considera atividade ímpia, e mantém sempre conduta digna, bem como o ar tristonho de um exilado, removido à força do local onde vivia pelas autoridades que, assim, privam-no da bela terra nas cercanias do Rio Don. Tudo o que diz respeito ao pequeno Kasian é paradoxal; o cocheiro que dirige a carroça de Turgenev informa que o anão é homem santo, conhecido como A Pulga.

O caçador e o curandeiro saem juntos, para uma caminhada pelo bosque, enquanto a carroça está sendo consertada. Colhendo ervas, saltitando, falando sozinho, Kasian dirige-se aos pássaros em seu próprio idioma, mas nada diz a Turgenev. Abrigando-se do sol à sombra de arbustos, o caçador e o santo anão permanecem felizes em seu silêncio, até que Kasian exige uma explicação para a matança dos pássaros. Quando Turgenev indaga ao anão a sua ocupação, este responde que caça rouxinóis para oferecê-los de presente, acrescenta que é analfabeto, e admite ter o poder de curar. Embora afirme não ter família, a verdade transparece, quando Annushka surge do meio da mata: trata-se de sua filha natural, pequenina e adolescente. A jovem é bela e recatada, e estivera catando cogumelos. Kasian nega a paternidade, mas não consegue convencer nem a Turgenev nem a nós; contudo, depois que a jovem se vai, Kasian quase não tem mais falas na história.

Ficamos, ao final, com uma série de enigmas, pois o cocheiro pouco esclarece Turgenev sobre a situação; para o autor, Kasian é pura contradição: "indecifrável". Nada mais é dito, e Turgenev volta para casa. O que ele pensa de Kasian é omitido, mas será que precisamos sabê-lo? O camponês curandeiro vive em seu próprio mundo, não na Rússia dos servos mas em uma visão russa do mundo bíblico, ainda que inteiramente diferente das visões bíblicas de Tolstoi e Dostoiévski. Embora não seja propenso a rebeliões, Kasian rejeitara a sociedade russa e se voltara para a arte e para o modo de vida do povo. Não permite que a filha permaneça um instante sequer na presença de Turgenev, que tanto admira a beleza da jovem. Não devemos idealizar Kasian; sua "esperteza" e percepção típicas de camponês deixam muito a desejar, mas ele encarna verdades atinentes ao folclore, das quais nem ele próprio tem consciência.

A atmosfera predominante nos contos de Turgenev advém da beleza da paisagem, quando observada sob condições climáticas ideais. Entretanto, há uma grande diferença entre a beleza natural desfrutada por Turgenev e pelos meninos, em "O Prado de Bezhin", e a ausência de comunhão observada entre Turgenev e Kasian, quando estes buscam a sombra dos arbustos. O destino de Pavlusha é inescapável, e deve ser aceito, mas Kasian, ao seu modo tão sutil, é um mago que domina a realidade, tanto quanto o Próspero criado por Shakespeare. O mundo natural e mágico de Kasian não é semelhante à natureza esteticamente apreendida de Turgenev, mesmo quando o santo homem e o escritor-caçador descansam lado a lado. Tampouco irá Kasian revelar-lhe seu segredo, ou mesmo permitir uma simples troca de palavras entre o caçador e a filha, a bela anã adolescente. Em última análise, constatamos que Kasian é sempre "da bela terra", embora tenha sido removido da região natal, próxima ao Don. "Bela terra" é noção que pertence a uma hermética tradição folclórica, da qual Kasian é uma espécie de xamã. Lemos "Kasian da Bela Terra" para alcançar uma visão de alteridade inacessível à maioria de nós, inacessível ao próprio Turgenev. A recompensa que temos ao ler a história de Kasian é sermos admitidos — ainda que brevemente — a uma realidade alternativa, na qual o próprio Turgenev penetrou apenas um instante, mas que, mesmo assim, foi por ele registrada, de maneira sublime, em suas *Memórias.*

Anton Tchekhov

É longo o caminho que parte dos contos de Turgenev e leva aos de Tchekhov e Hemingway, ainda que as histórias de Nick Adams pudessem ser intituladas *Memórias de um Pescador.* Contudo, Turgenev, Tchekhov e Hemingway têm um componente comum, um aparente distanciamento que, examinado mais atentamente, demonstra ser algo peculiar. Afinidade com a paisagem e com a figura humana é central nos três autores. Tal aspecto é algo bastante diferente da imersão no mundo social e da profusão de personagens observados em Balzac e Dickens. A genialidade destes é visível na riqueza com que povoaram Paris e Londres de uma pletora de personagens, classes sociais inteiras, bem como de personagens grotescamente individualizados. Ao contrário de Dickens, Balzac, além do romance, dominou o conto, cuja presença é claramente perceptível na *Comédia Humana*. Contudo, os contos de Balzac carecem da ressonância característica de seus romances, e não se comparam às histórias de Turgenev, Tchekhov, Maupassant e Hemingway.

Até mesmo os primeiros contos escritos por Tchekhov exibem a delicadeza formal e a sombria reflexão que o tornam o artista imprescindível da "vida não vivida", e o autor que mais influenciou todos os contistas que o sucederam. Digo "todos" porque as inovações formais em Tchekhov, no que tange ao conto, embora inúmeras, têm menos implicações do que a introspecção shakespeariana do autor, o fato de ele transferir para as histórias, a despeito da magnitude das mesmas, a maior inovação observada no processo shakespeariano de caracterização de personagens, a "evidenciação" de que falo adiante neste livro, ao analisar *Hamlet*. Em certo sentido, Tchekhov é até mais shakespeariano do que Turgenev, que, em seus romances, cuidou de sugerir aspectos da vida levada pelos protagonistas antes do início da ação. Tchekhov dizia ser preciso escrever de modo que o leitor não precisasse das explicações do autor. As atitudes, os diálogos e as reflexões dos personagens haviam de bastar, prática por ele próprio seguida em suas melhores peças, *As Três Irmãs* e *O Jardim das Cerejeiras*.

Entre os primeiros contos de Tchekhov, o meu predileto é "O Beijo", escrito quando o autor tinha vinte e sete anos. Riabovitch, "o mais tímido, o mais modesto, o mais incolor dos oficiais de toda a brigada",[2] comparece, acompanhado de outros oficiais, a uma recepção na casa de campo de um general reformado. Caminhando pela casa, o entediado Riabovitch entra em um cômodo às escuras e vive uma aventura. Confundindo-o com outro homem, uma mulher o beija, e se retira. Ele sai do cômodo, às pressas, e, a partir daquele momento, torna-se obcecado pelo encontro, o que, de início, o faz exultar, mas logo se transforma em um tormento. O infeliz apaixona-se, mas a mulher é uma desconhecida, e jamais será reencontrada.

Na próxima ocasião em que a brigada se aproxima da casa do general, ao atravessar um pequeno rio que fica próximo à casa de banhos, Riabo-

---

[2] *O Beijo e Outras Histórias*. Tradução de Boris Schnaiderman. São Paulo: Abril Cultural, 1979, p. 160. [N.T.]

vitch detém-se para tocar um lençol, posto a secar, pendente no balaústre da ponte. O lençol lhe parece áspero e frio, e ele olha para baixo, para a água, que refletia a lua vermelha. Fitando a água corrente, Riabovitch é tomado pela convicção de que a vida é uma piada estúpida. No desenlace da história, os demais oficiais voltam à casa do general, mas Riabovitch deita-se, sozinho, em sua própria cama.

À exceção do beijo, o toque no lençol frio — por assim dizer, o antibeijo — é o momento central do conto. A experiência destrói Riabovitch, o mesmo, aliás, podendo ser dito do beijo. A esperança e a alegria, por mais irracionais que sejam, são mais fortes do que o desespero, embora, ao final, mais perniciosas. Leio "O Beijo" e repito comigo mesmo uma observação que fiz certa vez, ao escrever sobre Tchekhov: conhecerás a verdade e a verdade te levará ao desespero, eis a mensagem de Tchekhov; o problema é que esse gênio sombrio insiste em ser alegre. Riabovitch pode até pensar que seu destino esteja selado, mas, decerto, não está, ainda que ele jamais venha a saber disso, pois tal constatação transcende o escopo da história.

O melhor comentário sobre Tchekhov (e sobre Tolstoi) de que tenho conhecimento consta de *Reminiscências*, de Gorki, que assinala: "Parece-me que na presença de [Tchekhov] todos sentiam um desejo inconsciente de serem menos afetados, mais verdadeiros, mais eles mesmos".

Quando releio "O Beijo", ou assisto a uma montagem de *As Três Irmãs*, sinto-me na presença de Tchekhov, e, embora ele não me torne menos afetado, mais verdadeiro, mais eu mesmo, eu bem que *gostaria* de ser melhor do que sou (o que me é impossível). A meu ver, esse desejo é um fenômeno de ordem estética, não moral, pois Tchekhov tem a sabedoria dos grandes escritores, e ensina, implicitamente, que a literatura é uma forma de fazer o bem. Shakespeare e Beckett oferecem-me o mesmo ensinamento, sendo por essa razão que leio. Às vezes, penso que, de todos os autores cujas vidas íntimas são conhecidas, Tchekhov e Beckett foram os seres humanos mais amáveis. Nada sabemos da vida íntima de Shakespeare, mas ao lermos, continuamente, suas peças, somos levados a crer que o poeta inglês, o mais sábio dos indivíduos, poderia compor um trio, ao lado de Tchekhov e Beckett. O criador de Sir John Falstaff, Hamlet e Rosalinda (*Como Gostais*) me faz desejar ser mais eu mesmo; é justamente, por isso, conforme argumento ao longo deste livro, que devemos ler, e devemos ler somente o que há de melhor na literatura.

"O Beijo" é obra de início de carreira, por mais bela que seja; na opinião do próprio Tchekhov, seu melhor conto era um relato de apenas três páginas, "O Estudante", escrito aos trinta e três anos, a idade de Cristo, segundo a tradição. Tanto quanto Shakespeare, Tchekhov não pode ser considerado crente nem cético; ambos são grandes demais para serem enquadrados nesse tipo de categorização. "O Estudante" é, ao mesmo tempo, de extrema simplicidade e belíssima concepção. Um jovem seminarista, frio e faminto, depara-se com duas viúvas, mãe e filha, na Sexta-feira da Paixão. Enquanto se aquece à volta da fogueira onde as mulheres se encontravam, ele relata a história de como o apóstolo Pedro três vezes negou Jesus, conforme o próprio Senhor profetizara. Pedro, arrependido, muito chorou; diante do relato do narrador, a mãe viúva chora também. O estudante vai embora, remoendo a aparente relação direta entre as lágrimas do apóstolo e as da mulher. De súbito, o estudante sente grande alegria, por acreditar que verdade e beleza sobrevivem nessa corrente que une passado e presente. E isso é tudo; o conto chega ao fim com o jovem transformando esse júbilo repentino em expectativa de felicidade futura para si mesmo. "Ele tinha apenas vinte e dois anos", Tchekhov comenta, secamente, talvez, insinuando que, aos trinta e três, ele, autor, já vivera três quartos da vida (morreu de tuberculose, com quarenta e quatro anos).

O leitor é levado a refletir sobre a sutil transição observada na alegria do estudante, que vai da constatação do elo existente entre verdade e beleza, no passado e no presente, à expectativa de um jovem de vinte e dois anos, quanto à possibilidade de realização pessoal. É Sexta-feira Santa, e a história dentro da história fala de Jesus e Simão Pedro, mas o júbilo, seja da mulher, seja do estudante, não denota qualquer vestígio de religiosidade, de salvação. Tchekhov, o dramaturgo-psicólogo mais perspicaz depois de Shakespeare, escreve aqui um sombrio conto lírico, versando sobre sofrimento e transformação. Jesus está presente apenas como representação suprema de sofrimento e transformação, representação essa que Shakespeare (na perigosa época em que vivia), com astúcia, sempre evitava.

Por que Tchekhov preferia esse conto a tantos outros, na opinião de seus admiradores, muito mais conseqüentes e vitais? Não tenho uma resposta definitiva, mas considero válida a pergunta. Tudo em "O Estudante", exceto o que se passa na mente do protagonista, é absolutamente pequeno. Talvez a transformação irracional de uma alegria impessoal e de esperança pessoal, em meio ao frio e à necessidade, e, ainda, as lágrimas da traição tenham comovido Tchekhov.

Um conto escrito bem mais tarde, "A Dama e o Cachorrinho" (1899) é um dos meus favoritos, sendo por muitos leitores considerado um dos melhores do autor. Gurov, homem casado, em férias no balneário de Ialta, sem a companhia da esposa, sente-se atraído por uma bela jovem sempre acompanhada de seu lulu branco. Mulherengo como ele só, Gurov começa a ter um caso com a dama, Ana Siergueievna, que era infeliz no casamento. Ela se vai, insistindo que o adeus entre os dois será para sempre. Amante experiente, Gurov aceita os termos da despedida com certo alívio, e volta para a esposa e os filhos, em Moscou; no entanto, sente-se obcecado e pesaroso. Será que se apaixonara pela primeira vez na vida? Gurov não o sabe, nem o próprio Tchekhov, e, portanto, tampouco nós o sabemos. A obsessão de Gurov é, sem dúvida, implacável, e ele viaja até a cidade em que vive Ana Siergueievna, e a localiza durante um espetáculo de ópera. Angustiada, ela pede, encarecidamente, que ele se vá, e promete visitá-lo em Moscou.

Os encontros em Moscou, a cada dois ou três meses, tornam-se um hábito, para gosto de Gurov, mas não da sempre chorosa Ana Siergueievna. Finalmente, olhando-se de relance em um espelho, Gurov percebe que está ficando grisalho e, concomitantemente, toma consciência do dilema em que se envolvera, cuja questão central, segundo o seu próprio entendimento, é aquela paixão tardia. O que fazer? Subitamente, Gurov sente que ele e a amada têm condições de iniciar uma nova e bela vida, que o fim do relacionamento está distante, e que o período difícil das tribulações a serem enfrentadas acabara de ter início.

E isso é tudo o que Tchekhov nos oferece; porém, o conto reverbera, durante muito tempo, depois dessa conclusão que nada conclui. Gurov e Ana Siergueievna, claro está, transformam-se ao longo do relato, mas a mudança não é, necessariamente, para melhor. Nada que um possa fazer pelo outro trará qualquer redenção; o que, então, resgata a história dos dois de uma rotina entediante? Até que ponto a história de Gurov e Ana difere de outras tantas malfadadas histórias de adultério?

Não seria devido ao interesse que os dois personagens suscitam, como poderá constatar qualquer leitor; Gurov e Ana nada têm de extraordinário. Ele é como qualquer homem mulherengo, ela, como qualquer mulher chorosa. A arte de Tchekhov jamais é tão enigmática quanto nesse conto, em que o seu talento é, simultaneamente, visível e indefinível. Não resta dúvida, Ana está apaixonada, embora Gurov não seja digno de amor. Jamais sabemos como avaliar a melancólica Ana. O que se passa entre os amantes é apresentado por Tchekhov com tamanho distanciamento que, embora não nos falte informação, falta-nos capacidade de discernir e julgar. O conto é de um universalismo estranho e lacônico. Será que Gurov, deveras, acredita estar apaixonado? Ele próprio não conta com qualquer indício capaz de esclarecer a questão, tampouco o leitor, e caso saiba a resposta a essa pergunta, Tchekhov não nos revela. Conforme ocorre em Shakespeare, quando Hamlet se diz apaixonado e não sabemos se nele podemos crer, somos levados a duvidar da afirmação de Gurov, de que, finalmente, seus sentimentos eram sinceros. Amargurada, Ana queixa-se, descrevendo o romance dos dois como um "amor secreto e sombrio" (tomando emprestado a William Blake as belas palavras do poema "A rosa enferma"), mas Gurov parece exultar nesse relacionamento secreto, para ele, revelador de seu verdadeiro eu. Ele é banqueiro, e, sem dúvida, muitos banqueiros têm um eu verdadeiro, mas Gurov não tem. O leitor leva a sério as lágrimas de Ana, mas não as palavras de Gurov, pondo as mãos à cabeça: "Como? Como? Como?". Em Trigorin, na peça *A Gaivota*, Tchekhov parodia a si mesmo apaixonado; a meu ver, Gurov é autoparódia ainda mais ousada. Não simpatizamos com Gurov, e bem gostaríamos de ver Ana parar de chorar, mas não temos como descartar a história dos dois, pois é nossa também.

Referindo-se a Tchekhov, Gorki afirma: "Ele era capaz de revelar o humor trágico inerente à banalidade". A asserção pode parecer ingênua, mas o grande poder de Tchekhov é causar, no leitor, a impressão de estar, finalmente, diante da verdade sobre a constante mescla de sofrimento banal e humor trágico que caracteriza a existência humana. Shakespeare foi, para Tchekhov (e para nós), a autoridade máxima em humor trágico, mas o banal inexiste em Shakespeare, mesmo quando compõe paródia ou farsa.

Guy de Maupassant

Tchekhov aprendeu a representar o banal com Maupassant. Este, que tudo aprendera, inclusive a lição do banal, com o mestre Flaubert, não possui a genialidade de Tchekhov, ou Turgenev, como contador de histórias. Lev Shestov, grande pensador religioso do início do século XX, expressa a questão com verve:

> A maravilhosa arte de Tchekhov é eterna; com um simples toque, um suspiro, um olhar, ele era capaz de matar tudo pelo que os homens vivem e se orgulham. Buscava, constantemente, o aperfeiçoamento dessa arte, e alcançou um virtuosismo inigualável por qualquer rival na literatura européia. Maupassant esfalfava-se para executar suas vítimas, que, muitas vezes, dele escapavam com vida, embora depauperadas, ou até mesmo arrasadas. Das mãos de Tchekhov, nada escapava com vida.

Trata-se de um viés um tanto ou quanto lúgubre, e, claro está, leitor algum quer ser vítima do autor; contudo, Shestov faz uma justa avaliação de Maupassant *vis-à-vis* Tchekhov, comparável a uma avaliação de Christopher Marlowe diante de Shakespeare. No entanto, Maupassant é o melhor dos autores do chamado "conto popular", mil vezes superior a O. Henry (que, em dados momentos, é muito bom), e muitas vezes preferível ao abominável Poe. Ser um artista do popular é, em si, um feito extraordinário; nada existe no gênero nos Estados Unidos atualmente.

Tchekhov pode parecer simples, mas é sempre, profundamente, sutil; muito da simplicidade de Maupassant é, exatamente, aquilo que aparenta ser, embora tal simplicidade nunca seja superficial. Com o mestre Flaubert, Maupassant aprendera que "talento é questão de paciência", de buscar aquilo que os outros não vêem. Entretanto, duvido muito que Maupassant seja capaz de nos mostrar algo que jamais veríamos não fosse por ele. Só gênios do quilate de Shakespeare ou Tchekhov realizam tal façanha. Existe, ainda, outro problema: Maupassant, como tantos outros ficcionistas do século XIX e do início do século XX, enxergava a realidade através do prisma de Arthur Schopenhauer, o filósofo da Vontade Cega e Una. O prisma de Schopenhauer vale tanto quanto o de Freud, ampliando e distorcendo a realidade. Maupassant se sairia melhor se, ao contemplar as excentricidades do desejo humano, não tivesse recorrido a perspectivas filosóficas.

No que tem de melhor, a prosa de Maupassant é extremamente agradável, seja no humor patético de "A Pensão Tellier", ou na história de horror "O Horla", ambas analisadas adiante. Frank O'Connor afirmava que os contos de Maupassant não se equiparavam aos de Tchekhov e Turgenev, mas, a bem da verdade, poucos contistas se comparam aos dois mestres russos. A principal objeção de O'Connor é que, em Maupassant, "o ato sexual em si torna-se uma espécie de assassinato". Um leitor que acaba de se deleitar com o conto "A Pensão Tellier" dificilmente concordaria com O'Connor. Embora tenha falecido antes de fazê-lo, Flaubert desejava situar seu último romance em um prostíbulo, fora da capital, o que seu "filho" já fizera nesse conto tão marcante.

Todos em "A Pensão Tellier" são bondosos e amáveis, o que, em parte, explica o fascínio despertado pela história. Madame Tellier, respeitável camponesa normanda, administra sua casa como quem gerencia uma hospedaria, ou um colégio interno. Suas seis operárias do sexo (como hoje seriam chamadas por alguns) são descritas por Maupassant com atenção e carinho, e o autor enfatiza a paz que predomina no estabelecimento, em virtude da aptidão de Madame para a conciliação, além de seu constante bom humor.

Em uma noite de maio, os freqüentadores habituais da casa decepcionam-se diante de uma placa: Fechado para Primeira Comunhão. Madame e suas funcionárias haviam saído, para assistir à Primeira Comunhão de uma sobrinha, afilhada de Madame. A Primeira Comunhão torna-se um evento extraordinário, pois a emoção das prostitutas, ao relembrar a própria infância, é contagiante, e leva toda a congregação a se debulhar em lágrimas. O padre proclama a descida do Santo Cristo e agradece, enfaticamente, a presença de Madame Tellier e sua equipe.

Após uma alegre viagem de volta ao bordel, mais dedicadas e animadas do que nunca, Madame e suas pupilas retomam as costumeiras atividades noturnas. "Não é sempre que temos o que celebrar", afirma Madame Tellier, concluindo a história, e só mesmo um leitor muito desenxabido declinaria de com ela celebrar. Pelo menos dessa vez, o discípulo de Schopenhauer liberta-se da sombria reflexão sobre a relação entre sexo e morte.

É difícil resistir a uma narrativa exuberante, e Maupassant jamais escreve com tanto entusiasmo como em "A Pensão Tellier". Essa história normanda tem calor, riso, surpresa, e até mesmo um certo quê de espiritualidade. O êxtase pentecostal que incendeia a congregação é tão autêntico quanto o pranto das prostitutas que o inflama. A ironia de Maupassant é sensivelmente menos mordaz (e menos sutil) do que a do mestre Flaubert. No espírito shakespeariano, o conto é picante, mas não obsceno; engrandece a vida, e não diminui ninguém.

A vida de Maupassant teve um final triste; antes de completar trinta anos, já era sifilítico. Quando estava com trinta e nove anos, a doença já lhe afetara o cérebro, e o escritor terminou seus dias trancado em um manicômio, depois de haver tentado o suicídio. A história de horror mais terrível de sua autoria, "O Horla", apresenta uma relação complexa e ambígua com a enfermidade do autor, e com as conseqüências da mesma. Talvez o anônimo protagonista do conto seja um sifilítico, à beira da loucura, embora nada na narrativa de Maupassant autorize, diretamente, tal inferência. Narrada em primeira pessoa, "O Horla" apresenta-nos mais dados do que somos capazes de interpretar, uma vez que não entendemos bem o narrador, não sabemos se podemos confiar em suas impressões, das quais recebemos poucas abonações (ou mesmo nenhuma).

"O Horla" inicia com o narrador, próspero cavalheiro normando, discorrendo sobre a própria felicidade, em uma bela manhã de maio. Um magnífico veleiro, de bandeira brasileira, passa diante de sua casa e ele o saúda. O gesto, inadvertidamente, invoca o Horla, invisível entidade do mal, que, segundo mais tarde constataremos, aterroriza o Brasil, possuindo indivíduos e os levando à loucura. Horlas são, sem dúvida, versões mais requintadas de vampiros; bebem leite e água, e arrebatam a vitalidade das pessoas durante o sono, sem precisar sugar-lhes o sangue. Seja lá o que esteja ocorrendo no Brasil, ficamos em dúvida quanto ao que ocorre na Normandia. O narrador, ao final, ateia fogo à própria casa, para destruir o Horla, mas esquece de avisar os criados, que são consumidos pelo fogo, juntamente com a casa. Quando percebe que o "seu" Horla ainda está vivo, o narrador conclui o conto, dizendo que terá de se matar.

Nitidamente, o Horla, a despeito de ter ou não viajado do Brasil até a Normandia, é fruto da imaginação do narrador; é a loucura, em si, e não apenas a causa da loucura do narrador. Terá Maupassant escrito sobre o que significa ser consumido pela sífilis? Em dado momento, o infeliz olha-se no espelho e não consegue ver a própria imagem. Em seguida, vê-se em meio a uma névoa, ao fundo do espelho. A névoa se desfaz, e ele consegue enxergar-se, claramente; então grita, referindo-se à névoa ou à entidade que lhe obstruía a visão: "Eu a vi!".

O narrador afirma que o advento do Horla traduz o fim da hegemonia do homem. Magnetismo, hipnose, sugestão são aspectos da vontade do Horla. "Ele chegou!", brada a vítima, e, subitamente, o intruso pronuncia o próprio nome ao pé do ouvido do narrador: "O Horla [...] chegou!". O nome Horla é invenção de Maupassant; será um trocadilho jocoso, remetendo à palavra inglesa *whore*?[3] A conjetura é remota, a menos que a doença venérea de Maupassant seja, de fato, o centro oculto da história.

O conto de horror é gênero rico e fascinante, o qual Maupassant dominava, embora jamais voltasse a fazê-lo tão bem como em "O Horla". A meu ver, isso se dá porque, de certo modo, o autor sabia estar prevendo a própria loucura e tentativa de suicídio. Como contista, Maupassant não tem a dimensão artística de Turgenev, Tchekhov, Henry James ou Hemingway, mas a sua imensa popularidade é bem merecida. Um escritor capaz de criar "A Pensão Tellier", conto de uma doçura arrebatadora, e "O Horla", de um terror tão convincente, será sempre um mestre. Por que ler Maupassant? Em seus melhores momentos, a ficção de Maupassant nos prende como a de poucos outros autores. É bem verdade, o leitor depreende pouco mais do que aquilo que o narrador relata, e, embora o ganho não configure a generosidade de Deus, agrada a muitos, além de servir de introdução à apreciação da obra de contistas mais complexos do que Maupassant.

Ernest Hemingway

Os melhores contos de Hemingway superam até mesmo *O Sol Também Se Levanta*, seu único romance que permanece atual. Wallace Stevens, o mais

---

[3]Isto é, "prostituta". [N.T.]

contundente dos poetas modernos norte-americanos, referia-se a Hemingway como "o poeta contemporâneo mais importante, quando o tema é a realidade fantástica". Para Stevens, o "poeta" Hemingway era o exímio estilista revelado nos contos do autor, e por "realidade fantástica" Stevens entendia a esfera poética na qual "o consciente ocupa o lugar da imaginação". Esse encômio é justificado a partir da excelência de Hemingway no conto, tendo ele criado cerca de quinze obras-primas, fáceis de ser parodiadas (inclusive, muitas vezes, pelo próprio Hemingway), mas absolutamente inesquecíveis.

Frank O'Connor, que, com a mesma intensidade que apreciava Tchekhov, não gostava de Hemingway, comenta, em *The Lonely Voice*, que os contos de Hemingway são "exemplos de técnica em busca de assunto", e, por conseguinte, "uma arte menor". Vejamos. O célebre conto "Colinas como Elefantes Brancos" são, praticamente, cinco páginas de diálogo entre uma jovem e seu amante, enquanto esperam o trem na estação de uma cidade no interior da Espanha. Quando chegam a Madri, ainda estão discutindo sobre o aborto a que ele quer que ela se submeta. O conto registra o momento da capitulação da mulher, e, provavelmente, do fim do relacionamento dos dois. E isso é tudo. O diálogo deixa claro que a mulher é responsável e digna, enquanto o homem é de um bom-senso vazio, além de egoísta e frio. O leitor fica inteiramente do lado da jovem, quando esta, em resposta à afirmação do homem — "Eu faria qualquer coisa por você" —, diz: "Você quer, por favor, por favor, por favor, por favor, por favor, por favor, por favor, parar de falar". Sete vezes "por favor" é demais; porém, como figura de repetição, as palavras são aqui precisas e convincentes. É bela a prefiguração do conto expressa na símile do título. Grandes e brancas, as colinas ao longo do vale do Ebro "parecem elefantes brancos" — aos olhos da mulher, não do homem. Elefantes brancos, presentes, supostamente, oferecidos pela realeza do Sião a nobres arruinados em conseqüência de gastos incorridos com a visita real, tornam-se uma grande metáfora da gravidez não desejada, e mais, dos danos espirituais causados por relações eróticas em que o parceiro é inadequado.

A mística pessoal de Hemingway — a postura de machão, combatente de guerra, caçador, toureiro, pugilista — é tão irrelevante ao conto "Colinas como Elefantes Brancos" quanto a insistência do protagonista em afirmar, para a mulher, "Você sabe que eu a amo". Relevante é a observação de Nick Adams, personagem que fala pelo próprio Hemingway, na conclusão de "Fim de Algo", ao pôr um ponto final em um relacionamento: "Não tem mais graça". Poucas mulheres gostam dessa frase, mas ela não encerra qualquer apologia; antes, expressa a autocensura de um jovem imaturo.

O conto de Hemingway que mais me comove é outro de apenas cinco páginas, "O Senhor Esteja Convosco, Cavalheiros", novamente, quase todo em diálogo, passado o parágrafo inicial, e que inicia com uma inusitada afirmação:

> Naqueles tempos as distâncias eram todas muito diferentes, a poeira soprava das colinas que agora foram arrasadas, e Kansas City era muito parecida com Constantinopla.[4]

O leitor pode parodiar esse trecho, dizendo: "Naqueles tempos, Bridgeport, em Connecticut, era muito parecida com Haifa". Em todo caso, vemo-nos em Kansas City, no Dia de Natal, onde presenciamos a conversa de dois médicos: o incompetente Dr. Wilcox, que se fia em um velho tomo encapado em couro, *O Amigo e Guia do Jovem Médico*, e o mordaz Dr. (Doc) Fischer, que, de início, cita seu correligionário, Shylock: "Que novidades há no Rialto?". As novidades não são nada boas, conforme em breve constatamos: um rapaz de cerca de dezesseis anos, obcecado por castidade, viera ao hospital pedir para ser castrado. Mandado embora, ele se mutilara com uma navalha, estando prestes a morrer de hemorragia.

O interesse central da história recai sobre o niilismo lúcido de Doc Fischer, predecessor de Shrike, em *Miss Corações Solitários*, de Nathanael West:

> — Chatear você, Doutor, neste dia, no dia mesmo do aniversário do nascimento de Nosso Senhor?
> — *Nosso* Senhor? Você não é judeu? — perguntou o Dr. Wilcox.
> — E sou mesmo. E sou mesmo. Sempre me esqueço. Sempre me esqueço. Nunca dei a esse fato a devida importância. É muita gentileza sua

[4] *Contos de Hemingway*. Tradução de A. Veiga Fialho. 3. ed. Rio de Janeiro: Civilização Brasileira, 1972, p. 122. [N.T.]

> chamar-me à atenção. *Seu* Salvador, indubitavelmente *seu* Salvador — e que lhe sirva até o Domingo de Páscoa.[5]

"Para mim, Wilcox, você é um jumento, no lombo do qual entrarei em Jerusalém": eis o sentido da frase final acima. Cáustico e brilhante, Doc Fischer, como ele próprio diz, tem uma visão do inferno. A intensidade do personagem, fazendo lembrar Shylock, é tributo de Hemingway a Shakespeare, "o vencedor, o grande campeão", segundo o Coronel Cantwell (que fala por Hemingway), em *Do Outro Lado do Rio, Entre as Árvores*. Em seus contos, Hemingway, quanto mais ousado, é mais shakespeariano, conforme ocorre no célebre, semi-autobiográfico "As Neves do Kilimanjaro", predileto do autor. Com respeito ao protagonista, Harry, escritor fracassado, Hemingway observa: "Amou demais, exigiu demais e pôs tudo a perder". O comentário é perfeitamente aplicável a *Rei Lear*, personagem mais admirado por Hemingway em toda a dramaturgia shakespeariana. Mais do que em qualquer outro escrito, Hemingway eleva-se à tragédia nos limites relativamente estreitos de "As Neves do Kilimanjaro".

Expressando a reflexão de um homem agonizante, em lugar de descrever ação, esse conto, de características barrocas, é a autocensura mais veemente feita por Hemingway, e creio que o próprio Tchekhov, tão propenso à autocrítica, se impressionaria com essa história. Ninguém pensa em Hemingway como escritor visionário, mas o conto "As Neves do Kilimanjaro" tem início com uma epígrafe, informando ao leitor que o cume ocidental da referida montanha, eternamente coberto de neve, chama-se Casa de Deus, e que próximo ao topo existe uma ossada de leopardo, já ressequida e congelada. Ninguém fora capaz de explicar o que um leopardo procurava cerca de seis mil metros acima do nível do mar.

De pouco adianta dizer que o leopardo simboliza Harry agonizante. Originalmente, em grego antigo, *simbolon* era algum sinal de identificação que marcasse características próprias. Atualmente, empregamos o termo "símbolo" em sentido mais genérico, como a representação de algo, seja por associação ou semelhança. Se identificarmos a carcaça do leopardo com Harry, escritor cuja ambição ou idealismo estético, embora ainda

---

[5] Op. cit., p. 126. [N.T.]

existente, encontra-se profundamente abalado, estaremos afundando o conto de Hemingway em um mar de *bathos* e do grotesco. O próprio Hemingway faz isso em *O Velho e o Mar*, mas não no magistral "As Neves do Kilimanjaro".

Harry está morrendo, lentamente, de gangrena, isolado em um acampamento de caçada, na África, cercado de abutres e hienas, presenças tangíveis e desagradáveis que dispensam qualquer interpretação de ordem simbólica. Tampouco precisamos interpretar o leopardo como um símbolo. Tanto quanto Harry, o animal está fora de seu hábitat natural, mas a visão que temos do Kilimanjaro sugere mais um exemplo de nostalgia com relação à perda da espiritualidade, tão comum em Hemingway, sempre complicada por um marcante sentido do nada, um niilismo shakespeariano. Faz sentido encarar a estranha presença do leopardo morto como grande ironia, como se o animal fosse uma espécie de predecessor de Harry, que busca em vão a sua identidade de escritor no Kilimanjaro, em vez de fazê-lo, digamos, em Paris, Madri, Key West ou Havana. A ironia, porém, volta-se contra o próprio Hemingway, que, dezenove dias antes de completar sessenta e dois anos, apontou uma espingarda de caça contra si mesmo, nas montanhas de Idaho. Apesar de tudo, a história não é, essencialmente, irônica, e não precisa ser lida como profecia. Harry é um Hemingway fracassado; Hemingway, ao ser capaz de escrever um conto como "As Neves do Kilimanjaro", não é, absolutamente, um fracasso, pelo menos não como escritor.

O melhor momento da história é uma alucinação, que ocorre pouco antes do final. Trata-se da visão que Harry tem na hora da morte, embora o leitor só venha a saber disso mais tarde, quando Helen, esposa de Harry, percebe que não mais o escuta respirar. Ao morrer, Harry sonha que o avião de resgate havia chegado, mas que só podia transportar um passageiro. No vôo visionário, Harry é levado a ver o cume achatado do Kilimanjaro: "grande [...], alto e incrivelmente alvo sob o sol".[6] Essa suposta imagem de transcendência é o momento mais ilusório da história, pois representa a morte, não a Casa de Deus. A alucinação de um moribundo não deve ser tomada

[6]"As Neves do Kilimanjaro". Tradução de Ivo Barroso. *Senhor*. Rio de Janeiro, março de 1959, ano 1, nº 1, p. 82. [N.T.]

como um momento de triunfo, pois o conto, do início ao fim, expressa a convicção de Harry haver desperdiçado seu talento de escritor.

É possível que Hemingway se lembrasse da visão de morte de Lear, na qual o velho rei, insano, acha que a querida filha, Cordélia, voltara a respirar, mesmo depois de ter sido assassinada. Os que amam demais e exigem demais, assim como Lear e Harry (e, em última análise, Hemingway), põem tudo a perder. Para Harry, a fantasia toma o lugar da arte.

Como contista, Hemingway foi tão extraordinário e surpreendente que, para concluir minha avaliação, escolhi uma de suas obras-primas desconhecidas, a história "Mudança de Ares", de finíssima ironia, prenúncio do romance publicado postumamente — *O Jardim do Éden* —, que retrata a ambigüidade sexual. Em "Mudança de Ares", estamos em um bar de Paris, onde um casal, tipicamente ao estilo de Hemingway, discute a questão da infidelidade. Bastam algumas falas, e o leitor percebe que a "mudança de ares" aludida no título não diz respeito à mulher, decidida a iniciar (ou prosseguir) um relacionamento homossexual, embora também deseje voltar para o homem. É ele quem precisa de uma mudança de ares, presumivelmente, para se tornar o autor que há de escrever o fascinante e estranho romance intitulado *O Jardim do Éden.*

"Sou um homem mudado", o protagonista anuncia, duas vezes, ao atônito *barman*, depois que a mulher se retira. Olhando-se no espelho, ele *vê* uma mudança, mas não ficamos sabendo ao certo o que ele vê. Embora diga ao *barman* "o vício é um monstro", não seria a consciência do "vício" que haveria de torná-lo "um homem mudado". Antes, é o fato de ele ceder à convincente autodefesa feita pela mulher que o faz mudar para sempre. "Somos feitos de uma porção de coisas. Você sabe disso. Você bem sabe que soube fazer uso dessas coisas",[7] ela lhe diz; tacitamente, ele admite algo da ambigüidade sexual experimentada por ambos. Então, ele — não ela — sofre uma "mudança", embora nada nele se perca, nesse momento de suposta perda. Indo quase além da ironia, "Mudança de Ares" é uma sutil confissão, uma autobiografia erótica, rara em termos de sugestividade e auto-aceitação. Só mesmo o maior mestre do conto da Literatura Norte-americana seria capaz de compactar tanto em uma história tão fugaz.

---

[7]Op. cit., p. 131. [N.T.]

Flannery O'Connor

D. H. Lawrence, contista superlativo, oferece ao leitor um conselho inestimável, em poucas palavras: "Confie no conto, não no contista". Considero esse um princípio básico para a leitura dos contos de Flannery O'Connor, talvez, na Literatura Norte-americana, a contadora de histórias mais original desde Hemingway. A sensibilidade de O'Connor revela uma mescla extraordinária entre o gótico, conforme desenvolvido na cultura do Sul dos Estados Unidos, e um fervoroso catolicismo romano. O'Connor é tão ferrenha moralista que o leitor precisa estar ciente das inclinações da escritora; o objetivo dela é absolutamente tangível: utilizar a violência como meio de chocar o leitor, despertando-o para a necessidade da fé religiosa. Como contista, O'Connor era extremamente perspicaz, mas considero seus melhores contos mais perspicazes do que ela, e não creio que defendam questões morais, senão o despertar de uma imaginação moral.

O Sul que serve de local para a ficção de O'Connor é, maciçamente, protestante, não o protestantismo europeu, mas a religião (tipicamente) norte-americana, que se autodenomina batista, pentecostal, ou seja lá o que for. Os profetas dessa religião — "encantadores de serpentes, pensadores-livres cristãos, profetas independentes, vigaristas, loucos e, às vezes, indivíduos verdadeiramente inspirados" — são chamados por O'Connor de "católicos autênticos". À exceção desse grupo de "católicos autênticos", os indivíduos que povoam os contos maravilhosos da autora são os condenados, categoria na qual O'Connor, tranqüilamente, incluía a maioria dos seus leitores. Acredito que o melhor modo de se ler os contos de Flannery O'Connor é partir do reconhecimento de que integramos o contingente dos condenados, e, então, proceder à apreciação de sua ficção grotesca e inesquecível.

"É Difícil Encontrar um Homem Bom" é sempre uma excelente introdução a O'Connor. Durante uma viagem de carro, uma avó, seu filho, a nora e três netos deparam-se com um presidiário em fuga — o Desajustado —, e dois comparsas. Ao ver o Desajustado, a avó, fatuamente, demonstra reconhecê-lo, assim, condenando a si mesma e a toda a família. A velhota tenta aplacar o Desajustado enquanto a família é retirada de cena e exterminada; contudo, o personagem do Desajustado, ao mesmo tempo assassino e teólogo natural, é uma das obras-primas de O'Connor. "Jesus", declara o bandido, "desequilibrou as coisas", ao ressuscitar os mortos, em um mundo que "só tem prazer na maldade".[8] Apavorada, à beira de uma alucinação, a avó toca o Desajustado e murmura: "O senhor é uma das minhas crianças, um dos meus próprios filhinhos!". O sujeito dá um salto para trás, dispara três vezes contra o peito dela, e pronuncia o epitáfio: "Ela teria sido uma boa mulher, se tivesse alguém pra dar um tiro nela a cada minuto da vida dela".[9]

Conto e contista aqui se fundem, pois, nitidamente, o Desajustado traduz algo, a um só tempo, terrível e cômico da personalidade da própria O'Connor. Temos uma velhota hipócrita e fútil, e um assassino que, segundo a autora, é instrumento de graça cristã (católica). Propositadamente chocante, a idéia, de fato, choca, pois, condenados que estamos, ficamos mesmo chocados. Seríamos bons, O'Connor propõe, se tivéssemos alguém prestes a nos executar a cada minuto da nossa vida.

Por que não nos incomodam os desígnios expressos de O'Connor? Em parte, sem dúvida, em decorrência da genial comicidade exibida pela autora; uma escritora que nos prende tanto como ela o faz pode nos condenar o quanto quiser. Em "A Gente Boa da Roça", deparamo-nos com a infeliz Joy Hopewell, detentora de um Ph.D. em Filosofia e uma perna de pau, e que assume um novo e misterioso nome: Hulga. Um jovem e atrevido vendedor de Bíblias, cujo nome, Manley Pointer, tem ressonância fálica,[10] rouba a perna de pau de Hulga, enquanto os dois têm relações no celeiro, e foge. Hulga bem sabe que pertence ao grupo dos condenados (afinal, é uma filósofa), e cabe a nós tirar a moral dessa história cruel e hilária. Será que podemos afirmar, com relação a Hulga: "Teria sido uma boa mulher, se tivesse alguém para seduzi-la e fugir com a sua perna de pau a cada minuto da vida?".

O'Connor desprezaria o meu ceticismo, e estou ciente de que minha paródia é um mecanismo de defesa, mas seus primeiros contos, embora

---

[8] *É Difícil Encontrar um Homem Bom.* Tradução de José Roberto O'Shea. São Paulo: Siciliano, 1993, p. 25. [N.T.]

[9] Op. cit., p. 26. [N.T.]

[10] Em tradução, "Macho Pontudo". [N.T.]

cheios de energia, não são os melhores. As obras-primas surgem mais tarde, com "Visão da Mata", "As Costas de Parker" e com o segundo romance, *The Violent Bear It Away.*[11] "Visão da Mata" contém uma feiúra sublime, apresentando Mr. Fortune, um velho de setenta e nove anos, e Mary Fortune Pitts, sua neta de nove anos. Ambos são terríveis: egoístas, teimosos, perversos, verdadeiros poços de orgulho. No desfecho do conto, em uma briga feia, o avô acaba matando a menina, estrangulando-a e rachando-lhe a cabeça contra uma pedra. Nervoso e exausto, Mr. Fortune tem uma "visão da mata", no momento em que sofre um ataque cardíaco fulminante. A cena é implacável, impressionante, mas como interpretá-la?

O'Connor dizia que Mary Fortune Pitts foi salva, e Mr. Fortune condenado, mas não soube explicar por que, pois ambos são pessoas abomináveis, e a luta que resultou na morte da menina bem poderia ter resultado na morte do velho. O ceticismo do leitor chocava O'Connor, e inspirava a sua arte. Porém, a sua espiritualidade obsessiva e a sua visão de moral absoluta não se sustentam às custas do leitor. Quando penso nisso, ocorre-me a lembrança de que o gosto literário de O'Connor é parecido com o meu: para ela, assim como para mim, *Enquanto Agonizo*, de Faulkner, e *Miss Corações Solitários*, de Nathanael West, são as melhores obras de ficção da Literatura Norte-americana do século XX. Ao ler os contos de O'Connor, bem como *The Violent Bear It Away*, experimento uma emoção que beira o medo, reação semelhante àquela que tenho diante das grandes obras de Faulkner e de West, e do romance *Meridiano de Sangue*, de Cormac McCarthy, obra que, certamente, mereceria a admiração de O'Connor, vivesse ela o bastante para conhecê-la. Turgenev, Tchekhov, Maupassant e Hemingway não eram ideólogos, e a linha mestra do conto moderno é formada por eles, não por O'Connor. Todavia, a verve, a força da prosa dessa autora e a energia propulsora do seu espírito cômico são, absolutamente, arrasadoras. O catolicismo de O'Connor produz uma ficção de grande impacto estético. Eis a astúcia da autora: seus fanáticos religiosos norte-americanos, loucos e condenados, podem ser alvos de paródia, mas de uma paródia que não chega sequer a arranhar a fé católica, da qual ela possuía tanta convicção. Mais do que uma escritora dotada de

[11] Ainda inéditos no Brasil. [N.T.]

genial comicidade, Flannery O'Connor demonstrava possuir uma aguda percepção: para os seus compatriotas, a religião não era o ópio, mas a poesia da humanidade.

Vladimir Nabokov

Passo agora a analisar um conto extraordinário de Vladimir Nabokov, "As Irmãs Vane", porque a transição — da visão da espiritualidade alcançada através da violência a um esteticismo que brinca com o espiritualismo — é, para mim, revigorante. Nabokov lamentava-se, continuamente, de que seu domínio da língua inglesa, em sua vertente norte-americana, jamais lhe permitiria, nesse idioma, igualar a riqueza do seu estilo original, em russo. No entanto, a queixa mais parece uma ironia, quando o leitor se vê diante da textura barroca de "As Irmãs Vane". O narrador, de origem francófila, é professor de Literatura Francesa em uma faculdade só para mulheres, localizada na Nova Inglaterra. Nabokoviano até a raiz dos cabelos, o narrador anônimo é um esteta afetado, uma versão inofensiva de Dorian Gray, criação de Wilde. As irmãs Vane chamam-se Cynthia e Sybil, esta última tendo o nome e o suicídio tomados por empréstimo à namorada de Dorian Gray; contudo, ambas são personagens mais aproximadas de Henry James do que de Oscar Wilde, pois têm personalidades evanescentes e indiretas. O anônimo professor ministra aulas a Sybil, e é amigo íntimo de Cynthia, mas não tem envolvimento amoroso com nenhuma das duas jovens.

A história inicia com o narrador descobrindo, por acaso, que Cynthia havia morrido de um ataque cardíaco. Durante a costumeira caminhada de domingo à tarde, ele se detém "para observar um conjunto de pingentes de gelo, derretendo no beiral do telhado de uma casa". Os pingentes são motivo de um longo parágrafo, e, mais tarde, o narrador registra: "o fantasma esguio, a sombra comprida projetada por um parquímetro na neve derretida, apresentava um tom estranho, avermelhado". No desfecho do conto, o narrador desperta de um sonho que tivera com Cynthia, vago demais, incapaz de ser por ele interpretado:

> Eram poucos os detalhes que eu conseguia, conscientemente, destacar. Tudo parecia embaçado, envolto em uma nuvem amarelada, nada tangível. Seus acrósticos sofríveis, suas evasivas melosas, as experiências místicas — todas as lembranças formavam ondulações de misterioso significado. Tudo parecia amarelado, embaçado, elusivo, perdido.

Aqui, a autoparódia do estilo de Nabokov indica que os acrósticos de Sybil são menos sofríveis do que os de Cynthia. O acróstico formado pelas iniciais das palavras que compoem o trecho acima expressa a seguinte frase: *Pingentes de Cynthia, versos meus, Sybil.*[12]

O narrador é, por assim dizer, perseguido por ambas as jovens — mas, por quê? Provavelmente, porque as irmãs Vane pareciam, em vida, fantasmas esguios; a morte pouco as altera. Mas por que seria o professor o alvo dessas sombras fascinantes e traiçoeiras? É possível que o narrador, autoparódia de Nabokov, esteja sendo punido pelo esteticismo e ceticismo do próprio autor. Diversamente do que observamos em "O Horla", de Maupassant, que representa a loucura crescente, "As Irmãs Vane" é uma autêntica — e extremamente original — história de terror.

No dia seguinte a uma prova final de Literatura Francesa, aplicada pelo narrador, Sybil Vane se suicida, em virtude de ter sido abandonada pelo amante casado. Passamos a conhecer a irmã mais velha, Cynthia, bem melhor depois da morte de Sybil. Cynthia é pintora e espírita, tendo desenvolvido uma "teoria das auras intervenientes", segundo a qual as auras dos mortos intervêm, favoravelmente, no destino dos vivos. Em seu ceticismo, o narrador aliena Cynthia (que o chama, com toda a razão, de presunçoso e pedante), rompe o seu relacionamento com ela e a esquece, até receber a notícia da morte da jovem. Discretamente, ela o persegue, até o momento culminante do sonho que ele não consegue decifrar, e o acróstico final, que nós conseguimos.

O conto de Nabokov, embora curto, está repleto de alusões literárias — ao "olho transparente" de Emerson (do ensaio *Natureza*) e ao homem de Porlock, em Coleridge (figura que, supostamente, interrompe a composição de "Kubla Khan"). Temos, também, manifestações de Oscar Wil-

---

[12]Obviamente, o acróstico só funciona em língua inglesa. [N.T.]

de e Tolstoi, em uma sessão espírita, e, ainda, uma rica atmosfera de preciosismo literário. A grande mágica de "As Irmãs Vane" é demover o ceticismo do leitor, através do estranho fascínio dessas mulheres tão queridas, cuja vida, entre os vivos e entre os mortos, é sempre algo singelo. Nabokov mantém o leitor distante do pedantismo do narrador, mas não do seu ceticismo. Entretanto, na prática, o ceticismo não faz aqui muita diferença; esses espíritos convencem, precisamente, porque não insistem em convencer. Ninguém pensa no autor de *Fogo Pálido* e *Lolita* em termos tchekhovianos. Nabokov tinha verdadeiro fascínio por Nikolai Gogol, cujo temperamento era mais impetuoso (e mais insano) do que o de Tchekhov. Porém, Cynthia e Sybil Vane sentir-se-iam bem à vontade em um conto de Tchekhov; como tantas personagens femininas tchekhovianas, ambas representam o *pathos* da vida não vivida. Nabokov, pouco interessado em *pathos*, prefere transformá-las em espíritos excêntricos.

Jorge Luis Borges

O conto moderno, sob a influência de Tchekhov, é impressionista; isso se aplica tanto a *Dublinenses*, de James Joyce, quanto a Hemingway, ou Flannery O'Connor. Sensação e percepção — a estética de Walter Pater — são centrais no conto impressionista, inclusive nas histórias de Thomas Mann e Henry James. A partir da fantasmagoria de Kafka, surge algo bastante novo no conto moderno; Kafka foi o grande precursor de Jorge Luis Borges, substituto de Tchekhov como o escritor mais influente no referido gênero, a partir da segunda metade do século XX. Hoje em dia, os contos, de modo geral, apresentam duas grandes tendências: tchekhovianas ou borgianas; raramente tais tendências se sobrepõem em uma mesma narrativa.

A coletânea de Borges intitulada *Ficções* insiste na autoconsciência que essas ficções têm da sua própria artificialidade, ao contrário da retratação impressionista da verdade da existência, vislumbrada por Tchekhov. Ao encontrar Borges e seus tantos seguidores, o leitor deve trazer consigo expectativas bastante distintas daquelas com que se acerca de Tchekhov e seu igualmente vasto contingente de discípulos. Em Borges, ouvimos a voz solitária de um elemento submerso no turbilhão, mas é uma voz acossada por uma pletora de vozes literárias que a precederam. "Que glória maior pode ter um Deus, do que se ver livre do mundo?" é o brado de Borges, ao professar seu alexandrinismo. Se nos contos de Tchekhov existe um Deus, este não pode se ver livre do mundo — tampouco podemos nós. Mas para Borges, o mundo é uma ilusão, uma especulação, um labirinto, um espelho que reflete outros espelhos.

Mais do que um exercício de autocompreensão, aprender a ler Borges é, necessariamente, uma questão de aprender a ler os seus predecessores. Isso não o torna menos interessante, ou menos edificante, do que Tchekhov, mas o faz absolutamente singular. Para Borges, Shakespeare é, ao mesmo tempo, todo o mundo e ninguém: o labirinto vivo da própria Literatura. Para Tchekhov, Shakespeare é — obsessivamente — o autor de *Hamlet*, e *Príncipe Hamlet* vem a ser o primeiro navio em que Tchekhov viaja (literalmente, no conto "Em Alto-Mar", o primeiro publicado pelo autor utilizando o próprio nome). O relativismo de Borges é absoluto, o de Tchekhov, condicional. Maravilhados, em Tchekhov e seus adeptos, travamos com a história uma relação pessoal, mas Borges encanta-nos e transporta-nos a um mundo de forças impessoais, onde a memória de Shakespeare constitui um imenso abismo, capaz de tragar-nos, fazendo com que percamos quaisquer resquícios da nossa pessoa.

Das ficções de Borges, cada leitor há de ter a própria lista de predileções. A minha inclui "Tlön, Uqbar, Orbis Tertius", "Pierre Menard, Autor do *Quixote*", "A Morte e a Bússola", "O Sul", "O Imortal" e "O Aleph". Entre essas seis histórias, destacarei aqui a primeira, que muito me auxiliará a concluir esta seção, sobre como ler o conto, e por que devemos continuar a ler os melhores exemplos que existem do gênero.

"Tlön, Uqbar, Orbis Tertius" inicia com uma sentença que, realmente, desarma: "Devo à conjunção de um espelho e de uma enciclopédia a descoberta de Uqbar".[13] Estamos aqui diante do que há de mais típico em

---

[13] *Ficções*. Tradução de Carlos Nejar. *Obras Completas*, vol. I. São Paulo: Editora Globo, 1998, p. 475. [N.T.]

Borges: se somarmos o labirinto ao espelho, e à enciclopédia, o resultado será o mundo borgiano. De toda a ficção de Borges, "Tlön, Uqbar, Orbis Tertius" é o texto mais incrível, mais sublime. Contudo, o leitor se surpreende ao se ver inclinado a acreditar no inacreditável, devido à capacidade que tem Borges de fazer uso de pessoas e locais da vida real (e.g., respectivamente, seus melhores e mais letrados amigos, uma antiga chácara, a Biblioteca Nacional, um conhecido hotel). O leitor atribui um caráter de realidade tanto a Herbert Ashe, figura ficcional, quanto a Bioy Casares, enquanto Uqbar e Tlön, embora fantasmagorias, parecem algo pouco mais fantástico do que a Biblioteca Nacional. Uma enciclopédia que registra a existência de um mundo inteiramente ficcional esmera-se em descrevê-lo, simplesmente, porque a publicação em foco é uma enciclopédia, obra à qual estamos habituados a imprimir autoridade.

Isso pode ser perturbador, mas é, também, divertido. À medida que objetos e conceitos tlönianos se espalham por povos e nações, a realidade começa a "ceder". A cortante ironia de Borges é mais impressionante do que nunca:

> O certo é que [a realidade] desejava ceder. Há dez anos, bastava qualquer simetria, qualquer sistema com aparência de ordem — o materialismo dialético, o anti-semitismo, o nazismo — para encantar os homens.

Borges, ferrenho opositor do marxismo e do fascismo argentino, denuncia o que chamamos de "realidade", e não Tlön, fantasia por ele criada, que pertence ao labirinto vivo da literatura de ficção.

> Tlön será um labirinto, mas um labirinto urdido por homens, um labirinto destinado a ser decifrado pelos homens.

Em outras palavras, Tlön é um labirinto inofensivo, sem um Minotauro à espreita para nos devorar. A literatura canônica não é simetria nem sistema, mas uma imensa e prolífera enciclopédia do desejo humano, do desejo de ser mais criativo em vez de fazer mal ao próximo. Supostamente, não devemos nos deixar fascinar ou hipnotizar por Tlön; entretanto, como leitores, não contamos com informação suficiente para decifrar o mistério. Tlön permanece, exatamente, um imenso dilema, que só mesmo todo o universo literário fantástico há de explicar.

O conto inicia com Borges e seu amigo mais próximo (e colaborador), o romancista argentino Bioy Casares, jantando tarde da noite, em uma chácara alugada por Borges; os dois se vêem refletidos no espelho, e a visão muito os perturba. Bioy recorda-se de um dito por ele atribuído a um dos heresiarcas de Uqbar: "*Os espelhos e a cópula são abomináveis, porque multiplicam o número dos homens*". Ficamos sem conhecer a identidade desse asceta gnóstico, que, sem dúvida, é o próprio Borges, mas Bioy acredita ter encontrado o provérbio em um artigo sobre Uqbar, supostamente uma reimpressão (sob novo título) do texto contido na edição de 1902 da *Encyclopaedia Britannica*. O artigo *não consta* da edição da *Britannica* que está na casa alugada por Borges; no dia seguinte, Bioy traz o respectivo volume, que contém quatro páginas sobre Uqbar. Tanto a geografia quanto a história de Uqbar são bastante vagas; a localização parece ser além-Cáucaso, e a literatura de Uqbar é absolutamente fantástica, discorrendo sobre locais imaginários, inclusive Tlön.

O conto, então, embora apenas iniciado, chegaria ao fim, não fosse o surgimento de Herbert Ashe, reticente engenheiro britânico com quem Borges diz ter entabulado conversas superficiais ao longo de oito anos, em um hotel freqüentado por ambos. Depois da morte de Ashe, Borges encontra um livro deixado pelo engenheiro no bar do hotel: *A First Encyclopaedia of Tlön. Vol. XI. Hlaer to Jangr.* O volume não apresenta nem local nem data de publicação, e soma 1.001 páginas, alusão clara às *Noites da Arábia.* Ao examinar o fantástico conteúdo do tomo, Borges descobre grande parte da natureza (por assim dizer) do cosmo que é Tlön. O contumaz idealismo filosófico de Berkeley, segundo o qual nada pode ser idêntico a uma idéia exceto uma outra idéia, é a principal lei de sobrevivência em Tlön. Naquele cosmo não há causas nem efeitos; ali predominam a psicologia e a metafísica da fantasia absoluta.

Eis "Tlön, Uqbar, Orbis Tertius", na versão de 1940, mais um texto constante da *Antologia de Literatura Fantástica*, de Borges. Um "Pós-escrito", datado de 1947, incrementa a fantasmagoria. Tlön passa a ser explicado como uma inofensiva conspiração de hermetistas e cabalistas, desenvolvida ao longo de três séculos, conspiração essa que alcança o momento crucial, em 1824, quando "o ascético milionário Ezra Buckley" propõe que um país imaginário seja transformado em um novo universo. Borges localiza a proposta na cidade de Memphis, no Tennessee, desse modo, tornando o local que hoje conhecemos em decorrência de "Elvisland" algo misterioso como a antiga Memphis, no Egito. Os quarenta volumes da *First Encyclopaedia of Tlön* são concluídos até 1914, ano em que a Primeira Grande Guerra Mundial foi deflagrada. Em 1942, em plena Segunda Guerra, os primeiros objetos oriundos de Tlön começam a surgir: uma bússola em cujo dial as letras aparecem impressas segundo o alfabeto tlöniano; um pequeno cone feito de metal incrivelmente pesado; uma edição completa da *Encyclopaedia*, descoberta em uma biblioteca de Memphis; bem como outros objetos, compostos de materiais fantasmagóricos, que aparecem em toda parte. A realidade "cede", sendo apenas uma questão de tempo, até que o mundo todo se torne Tlön. Sem se abalar, Borges permanece no hotel, pacientemente, revisando uma tradução barroca da obra de Sir Thomas Browne, *Urne Buriall*, da qual jamais esqueço a seguinte frase: "A vida é uma chama pura, e vivemos sob a luz de um Sol invisível que temos dentro de nós".

Borges, visionário cético, é fascinante, a despeito da advertência: a realidade desaba facilmente. Talvez, as nossas fantasias pessoais não tenham a complexidade de Tlön, nem sejam tão abstratas. Mas Borges delineia aqui uma tendência universal, e nos satisfaz um anseio fundamental quanto ao porquê da leitura.

Tommaso Landolfi

São célebres as palavras de Dostoiévski: "Todos saímos debaixo do 'Capote' de Gogol", referindo-se ao conto que versa sobre um infeliz escrivão cujo capote novo é roubado. Desprezado pelas autoridades, às quais apresenta a queixa do roubo, o miserável acaba morrendo, e seu fantasma perambula, em vão, em busca de justiça. Ainda que muito bom, esse não é o melhor conto de Gogol, mas, talvez, "Senhorios do Velho Mundo", ou o insano "O Nariz", este último sobre um barbeiro que, ao tomar o café da manhã, descobre o nariz de um cliente dentro de um pão que a esposa lhe acabara de assar. O espírito de Gogol, sutilmente presente em muito do que Nabokov escreveu, atinge verdadeira apoteose na excelente obra do escritor italiano contemporâneo Tommaso Landolfi "A Esposa de Gogol", talvez o conto mais engraçado e mais desconcertante que conheço.

O narrador, amigo e biógrafo de Gogol, "muito a contragosto", relata a vida da esposa do escritor russo. Na vida real, Gogol, religioso fanático, jamais se casou, e, quando estava com cerca de quarenta e três anos, tomou a decisão de definhar até a morte, depois de queimar seus escritos inéditos. Mas o Gogol de Landolfi (que poderia ter sido inventado por Kafka ou por Borges) casa-se com um balão de borracha, uma esplêndida boneca de inflar, capaz de assumir formas e proporções segundo os caprichos do marido. Apaixonado pela mulher, quando esta assume uma determinada forma, Gogol mantém com ela relações sexuais, e lhe atribui o nome Caracas, em homenagem à capital da Venezuela, por motivos que só o louco do autor conhece.

Durante alguns anos, tudo vai bem, até que Gogol contrai sífilis, de cujo contágio ele, injustamente, culpa Caracas. Com o passar do tempo, cresce o sentimento de ambivalência de Gogol com relação à esposa. Ele acusa Caracas de comodismo, e até de traição, enquanto ela se torna cada vez mais amargurada e carola. Afinal, Gogol, enfurecido, propositadamente, bombeia ar em Caracas até ela explodir e voar pelos ares. Após recolher os restos de Madame Gogol, o eminente escritor os incinera na lareira, onde tem o mesmo fim dos manuscritos inéditos. Ao mesmo fogo, Gogol atira um boneco de borracha, filho de Caracas. Depois da catástrofe final, o biógrafo defende Gogol contra a acusação de espancar a esposa, e saúda a memória do autor genial.

O melhor prelúdio (ou poslúdio) a "A Esposa de Gogol" são alguns contos do próprio Gogol, que nos levarão a acreditar no ocorrido com a infeliz Caracas. Como possível amante de Gogol (seja por ele, de fato, encontrada, ou mesmo inventada), Caracas é perfeitamente viável. Landolfi jamais poderia ter escrito a mesma história e a intitulado "A Esposa de Maupassant", muito menos "A Esposa de Turgenev". Não, essa esposa só pode ser de Gogol, de mais ninguém, e eu raramente duvido da história de Landolfi, especialmente nos instantes que sucedem a cada releitura. Caracas tem uma realidade que Borges não busca — e nem consegue alcançar — em Tlön. Como a única noiva possível para Gogol, Caracas é, a meu ver, a paródia máxima da idéia de Frank O'Connor, de que a voz solitária que se faz ouvir no conto moderno é a da População Marginalizada. Quem haveria de ser mais marginalizada do que a esposa de Gogol?

Italo Calvino

Outros mestres do conto têm a sua obra analisada adiante, neste livro, seja como romancistas (Henry James e Thomas Mann) ou poetas (D. H. Lawrence). Concluo o presente capítulo abordando o trabalho de outro grande fabulista italiano, Italo Calvino, morto em 1985. Entre os seus livros, eu destacaria (na verdade, trata-se de uma preferência universal) *As Cidades Invisíveis*. Qualquer descrição da arte de Calvino, desde que bem-feita, será capaz de demonstrar como e por que *As Cidades Invisíveis* deve ser lido e relido. O narrador é Marco Polo, o ouvinte é o venerável Kublai Khan, e nós também ouvimos as histórias dessas cidades imaginárias. Com apenas uma ou duas páginas cada, os contos seguem o estilo de Borges, ou Kafka, em vez de Tchekhov. As cidades descritas por Marco Polo jamais existiram, e jamais poderiam existir; no entanto, a maioria dos leitores visitariam-nas, se pudessem.

As "cidades invisíveis" de Calvino são divididas em onze grupos temáticos intercalados: cidades e memória, desejo, símbolos, olhos, nomes, mortos e céu, além de cidades delgadas, de trocas, contínuas e ocultas.[14] Ainda que tal estrutura seja capaz de nos confundir, de nada adianta simplificá-la, concluindo que todas essas cidades são, na verdade, um único lugar. Uma vez que todas têm nomes de mulher, seria como afirmar que todas as mulheres são, na verdade, uma única mulher, doutrina do romancista e filósofo espanhol Miguel de Unamuno, mas que não corresponde à visão de Calvino. Ao ouvir o relato de Marco Polo, Kublai Khan concordaria com Calvino e com o narrador, mas não com Unamuno, pois, idoso

[14]*As Cidades Invisíveis*. Tradução de Diogo Mainardi. São Paulo: Companhia das Letras, 1995, p. 5-7. [N.T.]

e cansado, Kublai reconhece nas cidades visionárias da narrativa de Marco Polo um modelo que há de sobreviver, quando o seu próprio império for cinzas.

Nostalgia por ilusões perdidas, amores frustrados, felicidade fugaz — são essas as emoções provocadas por Calvino. Em Isidora, uma das Cidades da Memória, "quando um estrangeiro está incerto entre duas mulheres sempre encontra uma terceira"; infelizmente, só se chega a Isidora quando se é idoso. "Deixa-se Tamara sem que esta tenha sido descoberta", e em Zirma "vê-se uma menina trazendo um puma na correia". Finalmente, Kublai começa a notar alguma semelhança entre as cidades, mas isso quer dizer tão-somente que o imperador está aprendendo a interpretar a arte narrativa de Polo: "Não há linguagem que não engane". Em Armila, uma das Cidades Delgadas, aparentemente, a única atividade é um grupo de ninfas banhando-se: "de manhã, ouve-se [as ninfas] cantando". Já em outra localidade, Cloé ("a mais casta das cidades"), "existe uma contínua vibração luxuriosa". Tudo isso condiz com um dos princípios de Marco Polo como contador de histórias: "A inautenticidade jamais está nas palavras, e sim nas coisas".

Kublai protesta, e diz que, a partir daquele momento, *ele* passará a descrever as cidades, e Marco Polo, então, empreenderá as viagens, com o intuito de verificar se tais cidades existem. Marco, porém, rejeita a cidade arquetípica de Kublai e propõe um modelo construído a partir de exceções, exclusões, incongruidades, contradições. O leitor começa a se dar conta de que a verdadeira história é o contínuo debate entre o visionário (Marco Polo) e o cético (Kublai), a eterna juventude contra a eterna velhice. E o relato prossegue: temos Esmeraldina, onde "os gatos, os ladrões, os amantes clandestinos locomovem-se pelas ruas mais elevadas e descontínuas, saltando de um telhado para o outro, descendo de uma sacada para uma varanda", ou Eusápia, a cidade dos mortos, onde "uma moça de crânio risonho ordenha a carcaça de uma bezerra".

Cansado de tudo, Kublai determina o fim das viagens de Marco, e ordena-o a jogar uma infinita partida de xadrez contra o Grande Khan. Mas isso tampouco detém Marco; o movimento das peças sobre o tabuleiro de xadrez torna-se a narrativa das cidades invisíveis. Chegamos, finalmente, a Berenice, "a cidade injusta", que comporta uma cidade justa, que comporta uma cidade injusta, alternada e sucessivamente. Berenice é, portanto, uma série de cidades, justas e injustas, e todas as Berenices do futuro estão no presente, "contidas uma dentro da outra, apertadas espremidas inseparáveis". E sendo essa a cidade em que todos vivemos, Marco Polo conclui a narrativa. Já não há mais Cidades Invisíveis.

Resta um diálogo final entre Kublai e Marco. Onde estão, pergunta Kublai, as terras prometidas? Por que Marco nada falou sobre Atlântida, Utopia, Cidade do Sol, Nova Harmonia e as demais cidades redentoras? "Por esses portos eu não saberia traçar a rota nos mapas nem fixar a data da atracação", Marco responde; então, o Grande Khan, folheando o atlas, localiza as cidades que surgem nos "pesadelos e nas maldições": Babilônia, Yahoo, Admirável Mundo Novo e as demais. Desesperado, Kublai afirma o seu niilismo: a corrente leva-nos, finalmente, à cidade infernal. De modo extraordinário, as palavras finais pertencem a Marco Polo, que fala em nome das últimas esperanças do leitor. A essa altura, já alcançamos o "inferno dos vivos". Podemos aceitá-lo e, assim, deixar de percebê-lo. Mas existe um modo de agir mais eficaz, que pode ser chamado "a sabedoria de Italo Calvino":

> [...] Tentar saber reconhecer quem e o que, no meio do inferno, não é inferno, e preservá-lo, e abrir espaço.

O conselho de Calvino elucida-nos sobre como e por que ler: para ficarmos alertas, para buscarmos e reconhecermos a possibilidade do bem, para trabalhar pela sobrevivência do bem, e para abrir espaço ao bem em nossa vida.

Resumindo

O conto moderno pode ser separado em duas vertentes distintas e opostas, uma tchekhoviana, a outra, borgiana.

Flannery O'Connor, a despeito das aparências, pertence à tradição de Tchekhov, assim como Italo Calvino segue a linha de Kafka e Borges. O conto tchekhoviano *não* é fantástico, por mais chocante que possa ser a presença de certos elementos tchekhovianos na obra da referida escritora norte-americana. Hemingway, que pretendia ser Tolstoi, é altamente tchekhoviano, assim como Joyce, em *Dublinenses*, embora o autor irlandês negasse ter lido Tchekhov. Os contos de Tchekhov têm início repentino, final elíptico, e não denotam qualquer preocupação com o preenchimento de vazios que, certamente, seriam preenchidos nas histórias de Henry James (especialmente nas mais longas). Ainda assim, Tchekhov espera que o leitor aceite o realismo, a fidelidade com que seus contos retratam a vida. Kafka e, em seu encalço, Borges mergulham em fantasmagoria. Kafka e Borges não nos oferecem réquiens por uma vida não vivida.

Nem sempre é fácil distinguir entre a vertente de Tchekhov e Hemingway, de um lado, e a de Borges, do outro, visto que nenhum dos dois estilos de narrativa pretende, necessariamente, contar uma história, como o faz Tolstoi, ao relatar, incansável e detalhadamente, a vida e a morte de Hadji Murad, herói chechênio que protagoniza o conto cujo título traz seu nome. Tchekhov e Kafka criam a partir de um abismo, ou de um vazio; já o extremo senso de realidade de Tolstoi é convincente como só mesmo em Shakespeare e Cervantes. Mas o conto, seja na vertente tchekhoviana ou borgiana, é uma forma essencial, conforme observou Borges. Os melhores contos requerem releituras e por elas nos recompensam. Henry James comenta que o conto se posiciona "no limite maravilhoso entre a poesia e a realidade". Isso situa o gênero entre o poema e o romance, e os respectivos personagens, novamente, segundo James, devem ter "um fascínio, ao mesmo tempo, estranho, singular e, reconhecidamente, genérico".

Geralmente, as peças teatrais imitam ações; o mesmo não se aplica ao conto. Eudora Welty, nos dias de hoje, provavelmente, a melhor contista norte-americana, comenta que, na verdade, os personagens de D. H. Lawrence "não se comunicam com naturalidade, não conversam entre si; não falam pelas ruas, mas jorram como fontes, brilham como a lua, rugem como o mar, ou calam-se como as pedras perversas". Lawrence é um visionário extremado, mas a eloqüente observação de Welty se aplica a todas as grandes histórias, que devem encontrar a sua própria forma, seja na tradição de Tchekhov ou Kafka. Nos melhores contos, a realidade torna-se fantástica e a fantasmagoria torna-se real e rotineira. Talvez seja por isso que, hoje em dia, tantos leitores evitem as coletâneas de contos, preferindo adquirir romances, mesmo quando os contos apresentam qualidade bem superior.

O conto favorece o tácito, compele o leitor à ação, a discernir as explicações omitidas pelo autor. O leitor, conforme já ressaltei, precisa proceder com cautela, com propósito, e tentar ouvir com a mente. Tal procedimento possibilita ao leitor, por assim dizer, perscrutar o interior dos personagens, ao mesmo tempo em que os ouve falar. O leitor deve pensar nos personagens como se estes fossem seus, e buscar as várias implicações da história, em vez de limitar-se a ouvir o narrador discorrer a respeito das mesmas. Ao contrário do que ocorre com a maioria das figuras que habitam romances, com personagens de contos a evidenciação (ou não) de determinados fatores depende, em grande parte, da capacidade de o leitor perceber as indicações sutilmente fornecidas pelo autor.

De Turgenev a Eudora Welty, e mesmo depois de Welty, contistas têm evitado fazer julgamentos de ordem moral. George Eliot foi eminente romancista, e *Middlemarch, Um Estudo da Vida Provinciana* (sua obra-prima) contém inúmeros e fascinantes julgamentos dessa natureza. Mas os contistas mais talentosos são tão vagos com relação a julgamentos de valor quanto com relação à continuidade da ação, ou aos detalhes da vida pregressa dos personagens. Nos melhores contos, cabe ao leitor decidir a relevância de quaisquer julgamentos de ordem moral, e, com efeito, pronunciá-los.

O leitor obtém grandes benefícios das elipses, geralmente plenas de significado, encontradas tanto na vertente tchekhoviana quanto na borgiana. Ao mesmo tempo, é preciso cautela na detecção do simbolismo, mais ausente do que presente nos grandes contos. Mesmo o grande conto de horror — "O Horla" —, de Maupassant, não faz do Horla elemento explicitamente simbólico, embora eu tenha sugerido anteriormente a possibilidade de uma relação entre a loucura de Maupassant, causada pela sífilis, e a obsessão pelo Horla observada no protagonista anônimo. Até certo ponto, o simbolismo é tão alheio a um conto de boa qualidade quanto as alusões literárias: Nabokov é a grande, a maravilhosa exceção, nesta minha tentativa de formular uma Lei de Bloom para o conto. Nabokov recorre, freqüentemente, à alusão, mas, raramente, ao simbolismo. O simbolismo pode comprometer o conto; o romance dispõe de espaço e tempo suficientes para revestir os símbolos de uma aparência naturalista, mas o conto, necessariamente abrupto, tem dificuldade em evitar que os símbolos pareçam inoportunos.

Concluo este epílogo sobre como e por que ler contos, sugerindo que as vertentes — Theckhov-Hemingway e Borges — não são excludentes. Buscamo-las por motivos distintos; se a primeira satisfaz o nosso desejo de realidade, a segunda mostra-nos a ânsia que sentimos pelo que se encontra além da suposta realidade. Claro está, apreendemos cada vertente de modo diverso, buscando a verdade, em Tchekhov, e o avesso da verdade, em Borges. O ato do Gogol criado por Landolfi, ao destruir a esposa-boneca de borracha, afeta-nos tanto quanto o momento em que o estudante de Tchekhov detém-se diante da fogueira onde se encontram duas mulheres infelizes e lhes narra a história de São Pedro. A energia que caracteriza a nossa reação apresenta, em cada caso, uma natureza distinta, mas a intensidade é a mesma.

II

Poemas

Introdução

O critério de organização deste capítulo não é cronológico, mas temático, por justaposição, porque a poesia costuma ser mais livre da História do que a ficção em prosa e a literatura dramática. E assim como enfatizo o argumento poético, antes de contextos sociais, não abordo a questão da forma poética. No que tange aos mais diversos aspectos de estrutura, organização formal, métrica e rima, em poesia de expressão inglesa, a obra indispensável, autoridade máxima, é o livro *Rhyme's Reason: A Guide to English Verse*, de John Hollander. Meu propósito aqui, como ao longo de todo este livro, é discutir como e por que ler, questão que, no caso da poesia, seja de modo geral ou específico, a meu ver, envolve a busca da imaginação. Considero a poesia a jóia da literatura ficcional, por se tratar de um gênero profético.

Abro a discussão com exemplos de pura poesia lírica, de autoria de A. E. Housman, William Blake, Walter Savage Landor e o fragmento "A águia", de Tennyson. São ilustrações do que existe de mais conciso e pungente na poesia, e servem de introdução a dois dos nossos mais expressivos monólogos dramáticos, o eloqüente "Ulisses", de Tennyson, e o extraordinário

"Childe Roland na Torre Sombria", de Robert Browning. A seguir, justaponho a esses monólogos *A Canção de Mim Mesmo*, de Walt Whitman, exemplo supremo da substituição que a poesia norte-americana procede, ao introduzir o épico da Autoconfiança, termo empregado por Emerson, no lugar do monólogo dramático. Depois de analisar a lírica de Autoconfiança em Emily Dickinson, retorno à Inglaterra vitoriana para discutir um contumaz poema lírico de Emily Brontë. A atmosfera e o espírito que permeiam a obra de Dickinson e Brontë remetem à chamada Balada Folclórica, ou Balada de Fronteira. Analiso, em seguida, as duas baladas que têm a minha predileção, "Sir Patrick Spence" e "O túmulo sem paz", antes de abordar o maior poema anônimo em língua inglesa, o extraordinário "Tom de Bedlam", canção extasiante, digna de ser da autoria do próprio Shakespeare.

Tudo isso conduz a três dos sonetos shakespearianos mais marcantes. Na seqüência natural, os maiores sucessores de Shakespeare na poesia inglesa, John Milton e os poetas românticos, constituem o próximo objeto de estudo. É pena não haver aqui espaço suficiente para uma análise mais detida de *Paraíso Perdido*, mas, ao menos, é possível estabelecer como e por que o Satã criado por Milton deve ser lido e relido.

O exame de dois poemas líricos de Wordsworth, o verdadeiro inventor da poesia moderna, é seguido do estudo do incrível *A Rima do Velho Marinheiro*, de Coleridge, e de obras selecionadas dentre as mais perturbadoras escritas por Shelley e Keats. No resumo incluído ao final do capítulo, apresento, ainda, breve reflexão sobre os quatro poetas modernos que mais me fascinam — W. B. Yeats, D. H. Lawrence, Wallace Stevens e Hart Crane —, uma vez que os quatro, somados, apresentam todos os elementos cruciais apontados nos poemas discutidos.

Housman, Blake, Landor e Tennyson

Enche-me o coração um ar mortal
  Vindo daqueles campos de aquarelas:
Que colinas azuis, memória atual,
  Que torres, que fazendas são aquelas?

É a terra da alegria já perdida,
   Posso vê-la com brilho e nitidez,
Trilha feliz por onde andei na vida,
   E onde correr já não posso outra vez.

Eis o quadragésimo poema do livro de A. E. Housman intitulado *O Jovem de Shropshire* (1896). Como tantas outras poesias de Housman, esta vive em minha memória há sessenta anos. Aos oito anos de idade, eu caminhava a esmo, declamando em voz alta poemas de Blake e Housman, o que ainda faço, com menos freqüência, mas com o mesmo fervor. A melhor introdução à leitura de poesia é a obra de Housman, cujo estilo conciso e enxuto tanto agrada, precisamente devido à aparente simplicidade. No entanto, trata-se de uma simplicidade engenhosa, que camufla a profundidade e a reverberação peculiares à grande poesia. "Um ar mortal" traduz suprema ironia, pois, seja como ária ou como lembrança de uma sensação provocada pela brisa, a canção, paradoxalmente, mata quando deveria promover a vida. Nascido em Worcestershire, na infância, Housman adorava Shropshire "porque as colinas eram o nosso horizonte ocidental". As "colinas azuis, memória atual" de que fala o poema representam não apenas a idealização de Shropshire, mas um "além", algo transcendental, uma felicidade que Housman, frustrado, jamais alcançara. As palavras "É a terra da alegria já perdida" expressam comovente auto-revelação, pois essa alegria não passa de um anseio. Contudo, com uma afirmação sublime, o poeta insiste: "Posso vê-la com brilho e nitidez", como um peregrino que insiste em afirmar que já enxerga Jerusalém. Aquela "trilha feliz" pertencia ao futuro e, por isso, Housman já não pode percorrê-la. A tônica do momento perdido é mantida com perfeição, e, em última análise, lemos o poema como uma triste canção de amor, que relembra tão-somente um sonho de juventude.

A questão da objetividade de Housman contribui para a formação do primeiro princípio relativo à leitura do poema: deve ser minuciosa, pois o verdadeiro critério de identificação de um bom poema é o fato de o mesmo "sobreviver" a uma leitura minuciosa. Eis William Blake, poeta bem maior do que Housman, mas que nos oferece um poema que, tanto quanto os de Housman, parece simples e direto, "A rosa enferma":

Ó rosa, estás enferma!
A invisível lagarta,
Que na noite se arrasta,
Na tormenta que empata,

Encontrou teu canteiro
De alegria escarlate,
Que o seu amor escuso
A tua vida arrebate.

Ao contrário do que foi observado em Housman, é difícil determinar a tônica desse poema de Blake. "Amor escuso" tornou-se expressão corrente para qualificar relacionamentos amorosos clandestinos e os danos conseqüentes dos mesmos. A ironia de "A rosa enferma" é mordaz, quiçá, cruel, de tão implacável. A cena descrita por Blake é absolutamente natural; entretanto, a perspectiva do poema transforma o natural em rito social, em que uma ameaça fálica se instala contra a auto-satisfação feminina (o canteiro da rosa é "de alegria escarlate", antes de ser encontrado pela lagarta). Conforme o poema de Housman sobre Shropshire, "A rosa enferma" soa melhor quando recitado em voz alta, fazendo lembrar uma espécie de fórmula encantatória, um brado profético contra a natureza e o ser humano.

Talvez, só mesmo William Blake seria capaz de conferir a um poema tão breve (apenas trinta e uma palavras) um teor visionário tão pesado, tão sombrio, mas algo faz com que os poetas sempre busquem manifestar a exuberância da criatividade compactando grandes conteúdos em pequenos espaços. Pelo termo "visionário" entendo a perspectiva através da qual objetos e pessoas são vistos em uma dimensão ampliada, com implicações espirituais. A poesia, tantas vezes visionária, tenta domesticar o leitor em um mundo onde aquilo que o leitor contempla possui uma aura transcendental.

O poeta romântico Walter Savage Landor, cujas freqüentes rixas literárias e ações judiciais, ironicamente, justificavam-lhe o nome do meio,[1] escreveu quadras notáveis, de uma simplicidade que engana, como, por exemplo, "No seu septuagésimo quinto aniversário":

---

[1]Em tradução, "selvagem". [N.T]

Lutei com nada e nada valia a lida.
   Amei a Natureza e logo após a Arte;
Aqueci as mãos ante o fogo da vida;
   Tudo se afunda e estou como quem já parte.[2]

Quando se chega aos setenta e cinco anos de idade, mesmo sabendo-se que a quadra contém uma inverdade, tem-se a vontade de sair por aí, murmurando o epigrama, no dia do aniversário, em homenagem a si mesmo e a Savage Landor. Os bons poemas curtos são memoráveis, o que me leva a um ponto crucial sobre como ler poesias: sempre que possível, devemos *memorizá-las*. A antiga prática da memorização, que servia de base à boa pedagogia, foi destorcida por monótonos exercícios de repetição, e, conseqüentemente, abandonada — o que foi um erro. A releitura, concentrada e em silêncio, de um poema breve que nos *toque*, deve ser seguida de recitação, para a própria pessoa, até que se dê a constatação de que os versos estão fixos em nossa memória. Um bom começo é o poema de Tennyson, ricamente orquestrado, "A águia":

Agarra o rochedo com garra torta;
Perto do sol, em terra rude e morta,
Cercada do mundo azul, ela aporta.

Lá embaixo o mar sob ela se agita;
Do alto do penhasco ela cogita,
E como um raio ela se precipita.

O poema é um excepcional exercício da arte de harmonizar sons e sentido, além de apresentar uma dimensão sublime. A águia provoca a nossa capacidade de identificação. Certa vez, ao final de um almoço, Robert Penn Warren, autor de poemas extremamente dramáticos sobre gaviões e águias, recitou-me esse eloqüente fragmento escrito por Tennyson, e disse: "Como gostaria de ter escrito esses versos!". Com efeito, o leitor que memoriza "A águia" pode até experimentar a sensação de ter sido o

[2] *Grandes Poetas da Língua Inglesa do Século XIX.* Organização e tradução de José Lino Grünewald. 2. ed. Rio de Janeiro: Nova Fronteira, 1988, p. 33. [N.T.]

autor dos versos, de tão universais que são as nobres aspirações expressas no poema.

Quando era mais jovem, e professor bem mais paciente do que sou hoje, certa ocasião, convenci os alunos de meu curso sobre Poesia Vitoriana, em Yale, a memorizar o esplêndido monólogo dramático de Tennyson, "Ulisses", poema que se presta tão bem à memorização, e à percepção crítica que só a memorização pode propiciar.

Circundando a ardente reflexão poética de Tennyson, temos outras versões de Ulisses, desde a *Odisséia*, de Homero, e o *Inferno*, de Dante, a *Tróilo e Créssida*, de Shakespeare, e a transformação de Ulisses, operada por Milton, na figura do Satã dos primeiros livros de *Paraíso Perdido*. Indireto e contrapontístico, o "Ulisses" de Tennyson possui uma eloqüência notável, bastante acessível à memorização, talvez, porque, em muitos leitores, existe algo que promove uma imediata identificação com esse herói tão ambíguo, essa grande figura da Literatura Ocidental. A ambivalência, sensação que Shakespeare manipulava com perfeição, pode ser traduzida como a ocorrência de sentimentos conflitantes, positivos e negativos, com relação a um determinado indivíduo. O "Ulisses" de Tennyson, ao que parece, propositadamente, representa a necessidade de continuar vivendo, apesar da imensa dor do poeta pela perda precoce de seu melhor amigo, Arthur Henry Hallam. Uma parte substancial da melhor poesia de Tennyson compreende elegias a Hallam, inclusive "In Memoriam" e "Morte d'Arthur". No entanto, o monólogo de Ulisses gera profunda ambivalência, já de início, retratando com rispidez e frieza o lar, a esposa e os súditos aos quais retornara, após tantas aventuras:

> De que adianta ser um rei ocioso,
> À beira do fogo, em penhasco árido,
> Unido à esposa idosa, promulgando
> Leis inócuas a um povo tão inculto,
> Que lida, dorme e come, e não me vê.

A queixa final parece ser o cerne do mal que aflige Ulisses, mais do que a deselegante referência ao declínio físico da fiel Penélope, e o protesto (pouco convincente) contra a ineficácia das leis por ele criadas. A gente rude de Ítaca "não [o] vê"; só o próprio Ulisses enxerga a grandeza e a glória que o definem. Todavia, que grandiosa expressão de descontentamento expressam esses cinco versos que iniciam o poema! Quantos homens maduros, através dos séculos, tiveram pensamentos semelhantes a esse, considerando-se heróis, embora não fosse essa a opinião geral. Porém, embora egocêntrico, Ulisses é eloqüente, e a nossa reação, inicialmente, negativa (ou fria), aos poucos, vai se alterando, à medida que ele prossegue:

> Não me canso de viajar: saudarei
> Sempre os ventos; vivi cada minuto,
> Diverti-me, sofri, em companhia
> De quem me amava, e só, tanto na terra,
> Como em meio às tormentas do mar bravo.
> Sou hoje um nome; sempre viajando,
> Com coração sedento, muito vi:
> Cidades, climas, hábitos, governos,
> Em toda parte sempre fui honrado;
> Com meus pares saudei muitas vitórias,
> Nas longínquas planícies de Tróia.
> Trago comigo tudo que encontrei,
> Mas toda essa vivência é como um arco,
> Por onde vejo outras terras estranhas,
> Cuja fronteira afasta a cada passo.
> Que tédio, então, parar, chegar ao fim,
> Enferrujar, sem uso, não mais brilhar!
> Como se respirar fosse viver.
> Uma pilha de vidas seria pouco,
> E, tendo só uma, pouco me resta.
> Mas cada hora vence o eterno silêncio,
> E deve trazer consigo algo novo.
> Seria abjeto esconder-me três sóis,
> Se meu sombrio espírito arde, ansioso
> De buscar o saber, cadente estrela,
> Além dos confins da reflexão humana.

É difícil para o leitor resistir à identificação heróica incitada pelo poema. O *ethos* aqui presente pressagia o código do herói de Hemingway: viver a vida ao máximo, mas a questão é que toureiros e caçadores profissionais não se comparam a esse herói dos heróis. O leitor há de notar que Ulisses se refere aos que o amaram, mas não aos que ele amou ou ainda ama. No entanto, como são comoventes as palavras "Sou hoje um nome", pois o egocentrismo desaparece, quando nos lembramos de que esse nome é Ulisses, que tanto evoca. O verso "Em toda parte sempre fui honrado" já não expressa qualquer estigma, diante do verso "Trago comigo tudo que encontrei". Um vitalismo shakespeariano, que faz lembrar o espírito irrequieto de Hamlet, reverbera nas palavras desse Ulisses: "Como se respirar fosse viver". Aqui fala um velho que rejeita a sabedoria da velhice.

O poema nos leva à véspera da derradeira jornada, ignorada por Tirésias, no XI livro da *Odisséia*, quando prevê: "[...] oxalá que extensa / Vida obtenhais e transmitir à prole / Bens e fortunas que vos der o povo!".[3] A fonte de Tennyson, em espírito, tão alheia ao monólogo por ele escrito, é o *Inferno*, de Dante, canto 26, em que Ulisses é retratado como um viajante transgressor. O Ulisses de Dante não interrompe a longa permanência em companhia da feiticeira Circe para voltar aos braços de Penélope, em Ítaca, mas para partir para os confins do mundo, deixando o Mediterrâneo, rumo ao caos do Oceano Atlântico. Dante tem plena consciência da profunda identificação que existe entre a viagem que ele próprio empreende, em *A Divina Comédia*, e a busca de Ulisses; contudo, o poeta cristão vê-se obrigado a situar Ulisses no oitavo círculo do Inferno. Perto de Ulisses encontra-se Satã, arquétipo do pecado de Ulisses: ser falso conselheiro. O Ulisses de Tennyson não é um herói-vilão, mas faz a alucinada viagem final, característica do pecador de Dante. O Ulisses vitoriano descobre no filho, Telêmaco, o vitoriano típico, retratado como um moralista:

> Eis Telêmaco, eis o meu rebento,
> A quem deixo este cetro e toda a ilha —
> A quem tanto amo, que há de se esforçar
> Para civilizar gente tão rude,

[3] *Odisséia*. Tradução de Manuel Odorico Mendes. Texto e Arte 5. São Paulo: Edusp, 1992, p. 152. [N.T.]

E, aos poucos, instruí-los no que é útil,
No que é bom. Inocente, tão zeloso
Dos deveres, decente e piedoso,
Ele há de venerar deuses do lar,
Quando eu for. Ele faz sua parte, eu a minha.

As palavras "A quem tanto amo" não são convincentes, comparadas à força expressiva da afirmação: "Ele faz sua parte, eu a minha". O leitor percebe o alívio com que esse Ulisses deixa de lado o filho virtuoso e se dirige aos seus experientes parceiros de viagens marítimas, que o acompanharão na jornada suicida.

Lá está o porto; as velas, içadas.
Lá estão os grandes mares, tenebrosos.
Parceiros, que comigo trabalharam,
Lutaram e sofreram — acolhendo,
Com o mesmo brio o trovão e o sol —
Envelhecemos, todos! Mas a idade
Tem a sua honra, a sua missão;
A morte encerra tudo; antes do fim,
Porém, alguma façanha notável
Pode ser realizada, digna de homens
Que desafiam os deuses. Nos rochedos
As luzes começam a cintilar;
O longo dia chega ao fim, e surge
A lua; os lamentos, tantas vozes,
São ouvidos. Amigos, vinde, pois,
Não é tarde p'ra buscar um novo mundo.
Partamos, que o mar sinta a nossa força;
Meu destino é ir além do pôr-do-sol,
É seguir as estrelas até a morte.
Talvez redemoinhos nos engulam;
Quiçá alcancemos a Ilha da Alegria,
E veremos Aquiles, conhecido.
Se muito perdemos, muito inda temos;
Se não dispomos da força que outrora

Movia céu e terra, o que somos, somos:
Um grupo coeso, corações heróicos,
Fracos no tempo e na vida, mas prontos:
Lutar, buscar, chegar, jamais ceder.

As palavras "A morte encerra tudo" fazem lembrar mais Hamlet do que Dante (ou Tennyson), e assumem redobrado vigor, uma vez justapostas à extraordinária sensibilidade que esse Ulisses demonstra com relação à luz e aos sons:

As luzes começam a cintilar;
O longo dia chega ao fim, e surge
A lua; os lamentos, tantas vozes,
São ouvidos.

Tennyson conclui o poema com mais uma colisão de vozes antitéticas, uma, universalmente, humana ("Se muito perdemos, muito inda temos"), a outra, nitidamente, um eco do Satã de Milton ("Lutar, buscar, chegar, jamais ceder"). Satã formula a grande questão: "Coragem de jamais se entregar ou ceder: e o que restaria derrotar?". Dante e Milton, respectivamente, o maior poeta católico e o maior poeta protestante, ambos aceitariam a entrega a Deus, mas o Ulisses de Tennyson, após uma vida inteira de contenda com o deus do mar, não haveria de ceder a qualquer divindade que fosse. O leitor, a despeito do seu posicionamento diante de Deus ou da viabilidade do heroísmo, comove-se com a extraordinária eloqüência de Tennyson, em que pese o ceticismo que o poema, sutilmente, sugere com relação a Ulisses.

Como ler esse poema sublime já foi aqui abordado, mas por que continuar a fazê-lo? Os prazeres da boa poesia são inúmeros e variados, e o poema "Ulisses", de Tennyson, constitui, para mim, fonte de eterno prazer. Raramente, a poesia auxilia-nos a comungar com terceiros; trata-se de um belo idealismo, tornado realidade em certos momentos misteriosos, como no instante em que nos apaixonamos. A solidão é a característica mais típica da nossa condição; como povoar tal solidão? Poemas nos ajudam a conversar com nós mesmos, com mais clareza e intensidade, e, ao mesmo tempo, a *escutar* essa "conversa". Shakespeare é o grande mestre da auto-escuta; os homens e mulheres por ele inventados são os nossos precursores, assim como do Ulisses de Tennyson. Através da poesia, dirigimo-nos à nossa própria alteridade, àquilo que há de melhor, de mais profundo em nós. Lemos para nos encontrar, de um modo mais intenso e críptico do que poderíamos fazê-lo não fosse a leitura.

Robert Browning

Durante muitos anos de magistério, ensinei a meus alunos que a autoescuta era privilégio da originalidade dos grandes personagens criados por Shakespeare, sem saber ao certo onde havia encontrado tal noção. Ao redigir o parágrafo acima, subitamente, lembrei-me de um contemporâneo de Tennyson, o filósofo John Stuart Mill, cujo ensaio "O Que É a Poesia?" (1833) afirma, referindo-se a uma ária de Mozart: "Podemos imaginá-la por meio da *auto-escuta*". A poesia, Mill sugere, deve, assim como a ária de Mozart, propiciar a auto-escuta, e não a escuta. Dirijo-me agora à obra-prima do verdadeiro rival de Tennyson, Robert Browning, hoje tão pouco estudado, em decorrência da real dificuldade observada na sua poesia. O título "Childe Roland na Torre Sombria" alude ao fragmento de uma canção cantada por Edgar, no fim da quarta cena do terceiro ato, em *Rei Lear*, de Shakespeare:

> *Rolando foi na torre certa vez,*
> *E seu mundo parou.* Fi, fó e fum
> Eu estou cheirando sangue inglês.[4]

Edgar, no momento em que entoa a canção, acha-se disfarçado de andarilho, o "louco Tom", um mendigo ao estilo de Tom de Bedlam, às vezes chamado de Abraão. Supostamente, Edgar canta um pequeno trecho de uma antiga balada, jamais identificada; a meu ver, foi o próprio Shakespeare quem compôs esses versinhos pavorosos. Mais adiante, neste mesmo capítulo, cito e analiso a melhor canção escrita em língua inglesa a respeito da

[4] *Rei Lear*. Tradução de Barbara Heliodora. Rio de Janeiro: Nova Aguilar, 1998, p. 111. [N.T.]

loucura, a balada anônima “Tom de Bedlam”, descoberta em um compêndio datado de 1620, e tão magnífica que gostaria de poder atribuí-la a Shakespeare, exclusivamente, por mérito! Mesmo que a canção de Edgar não seja de autoria de Shakespeare, Browning foi por ela inspirado, ao escrever o mais impressionante dos seus monólogos dramáticos:

I
Logo vi, cada palavra era mentira;
   O velho aleijado, de olhar maldoso,
   Ávido, queria em mim constatar
O efeito da mentira; mal podia
Disfarçar o riso, ao canto da boca,
   Diante de mais uma de suas vítimas.

II
Que mais faria ele, com o cajado?
   Além de desviar, com suas mentiras,
   Viajantes que o encontram no caminho,
E pedem informação? Riso mórbido,
Com muleta escreve meu epitáfio,
   Por passatempo, na estrada empoeirada.

III
Talvez, seguindo o seu conselho, eu tome
   A trilha sinistra que, todos sabem,
   Leva à Torre Sombria. E, de bom grado,
Segui a direção que ele apontou;
Mais do que orgulho ou esperança busquei:
   Importante era saber que havia o fim.

IV
Pois, nas minhas andanças mundo afora,
   Na busca de longos anos, a esperança
   Virou fantasma incapaz de lidar
Com a alegria e o alarde do sucesso —
Já não censurava a fonte que havia
   No coração, alegando fracasso.

De quem é, na verdade, essa voz eloqüente e desesperada? Em língua inglesa, "*childe*" é um jovem nobre que ainda não foi feito cavaleiro, embora seja candidato a tal. No entanto, Roland deseja tão-somente fracassar, subverter a tradição dos que o precederam na busca da Torre Sombria. Jamais nos é informado quem (ou o que) habita a Torre, mas, presumivelmente, seria o ogro que cantava: "Fi, fó e fum / Eu estou cheirando sangue inglês". Trata-se de uma perspectiva um tanto ou quanto macabra, mas não é pior do que a terra inóspita por onde passa o anti-herói Roland:

X
Segui em frente. Creio jamais ter visto
 Terra tão devastada; quanto a flores,
 Só um bosque de cedro! Mas o joio
E a erva daninha ali se propagavam,
Segundo parecia, bem à vontade:
 Qualquer arbusto era como um tesouro.

XI
Só mesmo carência, inércia e feiúra —
 Que estranho — eram o quinhão da Terra.
 "Vede ou os olhos fechai", a Natureza
Dizia, irritada. "Nada viceja;
Só mesmo o fogo do Juízo Final
 Purga este lugar, livrando os meus seres".

XII
Se algum talo de cardo despontasse
 Dentre os companheiros, era cortado;
 O mato tinha ciúmes. Qual a causa
Dos furos e rasgões nas folhas toscas,
Sovadas, que jamais verdejariam?
 O andar de alguma besta as esmagou.

XIII
Quanto à relva, era rala como pêlo
 De leproso; talos finos rompiam
 A lama, cuja liga era como sangue.

Um velho cavalo, cego e raquítico,
Sempre empacava quando ali passava.
O garanhão do diabo era mais dócil!

XIV
Vivo? A mim mais parecia estar morto,
Pêlo macilento, pescoço caído,
Olhos fechados sob a crina turva;
Algo tão grotesco e infame era raro.
Jamais vi besta assim tão detestável;
Devia ser cruel p'ra merecer a dor.

Resta saber se, cavalgando ao lado de Roland, veríamos a mesma paisagem inóspita que ele vê. O cavalo pavoroso, meio vivo, meio morto, é descrito com realismo; mas será que nós diríamos: "O garanhão do diabo era mais dócil!", ou procederíamos a essa reflexão infantil: "Jamais vi besta assim tão detestável; / Devia ser cruel p'ra merecer a dor"?

Não se deixa uma criança a sós com um gatinho ferido, e cabe indagar se é seguro permitir que Childe Roland cavalgue desacompanhado. Desesperado em decorrência de suas próprias visões, Roland tenta invocar imagens dos predecessores na busca da Torre Sombria, mas só consegue se lembrar de amigos que caíram em desgraça e passaram a ser considerados traidores. "De volta ao meu caminho em meio às trevas!", ele exclama, mas o leitor há de questionar o que Roland vê. A *Terra Devastada*, de T. S. Eliot, parece amena, comparada a essa paisagem:

XX
Que terrível local! Por toda a trilha,
Um denso matagal se contorcia;
Dos chorões encharcados, poucos galhos
Pendiam, em desespero, suicidas;
Porém, o rio, que tanto os ofendera,
Corria livremente, sem parar.

XXI
Enquanto atravessava o rio — meu Deus! —
Que medo de pisar sobre um cadáver,

A cada passo, ou de que a lança, usada
Como sonda, fisgasse alguém p'la barba!
Talvez tenha espetado um animal,
Mas, oh! Parecia o grito de um infante.

XXII
Que alívio foi chegar à outra margem.
O local seria melhor. Ilusão!
Que inimigos, que luta foi travada,
Para devastar todo aquele solo?
Sapos presos em tanque envenenado?
Linces loucos, brigando numa jaula?

XXIII
Assim deve ter sido a arena cruel.
Por que se encurralaram, tendo os campos?
Não há pegadas na clareira maldita,
Nem rastros na saída. Uma poção
Abjeta os drogou, como fez o Turco
Ao opor judeu e cristão por passatempo.

XXIV
Adiante — duzentos metros — o que é isso?
Que uso teria essa engenhoca — roda,
Arado, um instrumento de tortura,
P'ra dilacerar corpos? Parecia
Ferro do inferno, esquecido na Terra,
Ou trazido aqui para ser afiado.

XXV
Além, havia uma área cheia de tocos,
Depois a mata, um pântano, e, então,
Terra seca e arrasada — (bobo brinca,
Inventa e destrói algo, até que o humor
Melhora e ele se vai!) —, tudo ao redor
Era charco, cascalho, e areia preta.

XXVI
Aqui o terreno abria-se em feridas,
Em tons claros e escuros; logo ali,
Surgiam calombos na terra, furúnculos;
Mais além, um carvalho agonizante,
No tronco uma fenda, uma boca torta,
Arreganhada, desafiando a morte.

Se considerarmos que só enxergamos aquilo que somos (o pensamento é de Emerson), haveremos de reconhecer em Roland um herói de tal modo arrasado que é difícil encontrar para ele uma figura literária equivalente. Dante, percorrendo o *Inferno*, evita recorrer a formulações equívocas como, por exemplo, "Mas, oh! Parecia o grito de um infante". A engenhoca mencionada na estrofe XXIV pode até ser um instrumento de tortura, mas, a essa altura, o leitor tornou-se cético. Ao que parece, é o próprio Roland que destrói ou distorce tudo o que vê, e que, conseqüentemente, só enxerga o objeto da busca quando já é tarde demais:

XXVII
E eu continuava tão longe do fim!
Não na distância, mas na noite; não
Mais queria dar um passo sequer!
Súbito, uma grande ave negra, amigo
De Apoliôn, alçou vôo perto de mim;
Talvez fosse o guia que eu precisava.

XXVIII
Pois, erguendo os olhos, pude notar,
Apesar da penumbra, que a planície
Se transformara em colinas — se assim
Podemos chamar morros tão feiosos;
De onde surgiram — resolva o leitor!
Como sair dali era outro dilema.

XXIX
Pareceu-me, então, reconhecer algo
Que ocorreu comigo, Deus sabe como —

Talvez num pesadelo. Veio, pois,
O fim da jornada. Eu já desistia,
Quando ouvi um estalo, como uma tranca:
Eu já estava dentro do covil!

A grande ave negra não parece ser amiga do Apoliôn que no Apocalipse de São João (9:11) é chamado de "Anjo do Abismo". Tenho conhecimento de poucos trechos da lírica inglesa tão sublimes quanto as estrofes que concluem esse poema:

XXX
Como se fogo me queimasse, vi:
Esse era o local! Dois montes à direita,
Como touros chifrando-se em combate;
À esquerda, a montanha de cume liso...
Tolo, espantado, atônito fiquei,
E a vida inteira estudei a visão!

XXXI
Quê? Em meio à névoa estaria a Torre?
Arredondada, baixa, sem janelas,
Construída em pedra escura, singular
No mundo. O elfo que zomba da tormenta
Só aponta ao marujo a prateleira
Em que bate, na hora que a tábua estala.

XXXII
Não via bem? Talvez por causa da noite?
O dia veio e tudo clareou!
E ao ir embora, morreu o pôr-do-sol:
Os montes, qual gigantes indo à caça,
A presa acuada espreitam, e, num golpe,
Acabam de uma vez com a criatura!

XXXIII
Não ouvia bem? Barulho não faltava!
Parecia sino. Em meus ouvidos nomes

Dos companheiros que me precederam:
Fulano era tão forte, outro tão bravo,
Beltrano iluminado; e todos eles
Perdidos! Cada toque valia anos.

XXXIV
Lá estavam, enfileirados na encosta,
Reunidos a ver meu fim, moldura viva
De mais um quadro! Em um lençol de fogo
Eu os vi e os reconheci. No entanto,
Intrépido, com o trompete aos lábios,
Toquei. *Childe Roland na Torre Sombria.*

Desde a palavra "queimasse", no início da trigésima estrofe, até os versos "Em um lençol de fogo / Eu os vi e os reconheci", compartilhamos com Roland o que William Butler Yeats chamaria de Estado Ígnio. Após uma vida inteira de preparação, para podermos identificar o local do nosso juízo final, não conseguimos fazê-lo a tempo de nos salvar. Quem, ou o que, é o ogro confrontado por Roland? Magnífico, esse poema demonstra não haver ogro algum, apenas a Torre Sombria: "Quê? Em meio à névoa estaria a Torre?". A torre é um elemento estranho, que nos causa perplexidade, como em Kafka ou em Borges; é desprovida de janelas; é, ao mesmo tempo, lugar-comum e singular. Na Torre, Roland não é cercado de ogros, mas das visões dos predecessores, os companheiros que o antecederam na busca maldita. Talvez, sem de todo perceber, Roland buscara não apenas o fracasso, mas um confronto direto com aqueles que o precederam. No "morrer" do sol, Roland ouve o que lhe parece ser um grande sino, mas, de modo surpreendente, consegue reunir determinação e coragem para o momento final. Soa, então, o trompete, um desafio que faz lembrar o "trompete da profecia", de Shelley, nos versos finais da "Ode ao vento do oeste":

Soprai meus pensamentos no universo,
Qual folhas murchas que fazem nascer!
E, pela encantação deste poema,

Espalhai, como as cinzas e as fagulhas
Da lareira acesa, minhas palavras
Mundo afora! Que soprem os meus lábios

O trompete da profecia! Ó, Vento,
Sendo ora Inverno, tarda a Primavera?[5]

Browning emprega um ponto, e não dois, após a palavra "Toquei", o que, obviamente, significa que "*Childe Roland na Torre Sombria*" não é uma mensagem anunciada pelo trompete. Uma vez que os versos ocorreram a Browning em um pesadelo, talvez, o poema como um todo apresente uma dimensão cíclica, e Roland tenha de vivenciar, continuamente, as experiências descritas. Não creio, no entanto, ser essa a interpretação do leitor médio — e o leitor médio está certo. O melhor monólogo dramático de Browning não se explica através do desespero inescapável, e o herói, apesar de niilista e derrotado, resgata a sua honra no confronto final com aqueles que antes dele fracassaram na conquista da Torre Sombria. Não existe ogro algum; existem apenas o(s) Outro(s) e o Eu. As quatro estrofes finais irrompem em exaltação, e a glória pertence tanto ao leitor solidário quanto a Childe Roland. Sentimo-nos renovados e engrandecidos, apesar de todo o desespero, e da contemplação de suicídio. Em última análise, a profundidade do poema serve para autenticar o toque de triunfo final.

Walt Whitman

Os monólogos dramáticos de Tennyson e Browning constituem temática central da poesia: a introspecção que levaria ao desespero, não fosse a sobrevivência do eu interior e os desafios por ele enfrentados. A tradição poética inglesa, desde o Hamlet shakespeariano ao Satã de Milton, em seguida, passando pelo Romantismo, é formadora tanto de um "Ulisses", de Tennyson, quanto de um "Childe Roland na Torre Sombria", de Browning. Os dois grandes autores contemporâneos norte-americanos de Tennyson e Browning foram Walt Whitman e Emily Dickinson, ambos extremamente originais, ambos apresentando uma relação bastante equívoca com a tradição poética inglesa. Se, conforme venho afirmando, a

[5] Ofereço aqui uma tradução livre do original composto em *terza rima*. [N.T.]

razão precípua da leitura é o fortalecimento do ego, então, Whitman e Dickinson são poetas fundamentais. A religião norte-americana da Autoconfiança, inventada por Ralph Waldo Emerson, triunfa em Whitman e Dickinson, ainda que de maneiras inteiramente diferentes. Emerson prega sempre a autoconfiança: não procura por ti fora de ti mesmo. *A Canção de Mim Mesmo*, de Walt Whitman, é resultado direto da prescrição emersoniana. Mais reticente, a lírica de Emily Dickinson leva a Autoconfiança a um grau de consciência mais elevado do que o observado em praticamente toda a poesia pós-shakespeariana.

Em Shakespeare, conforme destaquei, as consciências mais privilegiadas são perfeitamente capazes de praticar uma espécie de auto-escuta: Hamlet, Iago, Cleópatra, Próspero. Em Dickinson, essa qualidade shakespeariana é mantida, mas, em Whitman, freqüentemente, percebe-se a tentativa de ir além da auto-escuta. O grande impacto causado pela autoescuta é a constatação de uma alteridade inesperada. Whitman, especialmente em *A Canção de Mim Mesmo*, e na elegia "Enquanto eu fluía no oceano da vida", divide em três segmentos o ser: o eu, o eu verdadeiro e a alma. Trata-se de uma cartografia psíquica altamente original, difícil de ser assimilada pelo modelo freudiano, ou por qualquer outro modelo mental. Todavia, essa cartografia psíquica é, precisamente, um dos motivos principais para se ler a poesia de Whitman, sutil e plena de matizes, ao contrário do que pensa a maioria dos especialistas, de ontem e de hoje.

Embora se autoproclame o poeta da democracia, Whitman, no que tem de melhor e mais típico, é poeta difícil, hermético, elitista. É indubitável que sinta amor por seus leitores imaginários, mas o auto-retrato apresentado, no mais das vezes, é de uma persona, uma máscara através da qual canta o poeta. Não existe um único e *verdadeiro* Walt Whitman; a persona (ao contrário do autor) é, freqüentemente, mais auto-erótica do que homoerótica, muito mais "o cantador solitário" do que o poeta que celebra os aviltados e carentes (embora ele expresse, também, preocupação com estes últimos). Não estou insinuando que Whitman seja um enganador, mas o que ele oferece com uma das mãos, i.e., as suas visões democráticas, muitas vezes, toma com a outra, como se a sua arte fosse uma eterna viagem de ida e volta. Todavia, essa arte é sempre rica; somente Whitman e

Dickinson, entre os poetas norte-americanos, manifestam a "florabundância" mais tarde imitada por Wallace Stevens.

A imagem de Whitman que nos é mais familiar (pelo menos assim nos parece) é o "Walt Whitman, primitivo, um americano", mas essa é tão-somente a persona, a máscara do bardo de *A Canção de Mim Mesmo.* O próprio Whitman possuía um sofisticado intelecto, sendo poeta bastante complexo, embora diga o contrário. Sua obra *aparenta* facilidade, mas é sutil e reticente:

> Tudo isso vem a mim noite e dia e de mim se vai,
> Mas não é o meu Eu verdadeiro.
>
> Longe do empurra-empurra e dos solavancos está o meu eu,
> Entretido, complacente, compassivo, ocioso, unitário;
> Baixa o olhar, ergue a cabeça, apóia-se no braço, descanso
> impalpável,
> Olha de soslaio, curioso a ver o que vai acontecer,
> Ao mesmo tempo, no jogo e fora dele, assistindo e pensando
> no que vê.

Tão fascinante quanto solitário, esse "Eu verdadeiro" está em paz, mas denota uma certa aversão a intrusos. Whitman inicia *A Canção de Mim Mesmo* com um grande abraço, de natureza mais gimnosofista do que homoerótica, entre o eu exterior e a alma, esta sempre um enigma para o poeta, mas que pode ser encarada como caráter, ou *ethos*, em contraste com a personalidade ou o eu primitivo, "masculino". Contudo, em Whitman, a relação entre o eu verdadeiro, ou "eu mesmo", e a alma será, necessariamente, negativa:

> Eu creio em ti, minha alma, o meu outro eu não deverá a ti
> se submeter,
> Tampouco deves ao eu submeter-te.

Esse "eu" é o "mim mesmo", aludido no título *A Canção de Mim Mesmo*, ou seja, a personalidade poética de Walt Whitman. "O meu outro eu" é o "Eu verdadeiro", a personalidade do poeta. Whitman acredita que ocorre um aviltamento entre o caráter e o eu verdadeiro, cujo relacionamento parece existir apenas em termos de senhor e escravo, sadomasoquismo e destruição mútua. O leitor é levado a inferir que "Walt Whitman, primitivo, um americano" é criado com o propósito de impedir essa destruição mútua. Whitman conhece muito bem a sua persona poética, pois (segundo Vico) só conhecemos aquilo que nós mesmos criamos. Mas conhece, também, seu eu interior, ou o "Eu verdadeiro", admiravelmente bem, se considerarmos que poucos de nós temos tal conhecimento. O que Whitman mal conhece é o que ele próprio chama "minha alma". Crer não é saber; é recorrer à fé para suprir a falta de conhecimento. A alma, segundo Whitman, assim como o espírito perpétuo da América, é um enigma, e o leitor jamais constatará momentos em que o poeta parece estar seguro diante do conceito de alma, apesar do abraço amigo que inicia *A Canção de Mim Mesmo*. Tudo nos leva a crer que o "Eu verdadeiro" seja o componente mais positivo e arraigado de Whitman, chegando mesmo a remontar a um período anterior à Criação, ao passo que a alma pertence à natureza, é o elemento desconhecido da natureza. Ao ler Whitman, aprendemos, explicitamente, algo que tantos norte-americanos parecem, intuitivamente, saber: o espírito americano só se sente livre quando está só, ou "em companhia de Jesus", como pregam os nossos evangélicos. Whitman, Cristo de si mesmo, apesar de tudo, compartilhava dessa noção do espírito americano, e o transformou em algo que talvez seja o maior dentre os seus tantos talentos: a capacidade de desafiar a natureza, em consonância com a alma, enquanto, juntos, cada qual descobre a sua própria força:

> Estonteante, impiedoso, com que rapidez o alvorecer daria cabo de mim,
> Se eu não pudesse, agora e sempre, do alvorecer me livrar.
>
> Nós também despontamos, estonteantes e impiedosos como o sol;
> Nós moldamos a nossa alma na calma e no frescor do raiar do dia.

O movimento do eu (persona de Walt Whitman) em direção a nós (eu e alma, juntos) é o triunfo desse sublime alvorecer. Whitman, o maior dos autores norte-americanos (superando até mesmo Emily Dickinson e

Henry James), consegue transpor o grande obstáculo de considerar impossível o conhecimento da própria alma. Domínio é questão crucial entre a natureza e Whitman, e aqui o resultado favorece o poeta. A leitura dos versos acima deve frisar a audácia das palavras "agora e sempre", declaração que demonstra autoconfiança absolutamente titânica. Agora e sempre, considero a pergunta — por que ler? — fascinante. Uma leitura disciplinada, criteriosa de *A Canção de Mim Mesmo* pode conduzir-nos à verdade do que é impossível de ser conhecido. Uma criança pergunta a Whit man — "O que é a relva?" —, mas o poeta não sabe responder: "Não sei, e tampouco o sabe a própria relva". Entretanto, o desconhecimento estimula o poeta a elaborar uma maravilhosa série de similitudes:

> Deve ser a flâmula da minha natureza, tecida em verde
> esperança.
>
> Ou deve ser o lenço do Senhor,
> Presente perfumado, lembrança esquecida de propósito,
> A inicial do dono bordada no canto, para que possamos
> indagar, *de quem é?*
>
> Ou deve ser, talvez, a própria relva uma criança, rebento do
> verde.
>
> Ou deve ser um hieróglifo uniforme,
> Cujo significado, germinando, igualmente, em terras vastas e
> terras diminutas,
> Crescendo tanto entre negros quanto entre brancos,
> Entre índios, congressistas e crioulos, é o seguinte: ofereço o
> mesmo a todos, de todos recebo o mesmo.
>
> E agora ela me parece cabelos por aparar, crescidos de túmulos.
>
> Vou tratar-te com carinho, relva crespa,
> Talvez teu orvalho seja suor do dorso de jovens,
> Talvez, se os conhecesse, eu os tivesse amado,
> Talvez provenhas de velhos, ou de infantes precocemente
> tirados do seio materno,
> E sejas aqui o seio materno.

A relva é escura demais para ser o cabelo branco de mães idosas,
Mais escura do que a barba incolor dos velhos,
Escura demais para ter vindo do vermelho esmaecido do céu da boca.

As palavras "a flâmula da minha natureza, tecida em verde esperança" sugerem o verde-claro que representa o que Ralph Waldo Emerson chamara "Frescor". Em Emerson, "Frescor" é o afluxo transcendental de uma energia espiritual renovadora. Em Whitman, tal Frescor decorre do abraço simbólico entre o eu e a alma desconhecida, que serve de introdução ao poema que ele reescreveria ao longo de toda a vida. A relação entre Whitman e a sua própria alma apresenta-se plena de esperança, mas reconhece limites, ao modo epicurista. *Folhas de Relva*, título enigmático, reúne a folha, metáfora central da poesia ocidental, resignação homérica da brevidade da vida, e uma imagem tirada de Isaías e dos Salmos, da carne sendo qual a relva, dotada de vida extremamente breve. No entanto, o título — *Folhas de Relva* — transcende a sugestão de mortalidade nele contida, e torna-se a afirmação de algo que em nós há de sobreviver. "Infinitas, as folhas vivem e morrem nos campos", escreve Whitman, poucos versos antes da série de conjeturas sobre o que seria a relva. A graça do "lenço do Senhor", propositadamente esquecido, enseja visões da relva como uma criança, como um hieróglifo que dissolve diferenças raciais e sociais, bem como a tão original (ainda que homérica) percepção: "E agora ela me parece cabelos por aparar, crescidos de túmulos".

Um estilo norte-americano, que prenuncia Hemingway, surge da mais surrealista de todas essas transmutações: "A relva é escura demais para ser o cabelo branco de mães idosas". Precisamos ler Whitman para sentirmos o impacto das visões inusitadas que ele nos oferece, mas, também, porque ele antevê os enigmas não-resolvidos da consciência norte-americana. Um mundo que se torna, cada vez mais, americanizado, precisa ler Whitman, não apenas para entender a América, mas para melhor compreender o que a América está se tornando.

Dickinson, Brontë, Baladas Folclóricas e "Tom de Bedlam"

Em muitos de seus poemas mais contundentes, Emily Dickinson, que pertencia à classe burguesa, rompe com a tradição filosófica e cultural do Ocidente. Nesse particular, Dickinson estabelece um contraste marcante com seu poeta contemporâneo mais importante, Whitman, que, de sua parte, seguiu o mentor, Emerson, e que tanto inovou, primordialmente, em termos de forma e visão poéticas. Dickinson, tanto quanto Shakespeare e William Blake, repensa, em seus próprios termos, a experiência da vida. Quando lemos Dickinson, precisamos estar preparados para enfrentar a sua originalidade de raciocínio. A recompensa é singular, pois Dickinson ensina-nos a pensar com mais argúcia, com mais consciência da dificuldade que temos de romper as convenções de recepção literária tão arraigadas em nosso ser.

Dickinson é tão original que a tarefa de classificá-la com precisão é quase tão impossível quanto no caso de Shakespeare. Serão ambos poetas cristãos ou niilistas? Shakespeare esconde-se nos personagens, de modo que jamais sabemos se Hamlet e Falstaff falam por ele, ou, exclusivamente, com ele. Que conjunto de poemas de Dickinson, dentre os tantos excelentes que escreveu, representam-lhe a consciência ágil e mutável? As cartas não esclarecem essa questão (assim como não ajudam a decifrar a psicossexualidade da autora), pois, na verdade, não são cartas, no sentido corriqueiro do termo, mas poemas em prosa, escritos com o mesmo brilhantismo da poesia lírica.

O Cristo Ressuscitado e o Cristo Salvador pouco significavam para Dickinson; no entanto, o sofrimento de Cristo era algo que nela calava fundo, e a possibilidade de triunfar sobre o sofrimento calava mais fundo ainda, pois a dor era uma de suas temáticas centrais. Impregnada até os ossos pela Bíblia — embora jamais se tornasse, oficialmente, cristã —, Dickinson referia-se a si mesma como "Imperatriz do Calvário" e "Noiva do Espírito Santo". São metáforas ambíguas, parte de um mito pessoal que ela insistia em construir, especialmente nos que seriam os seus últimos anos de vida. Dickinson lia a Bíblia quase como quem lia Shakespeare e Dickens, à procura de personagens que pudessem ser agregados ao seu drama pessoal. A ironia da autora é tão marcante que nada do relato desse drama pessoal pode ser aceito sem um mínimo de visão crítica. Dispomos de dados biográficos suficientes para saber que o drama de Dickinson inclui perdas de caráter erótico, possivelmente, envolvendo as pessoas de Charles Wadsworth, da cunhada, Susan, e, provavelmente, Samuel Bowles e o Juiz Otis Phillips Lord. Porém, até a perda erótica é transformada por Dickinson em imagens poéticas. De todas as esplêndidas expressões de perda, o Poema 1.260 é o que me causa maior impacto:

Porque estás partindo
P'ra nunca mais voltar,
Eu, sempre tão absoluta,
Não vou teu Rasto olhar—

Porque a Morte é final,
Desde a mais tenra idade,
Este instante é suspenso
Além mortalidade—

Importa havermos vivido
Para o outro conhecer,
Achado que nem Deus
Pode ora obscurecer.

Eternidade, Presunção,
A hora exata percebida
Que tu, a própria Existência,
Esqueceste da tua vida—

"Esta Vida" será passado,
jamais pude conhecer—
Paraíso fictício,
Até descobrir você—

"A outra Vida" será, p'ra mim,
Residência de plebeu
Se no Rosto do Redentor
Eu não encontrar o teu—

Quem sabe, a Imortalidade
Não trocaria comigo,
Dando-me teu Rosto obscuro,
Por tudo, menos o Amigo—

Abro mão de Céu e Inferno,
Direito de ralhar não esqueço,
Com quem trocar esse Rosto
Pelo Amigo de menor preço.

Se "Deus é amor", ele afirma,
Achamos, deve ser mesmo;
Sendo ele um "Deus ciumento",
As palavras não vagam a esmo.

Se a ele "Tudo é possível",
Sempre diz nos sermões pregados,
Ele há de nos restituir
Nossos Deuses confiscados—

Não temos como saber se o Juiz Lord[6] seria um desses "Deuses confiscados", mas quem pode deixar de se abalar diante dos versos: "Que tu, a própria Existência, / Esqueceste da tua vida". Aqui, a palavra "Absoluta" pode significar "perfeita", ou seja, "íntegra" e, portanto, "plena". Esse poema tão veemente é Dickinson "absoluta", decidida, intransigente, marchando segundo a cadência da própria alma. Ela pede ao que talvez seja o amante moribundo que, ao menos no instante do poema, fique "suspenso / Além mortalidade". A rixa não é nem com a morte nem com Deus, mas, a princípio, com o amado que se vai e, em seguida, com toda a sabedoria convencional afeta ao consolo por perdas sofridas. O leitor que ler esse belo poema em voz alta poderá depreender um pouco da força sobrenatural de Dickinson, o que, em parte, representa um desafio ao consolo precipitado. Mas a força maior do poema está em sua extraordinária autoconfiança, aspecto em que Dickinson se equipara a Whitman e ao precursor de

[6]Em inglês, o nome do juiz significa "Senhor" (Deus?). [N.T.]

ambos, Ralph Waldo Emerson. Como um hino religioso, o Poema 1.260 marcha ao longo de dez estrofes, cantando os achados do amor, que nem Deus é capaz de obscurecer.

O que existe de mais análogo à autoridade passional de Emily Dickinson é uma pequena coletânea de poemas escritos por Emily Brontë, a vidente de *O Morro dos Ventos Uivantes*:

Tão reprimida, mas sempre insistindo
Nos afetos que nasceram comigo,
A riqueza e o saber não mais buscando,
Os sonhos impossíveis eu persigo.

Não quero hoje correr regiões sombrias,
Cuja imensidão se faz entediante,
E onde as tantas legiões de visões frias
Trazem o mundo irreal, atordoante.

Caminhar, mas não por heróicas trilhas,
Nem pelas rotas da moralidade,
Ou entre fisionomias andarilhas,
Que a história assombram desde a antigüidade.

Caminhar, seguir minha natureza—
Outro guia não há de me servir—
Nos montes dos rebanhos sem defesa,
Onde o vento uivando posso ouvir.

O que teriam os montes a revelar?
Glória e dor mais intensas que eu externo:
Se Terra ao afeto um coração incitar,
Poderá abarcar o Céu e o Inferno.

Este poema expressa, em sua essência, o mesmo cosmo visionário de céu e inferno encontrado em *O Morro dos Ventos Uivantes*, em que Heathcliff e a primeira Catherine, na infância, compartilham afetos que com eles nasceram, dentro de um mundo, ao mesmo tempo, irreal e mais pleno do que qualquer realidade social. Perspicaz, Emily Brontë escolhe uma terceira via: nem a busca da riqueza, que tanto a reprime, nem as regiões sombrias, imensas e entediantes, ainda que sublimes. Impulsivamente, ela escolhe, então, "Caminhar, seguir minha natureza", uma trajetória inteiramente sua, nem social, nem estritamente visionária. Suas "Estrofes" são complexas porque não seguem nem o caminho de *O Morro dos Ventos Uivantes*, nem o de Thrushcross Grange, locais que se antepõem no referido romance. Nas "Estrofes", a preocupação da autora é tão-somente com "um coração", o dela própria, no que concerne à revelação, que não partiria de um credo, mas dos montes. A derradeira imagem, audaciosa, vital, saúda a paisagem das terras cantadas, ao norte da Inglaterra, reconhecendo-lhes a capacidade de conter as antinomias do céu e do inferno. Complexas e autoconfiantes como o poema "Porque estás partindo", de Dickinson, as "Estrofes" de Emily Brontë sugerem uma liberdade ainda mais solitária do que a de Emily Dickinson, visto que Dickinson celebra a perda de caráter erótico, enquanto o amor de Brontë é inteiramente visionário. Solidão é o estado de alma compartilhado, com grande intensidade, pelas duas autoras.

O mundo de *O Morro dos Ventos Uivantes* e das "Estrofes" de Emily Brontë tem muito em comum com o das baladas folclóricas inglesas e escocesas, que apresentam a mesma exuberante atmosfera de liberdade encontrada na obra da referida autora inglesa, embora as baladas folclóricas produzam um efeito ainda mais dramático e abrupto. Poemas narrativos, sempre anônimos, as baladas existem em todas as literaturas nacionais, freqüentemente, passando de país a país. Surgiram na Alta Idade Média, recitadas ou cantadas por menestréis, mas muitas só seriam registradas, em forma escrita, no século XVIII. Temos, então, um *corpus* poético composto, aproximadamente, entre 1200 e 1700, sem dúvida, objeto de radical revisão ao longo do tempo. Colocando-se entre os melhores poemas compostos em língua inglesa, as baladas folclóricas constituem leitura imensamente prazerosa, não apenas por si só, mas por terem sido imitadas, a princípio, por William Blake, Robert Burns, William Wordsworth, Samuel Taylor Coleridge, John Keats, mais tarde, por D. G. Rossetti, William Morris, A. C. Swinburne e, na modernidade, por Housman, Kipling e Yeats.

A maioria de nós tem uma balada predileta; a minha é "Sir Patrick Spence":

O Rei se encontra em Dunferline,
Fino vinho tinto a tomar:
"Onde hei de encontrar bom marujo,
Para o meu navio tripular?"

Afirma um velho cavaleiro,
À direita do soberano:
"O melhor é mesmo Sir Patrick,
Dentre os que singram o oceano."

O Rei edita um mandado,
Assina-o, pedindo que saia,
Envia-o a Sir Patrick Spence,
Que caminhava pela praia.

Quando leu a primeira linha,
Sir Patrick riu, não foi de mágoa.
Quando leu a segunda linha,
Seus olhos encheram-se d'água:

"Quem faria uma coisa dessas,
Semelhante ordem mandar,
Zarpar nesta época do ano,
Aventurar-me pelo mar?

Vamos, vamos, meus bons marujos,
Nosso barco sai com a alvorada."
"Não digas isso, caro mestre,
No céu tem borrasca danada.

"Ontem à noite a lua nova
À lua cheia se abraçava;
Tenho medo, meu caro mestre,
Sonhei que a viagem fracassava."

Não queriam os lordes da Escócia
Os sapatos altos molhar;
No entanto, somente os chapéus

Haveriam de boiar no mar.

Por muito, muito tempo, as damas,
Agitadas, leques na mão,
E nada de Sir Patrick Spence,
A espera foi toda em vão.

Por muito, muito tempo, as damas,
Ansiosas, pente aos cabelos,
Aguardam seus nobres maridos,
Jamais voltariam a vê-los.

No meio da rota a Aberdour,
São cinqüenta pés o calado:
Lá está o bom Sir Patrick Spence,
Os lordes da Escócia ao seu lado.

Fascinado por "Sir Patrick Spence", Coleridge utilizou a balada como modelo para *A Rima do Velho Marinheiro*. As baladas folclóricas parecem profetizar técnicas cinematográficas, especialmente a montagem, como, por exemplo, na transição súbita observada no último verso das terceira e oitava estrofes. Como narrativa, "Sir Patrick Spence" não poderia ser mais eficiente; a história se precipita rumo ao inevitável desfecho, e nos faz refletir sobre o diálogo inicial, entre o rei apreciador de vinho e o velho conselheiro. Decerto, Sir Patrick, a princípio, rindo-se, em seguida, em meio às lágrimas, percebe que a conseqüência concreta do referido diálogo é uma conspiração contra a sua vida.

Com maestria, a balada salta do mau agouro da borrasca, da sétima estrofe, diretamente, para os conteúdos das oitava, nona e décima estrofes, excluindo assim a descrição do naufrágio e dos afogamentos. Diante dos leques e pentes decorados das viúvas, é sutil a ironia dos nobres escoceses, preocupados em não estragar suas roupas: não querem sequer molhar os sapatos altos, mas, após o afogamento, só os chapéus flutuarão. A melhor estrofe, um tributo a Sir Patrick, fica para o final: uma visão do fundo do mar, com o heróico Sir Patrick, o grande marujo, cercado dos nobres escoceses.

Agrada-me, imensamente, a economia trágica, o singular estoicismo heróico de "Sir Patrick Spence". Em toda a balada predomina o sentido de que o heroísmo, embora autodestrutivo, é sempre admirável. Quando recito "Sir Patrick Spence" em voz alta, recordo sempre do heroísmo solitário de Emily Dickinson e Emily Brontë, que bem sabiam o quanto lhes custava ser poeta.

Uma das baladas folclóricas mais poéticas é "O túmulo sem paz", talvez, composta no fim do século XVIII, pelo menos na versão aqui analisada:

Hoje sopra o vento, amor meu,
  E a chuva miúda ele traz;
Tive um só amor nesta vida,
  No túmulo hoje ela jaz.

Pelo meu verdadeiro amor,
  Sofro uma juventude fria;
Permaneci ao lado do túmulo,
  Doze meses e mais um dia.

Uma vez passado esse tempo,
  A morta se pôs a falar:
"Quem chora ao lado do meu túmulo,
  E não me deixa descansar?"

"Sou eu, amor, sempre ao teu lado,
  Quem não te deixa descansar,
Quero beijar lábios gelados,
  É tudo o que venho buscar."

"Queres, pois, meus lábios gelados,
  Mas meu hálito cheira a terra;
Beijando meus lábios gelados,
  A tua existência se encerra.

"Naquele jardim verde, amor,
  Caminhávamos lado a lado;
Lá, a mais formosa das flores

Terá hoje em dia murchado.

"Assim como a flor, meu amor,
Nossos corações vão murchar;
Vive, pois, feliz, meu amor,
Enquanto o Senhor não chamar."

É difícil competir com a eloqüente frieza que caracteriza o diálogo desses amantes. Em várias culturas diz-se ser perigoso observar "luto erótico" por mais de doze meses, e "O túmulo sem paz" reforça essa tradição: no dia seguinte após completar um ano desde a sua morte, a amada desperta do seu sono. Um prazer um tanto sinistro advém dos fatos de o jovem que sobreviveu à amada conhecer muito bem os riscos que corre, e de o seu verdadeiro amor não lhe oferecer ilusões, apenas fatalidade. Aqui ninguém engana ninguém; existe apenas a mútua constatação de que, um dia depois de passados doze meses, o luto é arriscado para o sobrevivente e danoso para o morto. Mas, de certo modo, o significado sombrio não se coaduna muito bem com a melodia sensual dessa balada de uma morbidez deliciosa. A princípio, o leitor assusta-se ao ouvir a queixa da falecida: "E não me deixa descansar?". Mais adiante, o leitor ficará, novamente, assombrado, diante do desejo expresso pelo jovem: beijar os lábios gelados da amada. A tripla repetição das palavras — lábios gelados — domina o poema, e pontua a quadra mais expressiva:

"Queres, pois, meus lábios gelados,
Mas meu hálito cheira a terra;
Beijando meus lábios gelados,
A tua existência se encerra.

Caberia a pergunta: em vida, teria essa mulher fatal sido tão direta assim com relação à verdade? Não estamos diante de um fantasma qualquer, ou um morto-vivo falante, mas de uma pessoa das mais interessantes. O teor das palavras da falecida é a morte do amor: na natureza, nela própria, e no amante, em quem ela dará (a pedido) o beijo da morte. Morre o amor; murcham os corações. Ela é de uma ironia suprema, ao dizer "Vive, pois, feliz, meu amor", estando prestes a dar-lhe o beijo fatal.

Como em "Sir Patrick Spence", não fora a intensa ironia da balada, o *pathos* seria imenso.

Parte do fascínio das baladas folclóricas deve-se ao anonimato dos autores. Contudo, nem a melhor das baladas se equipara ao maior poema anônimo em língua inglesa — "Tom de Bedlam" —, descoberto em um compêndio datado de cerca de 1620, quatro anos após a morte de Shakespeare:

Que o espírito que acompanha
O homem nu do Livro da Lua
Vos defenda da feiticeira,
Que vos põe no meio da rua;
E que jamais a boa saúde
Vos deixe, e passeis a seguir
Ao lado deste Pobre Tom,
Amparo e um pão a pedir.
  E cantando, pois, eu vos peço
  Comida, bebida ou abrigo;
  Não temeis, senhorita, senhora,
  O Pobre Tom é vosso amigo.

Não tenho mais que trinta anos,
Mas faz quarenta que sou louco,
Se não passei três vezes quinze
Nos sótãos de Bedlam foi pouco.
Sobrevivi trancado em cela,
Cresceu-me uma barba vistosa,
Pulseira usei, brinquei de açoite,
A fome era grande e formosa.
  E, agora, cantando eu vos peço
  Comida, bebida ou abrigo;
  Não temeis, senhorita, senhora,
  O Pobre Tom é vosso amigo.

Por ter buscado Madalena,
Com tigela de sopa escura,

Só por isso, o céu vos bendiga,
Perdi-me hoje nesta loucura.
Não prego o olho desde a Conquista,
Até então, estive dormindo;
Daí, Cupido me encontrou,
Logo, logo foi-me despindo.
　E, agora, cantando eu vos peço
　Comida, bebida ou abrigo;
　Não temeis, senhorita, senhora,
　O Pobre Tom é vosso amigo.

Se não tenho mais um tostão,
E o último copo no bucho,
No bar empenho a própria pele,
Tal e qual traje de luxo.
A lua é minha eterna amante,
Bela coruja, o meu amor.
O dragão e o corvo da noite,
A música da minha dor.
　E cantando, pois, eu vos peço
　Comida, bebida ou abrigo;
　Não temeis, senhorita, senhora,
　O Pobre Tom é vosso amigo.

Que fiquem secas minhas mãos,
Se roubar vosso galinheiro,
Pombos furtar, viúvo deixar
O galo do vosso terreiro.
Se tenho fome, basta cear
Com qualquer amigo pedinte;
E com sono, é só descansar
Na igreja até o dia seguinte.
　Mesmo assim, cantando eu vos peço
　Comida, bebida ou abrigo;
　Não temeis, senhorita, senhora,
　O Pobre Tom é vosso amigo.

Sou mais esperto do que Apolo:
Enquanto ele dorme ao léu,
Vejo astros em guerras sangrentas,
Feridos, chorando no céu.
A lua abraça o seu pastor;
A Deusa do Amor, o capitão;
Lua envolve a estrela da manhã,
Vênus trai o divino Vulcão.
   E cantando, pois, eu vos peço
   Comida, bebida ou abrigo;
   Não temeis, senhorita, senhora,
   O Pobre Tom é vosso amigo.

Os ciganos, Mão-Leve e Pedro,
De Tom nunca foram parceiros,
Nem rameira, ou quem bate carteira,
Nem moleques arruaceiros.
Os mansos, puros e cordatos
Contam com a minha alegria;
Mas, provocar o Feroz Tom
É o que nem pantera faria.
   Mesmo assim, cantando, eu vos peço
   Comida, bebida ou abrigo;
   Não temeis, senhorita, senhora,
   O Pobre Tom é vosso amigo.

Junto à hoste de almas ferozes,
Da qual sou eu o comandante,
Lança em fogo e cavalo de ar,
Percorro o deserto, errante.
Um cavaleiro etéreo e lúgubre
Convida-me para um torneio,
Dez léguas além fim do mundo,
Jornada não me traz receio.
   Contudo, cantando, eu vos peço
   Comida, bebida ou abrigo;

Não temeis, senhorita, senhora,
O Pobre Tom é vosso amigo.

Referi-me a esse poema extraordinário, previamente, ao longo da análise do monólogo dramático de Browning intitulado "Childe Roland na Torre Sombria". "Tom de Bedlam" é apenas um entre muitos "cantos loucos", mas nenhum outro exemplar do gênero a este se equipara, nem mesmo o "Canto Louco", de William Blake. Se recitarmos a balada, mais de uma vez, em voz alta, nela constataremos a existência de uma grande força energizante; da minha parte, sempre recomendo a sua memorização. O cantador, supostamente, antigo interno do manicômio Bedlam (Hospital Bethlehem, em Londres), mendiga pelas ruas, dizendo-se inofensivo, relata a própria versão da sua história pessoal, e, ao final, expressa uma perspectiva visionária raramente encontrada na história da poesia. Conheço poucos poemas que iniciam com a fluidez, a objetividade e a intensidade dramática da balada de Tom de Bedlam:

Que o espírito que acompanha
O homem nu do Livro da Lua
Vos defenda da feiticeira,
Que vos põe no meio da rua;
E que jamais a boa saúde
Vos deixe, e passeis a seguir
Ao lado deste Pobre Tom,
Amparo e um pão a pedir.
E cantando, pois, eu vos peço
Comida, bebida ou abrigo;
Não temeis, senhorita, senhora,
O Pobre Tom é vosso amigo.

O Livro da Lua era, provavelmente, alguma conhecida obra de astrologia, prática tão popular à época quanto hoje, e o homem nu pode ser Hermes, figura sempre presente em manuais do gênero. Desprovido de saúde mental, vivendo pelas ruas, Tom acredita ter sido vítima de alguma feiticeira; no entanto, invoca, para nós, a proteção visionária de Hermes, o homem nu. A função da balada, para ouvinte ou leitor, é protegê-lo da loucura, condição descrita, com amarga ironia, na segunda estrofe, que relembra "os sótãos de Bedlam", as algemas, a chibata e a fome.

Não temos como saber, ao certo, se o elemento erótico presente na loucura de Tom é apenas fruto de sua imaginação; para ele, porém, tal elemento enseja mais uma visão. O verso "Por ter buscado Madalena" pode se referir a alguma prostituta, ou mesmo a todas as mulheres; seja como for, Tom está envolto em fantasmagoria:

> Não prego o olho desde a Conquista,
> Até então, estive dormindo;
> Daí, Cupido me encontrou,
> Logo, logo foi-me despindo.

Vítima de Cupido, embora à margem de tempo e lugar, desde a Conquista Normanda (1066), Tom canta um Romantismo eterno, tão pouco vinculado a contextos históricos quanto Shakespeare:

> A lua é minha eterna amante,
> Bela coruja, o meu amor.
> O dragão e o corvo da noite,
> A música da minha dor.

Essa quadra poderia ser cantada, condignamente, em inúmeras peças shakespearianas. A coruja (ou "corvo da noite") tem um encontro de amor com Tom, sob a luz do dragão (ou meteoro), mas a lua, símbolo do amor impossível, é a "eterna amante" do "lunático" Tom. No *pathos* que cerca a vida miserável de Tom temos momentos iluminados, shakespearianos, presságios de Blake e Shelley:

> Sou mais esperto do que Apolo:
> Enquanto ele dorme ao léu,
> Vejo astros em guerras sangrentas,
> Feridos, chorando no céu.
> A lua abraça o seu pastor;
> A Deusa do Amor, o capitão;

Ser mais esperto do que Apolo, o deus do sol, enquanto ele dorme, é transcender o conhecimento racional. À noite, Tom contempla o firmamento, vê estrelas cadentes ("ferid[a]s, chorando no céu"), tendo, como pano de fundo, a lua, Diana, abraçando o pastor Endimião, seu amante, e Vênus abraçando o guerreiro Marte. Poeta capaz de criar mitologia, Tom é também mestre das imagens complexas: a lua nova abraça a estrela da manhã, enquanto Vulcão, marido de Vênus, é traído, quando esta se entrega a Marte. Entendidas as alusões, a estrofe produz um efeito mágico, acrescentando beleza ao inóspito, fórmula do Alto Romantismo que o autor anônimo de "Tom de Bedlam" parece ter aprendido com Shakespeare. Chego a ouvir o próprio Shakespeare nas surpreendentes transições da estrofe seguinte: a súbita queda de tonalidade, na ternura dos quinto e sexto versos, seguida do furioso desafio dos sétimo e oitavo versos:

> Os ciganos, Mão-Leve e Pedro,
> De Tom nunca foram parceiros,
> Nem rameira, ou quem bate carteira,
> Nem moleques arruaceiros.
> Os mansos, puros e cordatos
> Contam com a minha alegria;
> Mas, provocar o Feroz Tom
> É o que nem pantera faria.

É maravilhoso o *pathos* dos versos: "Os mansos, puros e cordatos / Contam com a minha alegria".

Na estupenda estrofe final, o poeta eleva-se à condição visionária, fazendo lembrar Cervantes e Shakespeare. Não me ocorre qualquer outra obra, em língua inglesa, na qual os espíritos de Dom Quixote e Hamlet parecem convergir:

> Junto à hoste de almas ferozes,
> Da qual sou eu o comandante,
> Lança em fogo e cavalo de ar,
> Percorro o deserto, errante.
> Um cavaleiro etéreo e lúgubre
> Convida-me para um torneio,

Dez léguas além fim do mundo,
Jornada não me traz receio.

Às vezes, em meio a uma caminhada, sem que eu perceba, vem-me à mente essa estrofe; se estou só, recito-a em voz alta. Essa estrofe final, altiva e autoconfiante, é um parâmetro de qualidade poética. Hamlet, instado à vingança por "um cavaleiro etéreo e lúgubre", de bom grado, participaria de um torneio "dez léguas além fim do mundo". Para Hamlet, a morte era, precisamente, a região desconhecida, de onde os viajantes jamais retornavam. Concordando com Tom, o Louco, o Príncipe da Dinamarca bem poderia ter dito, referindo-se ao desafio do fantasma: "A jornada não me traz receio".

William Shakespeare

Se é que "Tom de Bedlam", em termos de poesia, pode ser superado, só mesmo os sonetos e a dramaturgia de William Shakespeare poderiam fazê-lo. Mais adiante, discutirei, em detalhe, como ler *Hamlet*; no presente capítulo, volto-me para alguns dos *Sonetos*. Sendo Shakespeare, como dizia Borges, todo o mundo e ninguém, podemos afirmar que os *Sonetos* são, ao mesmo tempo, autobiográficos e universais, pessoais e impessoais, irônicos e sinceros, bissexuais e heterossexuais, falhos e íntegros. Aproveito a ocasião para alertar o leitor contra um dogma literário, cada vez mais inútil, de que o "eu" do poema é sempre uma máscara, uma persona, e não um ser humano. O "eu" dos *Sonetos* shakespearianos é o ator e dramaturgo William Shakespeare, criador de Falstaff, Hamlet, Rosalinda, Iago e Cleópatra. Quando lemos os *Sonetos*, ouvimos uma voz dramática, a um só tempo, semelhante e diferente da voz de Hamlet. A diferença decorre do fato de estarmos ouvindo o próprio Shakespeare, que não é, ao menos não totalmente, uma autocriação. Contudo, existe uma certa semelhança entre o "Will", dos *Sonetos*, e Hamlet ou Falstaff; Shakespeare esboça um auto-retrato, mas evita retocá-lo minuciosamente. A voz que medita nesses poemas se esforça para se distanciar do próprio sofrimento, às vezes, até da própria humilhação. O relato que depreendemos dos *Sonetos* parece discorrer sobre traição; no entanto, jamais ouvimos falar da morte do amor, embora haja motivo mais do que suficiente para que tal morte ocorra.

Entre os efeitos mais incríveis da literatura, a meu ver, o mais incrível de todos é o equilíbrio alcançado por Shakespeare, nos *Sonetos*, entre auto-alienação e auto-afirmação:

> Melhor ser mesmo vil que ter a fama,
> Se igual censura atinge Ser, Não-ser;
> E perder-se o prazer, pois que o difama
> — Não nosso senso: o alheio parecer.
> Por que aos adúlteros olhares calha
> De assinalar meu sangue dissoluto?
> Por que os mais falhos olham minhas falhas
> E dizem mau o que eu tão bom reputo?
> Oh, não! Sou como sou; todos aqueles
> Que olham meus erros, neles se refletem;
> Posso eu ser reto e oblíquos serão eles,
> E quanto eu faça, a eles não compete.
> Exceto se este mal dão por verdade:
> Que o Homem é mau e reina na maldade.[7]

Eis o Soneto 121, em uma seqüência de 154; não sabemos se a ordem em que os *Sonetos* hoje se encontram foi designada pelo próprio Shakespeare, mas é provável que assim tenha sido. No de número 121 estamos próximos do fim do conjunto de 126 sonetos dirigidos a um belo e jovem nobre, presumivelmente, patrono de Shakespeare (e amante, na opinião de alguns), o Conde de Southampton. O soneto acima bem poderia ser recomendado ao Presidente William Jefferson Clinton, se houvesse, de fato, motivo para tal. Trata-se da expressão mais contundente, em língua inglesa, de uma condenação por atividade erótica, lavrada pelos "adúlteros olhares" de indivíduos "oblíquos", ou seja, inescrupulosos; quem dera tivesse o Soneto 121 sido veiculado amiúde em emissoras de televisão, du-

[7] *William Shakespeare: Sonetos.* Tradução e notas de Jorge Wanderley. Rio de Janeiro: Civilização Brasileira, 1991, p. 273. [N.T.]

rante a orgia de virtude nacional recentemente observada nos Estados Unidos, a partir da *performance* de falastrões e congressistas. Mas, meu propósito aqui é explicar como e por que deve ser lido esse soneto, e, assim, procedo a uma análise mais detalhada do seu léxico tão pleno de significado.

Talvez, "vil" sugerisse, para Shakespeare, um estado de dissolução moral, mas a palavra (à época) significava coisa ordinária, de baixo preço, portanto expressando, também, inferioridade social. Parte da complexidade do primeiro quarteto advém das palavras "pois que o difama". Será que se referem a "vil" ou a "perder-se o prazer"? Shakespeare, propositadamente, deixa a referência ambígua, permitindo ambas as leituras. A amarga ironia dos versos "Melhor ser mesmo vil que ter a fama / Se igual censura atinge Ser, Não-ser" sugere que, em parte, é melhor ter mesmo uma conduta devassa, pois, mesmo sendo virtuosos, assim não haveremos de parecer a terceiros. Seremos considerados vis, o que compromete a satisfação trazida pelo amor. A outra leitura, porém, é mais interessante, por ser ainda mais irônica. A perda do prazer pode ser aclamada pelos que o difamam, mas esse juízo pertence a terceiros, não a Shakespeare, conhecedor da pureza do amor em que estava envolvido. Nada nos outros doze versos que compõem o Soneto 121 pode resolver essa ambigüidade.

O escárnio dos difamadores torna-se objeto de escárnio quando estes, inconvenientemente, decidem saudar "o sangue dissoluto" do poeta, como se estivessem instando Shakespeare a uma suposta *performance* sexual, esporte predileto desses mesmos difamadores. Mais corruptos, em suas falhas, do que nas falhas que apontam em Shakespeare, tais indivíduos agem de má-fé, a despeito de estarem criticando uma relação inocente ou, deveras, ilícita. Como de costume, Shakespeare não assinala, com clareza, aquilo em que devemos acreditar. Antes, espanta-nos, com uma extraordinária declaração: "Oh, não! Sou como sou". Shakespeare e seus leitores, de ontem e hoje, não podem deixar de perceber a alusão a Êxodo 3:14, em que Moisés pergunta o nome de Javé, que lhe responde: "Eu sou aquele que sou". Em hebraico, as palavras — *ehyeh asher ehyeh* — formam um ousado trocadilho com o nome de *Yahweh* (Javé), e, literalmente, querem dizer: "Estarei onde e quando eu estiver". Shakespeare, decerto, desconhecia o trocadilho, e, portanto, as palavras — "Oh, não! Sou como sou" — significam, basicamente, "eu sou o que sou", ainda que incorram em blasfêmia. Não foi o próprio Shakespeare quem publicou seus *Sonetos*, e é possível que o Soneto 121 seja um poema independente, sem conter qualquer referência a uma eventual relação homoerótica com o belo e jovem nobre. Não temos como saber, exatamente, ao que o soneto se refere — fato que o torna ainda mais marcante. Como no caso de *Medida por Medida*, seu sublime (e azedo) adeus à comédia, Shakespeare não endossa nem rejeita a soturna fórmula: *O Homem é mau e reina na maldade.*

Consternação torna-se exaltação, no esplêndido Soneto 129, um lamento que insinua traição, por parte da célebre (e anônima) Dama Morena dos Sonetos:

> Gasto do espírito, em perda e vergonha,
> — A lascívia em ação; e até à ação
> Ela é falsa, é culpada e a medonha
> Selvagem assassina, é traição;
> Lenta em fruir-se, mas logo esquecida,
> É caça além do siso, relutante,
> Mas cansa além do siso, isca engolida
> Que ao que fisgou enlouquecera antes.
> Tanto no perseguir e em ter pegado,
> Coisa tida e havida irrefreável.
> Prazer provado e logo reprovado,
> Promessa anterior — já sonho instável.
> O mundo o sabe — e não foge ao eterno
> Céu que os homens dirige a este inferno.[8]

A imensa energia contida nesse soneto é quase um rufar de tambores, uma litania de desejo que pressagia, tão-somente, mais desejo, mais erotismo fatal. Aqui não há personagens; o belo jovem encontra-se distante, e até mesmo a Dama Morena está presente apenas por implicação. O Desejo é o herói-vilão desse noturno do espírito, o desejo masculino pelo "inferno" que conclui o soneto, "inferno" que, na gíria do inglês elisabetano,

[8] Op. cit., p. 289. [N.T.]

significava vagina. O lugar-comum da melancolia pós-coito alcança verdadeira apoteose no Soneto 129, às custas, porém, de algo mais do que o espírito. A linguagem desse soneto causa tamanho impacto que chega a questionar a crença renascentista de que o ato sexual reduzia o tempo de vida do homem. Precisamente, nessa referência a "inferno", o leitor pode ser levado a distinguir uma alusão a alguma doença venérea, preocupação que Shakespeare demonstraria em diversas peças, e.g., *Tróilo e Créssida* e *Timão de Atenas*. Com efeito, essa parece ser a apreensão final do Soneto 144, extremamente irônico:

> Dois amores, um calmo e um de aflição,
> Espíritos que tenho, me influenciam.
> É homem, o anjo bom, de alta extração,
> E o mau, mulher tisnada em demasia.
> A dar-me logo o inferno, o mal-mulher
> Tenta o meu anjo bom, logo o retira
> E quer que o santo vá demônio, quer
> Levar luxúria à graça que o cobrira.
> E embora eu pense que o anjo bom há-de
> Doar-se ao diabo, não sou eu que o diga;
> Anjos de mim saídos na amizade,
> Um no inferno do outro talvez siga.
> Talvez — e sei que a dúvida não cessa —
> Até que o anjo mau ao bom despeça.[9]

As palavras "me influenciam" aproximam-se, em termos de sentido, de "são constante tentação". O belo e jovem "anjo bom", nitidamente, não é modelo de pureza, e, no inglês elisabetano, a expressão "diabo no inferno" também significava cópula. "Talvez" reverbera em ironia, pois aqui não há "talvez" algum, e as palavras "Até que o anjo mau ao bom despeça" se referem menos ao fim do relacionamento aludido do que à condenação da saúde do jovem, pois a Dama Morena lhe transmitiria sífilis, havendo, ainda, a insinuação de que a mulher já havia contagiado o poeta (Shakespeare).

---

[9] Op. cit., p. 319. [N.T.]

Por que ler o Soneto 144? A ironia e o gênio lírico de Shakespeare, sem dúvida, oferecem ao leitor mais satisfação em diversos outros sonetos, mas o *pathos*, ao mesmo tempo, velado e terrível contido nesse poema possui um valor estético absolutamente singular, perturbador, memorável, além de universal em sua sugestividade. Os *Sonetos* constituem um elemento extraordinário da impressionante realização artística de Shakespeare. É pertinente que o escritor que ocupa o centro do cânone ocidental, o inventor do humano, seja, também, o poeta lírico e contemplativo mais penetrante da literatura de expressão inglesa. Não creio que cheguemos, necessariamente, a vislumbrar o interior de Shakespeare nos *Sonetos*, onde ele se camufla de modo tão enigmático quanto nas peças. Walt Whitman, como vimos, apresenta-nos três metáforas do seu próprio ser: o eu, o eu verdadeiro e a alma. O número de metáforas do ser shakespeariano presente nos *Sonetos* é, praticamente, igual ao número total de sonetos. De certo modo, Shakespeare consegue tornar, ao mesmo tempo, convincentes e duvidosas todas essas imagens do seu ser. A homenagem prestada em forma de indagação ao belo e jovem nobre, nos primeiros versos do soneto 53, bem poderia ser dirigida ao próprio Shakespeare:

> De que matéria és feito e tão amena,
> Que atrai as sombras — que substância é esta?[10]

John Milton

Embora disponha de pouco espaço para empreender uma análise de *Paraíso Perdido*, de John Milton, penso que um livro sobre como e por que ler não pode deixar de dizer algo de útil sobre o maior poeta da língua inglesa, depois de Chaucer e Shakespeare. Satã, herói-vilão de *Paraíso Perdido*, é personagem absolutamente shakespeariano, cujo "sentimento de mérito não reconhecido", ao ser preterido por Deus, com relação a Cristo, nitidamente, remete-se à frustração de Iago, preterido por Otelo, com re-

[10] Op. cit., p. 137. [N.T.]

lação a Cássio. Traços de Macbeth e Hamlet podem, também, ser percebidos nesse Satã. Shelley dizia que o diabo deve tudo a Milton, e poderia ter acrescentado que o diabo de Milton muito deve a Shakespeare. *Adão Destituído* era o título de uma peça teatral idealizada por Milton a respeito da Queda de Adão e Eva, mas que veio a se tornar *Paraíso Perdido.* A meu ver, diante das sombras estranhas dos heróis-vilões shakespearianos, Milton recua, percebendo que a poesia épica inglesa ainda lhe oferecia certas oportunidades, mas que a tragédia dramática fora para sempre usurpada.

O falecido C. S. Lewis, reverenciado por fundamentalistas norte-americanos como o autor do panfleto dogmático intitulado *Mere Christianity*, aconselhava o leitor de *Paraíso Perdido* a sentir, de início, "ódio a Satã". No meu entendimento, não é assim que se deve iniciar uma leitura de *Paraíso Perdido.* Milton não era tão herege quanto Christopher Marlowe ou William Blake, mas, sem dúvida, era o "único fiel de sua seita", e protestante bastante herético. Era mortalista, acreditando que corpo e alma morrem juntos, e juntos ressuscitariam, e negava a crença ortodoxa de que a criação ocorrera *ex nihilo. Paraíso Perdido* promove a identificação entre energia e espírito; Satã esbanja ambas as características — o que também é o caso de Iago. E o mesmo se aplica a John Milton, de um modo avassalador, embora Satã seja, ao mesmo tempo, duplo e paródia do poeta. Ironicamente, é possível argumentar, contra C. S. Lewis e outros críticos carolas, que Satã é cristão mais ortodoxo (mesmo às avessas) do que Milton. Satã não reconhece identificação entre energia e espírito, embora encarne a união dos dois; antes, ele grita: "Mal, sejai o meu bem!". Seria de se esperar que Milton, quase "muggletoniano" (adepto de seita protestante radical e visionária), astutamente, retratasse Satã, a um só tempo, herói autêntico (mais ao modo shakespeariano do que ao estilo clássico) e papista ardiloso, dotado de visão vulgar com respeito às naturezas humana e angelical.

Como ler Satã, personagem esplêndido, é o ponto de partida a uma leitura de *Paraíso Perdido*, que para muitos leitores hoje em dia pode parecer uma grande obra de ficção científica, encenada em um cinema cósmico. O grande cineasta russo Serguei Eisenstein foi o primeiro a apontar o quanto *Paraíso Perdido* prenuncia o cinema, pois o poema, de maneira brilhante, explora a montagem. Sou um apaixonado por *Paraíso Perdido*, mas tenho minhas dúvidas se a obra há de sobreviver à presente era da informação visual, em que somente Shakespeare, Dickens e Jane Austen parecem vingar em versões para a televisão e para o cinema. Milton exige mediação; trata-se de um autor erudito, indireto e profundo. Conforme nos casos de James Joyce e Borges, no presente século, em Milton, a cegueira contribui para estimular tanto uma riqueza verbal barroca quanto uma clareza visual, características que não são facilmente transferíveis para a tela. As montagens turvas do nosso cinema não fariam jus a *Paraíso Perdido*.

Em primeiro lugar, e hoje mais do que nunca, para ser apreendido pelo leitor comum, Milton precisa ser objeto de mediação, pois seus personagens, a despeito das tonalidades shakespearianas, e ao contrário do que se observa em Shakespeare e Jane Austen, não são reconhecíveis como seres humanos. Tampouco têm a riqueza dos personagens grotescos criados por Dickens. São deuses, anjos ou seres humanos idealizados (Adão, Eva, o Sansão de *Sansão Agonistes*). Vejamos Satã, em um de seus momentos mais impressionantes: ele desperta, em meio a um lago em chamas, e se vê cercado de seguidores atônitos e traumatizados. Satã e seus adeptos foram derrotados por Cristo na batalha travada no Céu. O Cristo de Milton, uma espécie de General Patton, no comando de um ataque de anjos armados, do alto da Carruagem da Divindade Paterna, feita de fogo (uma versão cosmológica do tanque israelita Merkabah), e em meio à fúria e ao fogo, lança os anjos rebeldes ao Abismo. Quando estes, em chamas, atingem o fundo do precipício, causam um impacto que produz o Inferno, na região onde antes houvera o Caos. O leitor deve imaginar-se despertando ao lado de Satã e suas legiões derrotadas, em uma condição, ao mesmo tempo, tão sublime e desconfortável como a aqui mencionada! Só assim poderá admirar o heroísmo autêntico de Satã, quando volta a si e contempla a fisionomia destruída do amante Belzebu (os anjos miltônicos são andróginos, tanto os derrotados quanto os vitoriosos).

Contemplando Belzebu, Satã tem de superar, imediatamente, uma crise de narcisismo, pois Milton deixa claro que Satã fora o mais belo dos anjos. "Se o querido Belzebu estava com uma aparência tão terrível, como estarei eu?". Deve ser essa a pergunta que Satã formula a si mesmo, mas, como um general heróico (embora derrotado), ele não a verbaliza:

"És tu, arcanjo herói! Mas em que abismo
Te puderam lançar! Como diferes
Do que eras lá da luz nos faustos reinos,
Onde, sobre miríades brilhantes,
Em posto tão subido fulguravas!
Mútua liga, conselhos, planos mútuos,
Esperanças iguais, iguais perigos
Uniram-nos na empresa de alta glória;
Mas agora a desgraça nos ajunta
Deste horrível estrago nos tormentos!
Caídos de que altura e em qual abismo
Nos achamos aqui tão derrotados!
Co'os raios tanto pôde o que é mais forte.
Té 'gora quem sabia ou suspeitava
Dessas armas cruéis a valentia?
Mas nem por elas, nem por quanta raiva
Possa infligir-me o Vencedor potente,
Não me arrependo, de tenção não mudo,
Posto mudado estar meu brilho externo.
Rancor extremo tenho imerso n'alma
Pela alta injúria feita a meu heroísmo:
Ele impeliu-me a combater o Eterno,
E trouxe logo às férvidas batalhas
Inúmera aluvião de armados Gênios
Que dele o império aborrecer ousaram,
E, a mim me preferindo, opor quiseram
Nas planícies do Céu, em prélio dúbio,
As forças próprias às opostas forças
Fazendo-lhe tremer o empíreo sólio.
Que tem perder-se da batalha o campo?
Tudo não se perdeu; muito inda resta:
Indômita vontade, ódio constante,
De atras vinganças decidido estudo,
Valor que nunca se submete ou rende
(Nobre incentivo para obter vitória),

Honras que jamais há-de extorquir-me
Do Eterno a ingente força e inteira raiva.
Perdão de joelhos suplicar-lhe humilde,
Acatar-lhe o poder, cujo alto império
No âmbito inteiro vacilou há pouco
Pelo impulso e terror das minhas armas,
Fora abjeta baixeza, infâmia fora,
Muito piores que este infando estrago.
Já que, segundo ordenam os destinos,
Não pode ser em nós aniquilada
Esta empírea substância e empírea força,
Já que pela experiência desta ruína
Muito ganhado em previsão nós temos,
Condição que na guerra é de alta monta,
Tentar podemos com mais fausto agouro,
Por força ou por ardis, sem fim, sem pausa,
Contra o excelso Inimigo eterna guerra,
Ele agora que, em júbilos nadando,
Nímio se ufana, vencedor soberbo,
Porque dos Céus no sublimado trono
Administra absoluto a tirania!"[11]

Os especialistas em Milton que se consideram parte integrante da facção divina (do Deus bombástico e tirânico que figura em *Paraíso Perdido*, mas que *não* corresponde à visão herege que Milton tem de Deus), ao comentar o trecho acima, sempre dizem que o mesmo contém uma inverdade. Se o trono de Deus foi sacudido, isso ocorreu em virtude do ataque implacável comandado por Cristo. Esse argumento ortodoxo tem certo fascínio, mas a questão é que Satã está desesperado, como ficaria qualquer comandante derrotado, e, portanto, a hipérbole por ele expressa é compreensível. No entanto, o que há de melhor nessa grande fala nada tem de hiperbólico:

[11] *Paraíso Perdido*. Tradução de Antônio José Lima Leitão. Clássicos Jackson, vol. XIII. Rio de Janeiro: W. M. Jackson Inc., 1964, p. 8-9. [N.T.]

Indômita vontade, ódio constante,
De atras vinganças decidido estudo,
Valor que nunca se submete ou rende...

Em outras palavras, a batalha *está* perdida, mas resta a coragem, e o que mais importaria, desde que o derrotado jamais se submeta ou se renda? O leitor que pertencer à facção do Deus miltoniano pode negar o heroísmo de Satã, mas o autêntico leitor miltoniano jamais faria tal negação. Milton registra a "alta jactância" de Satã, mas reconhece que o "anjo apóstata" sofre grande dor. O "sentimento de mérito não reconhecido" não é para ser objeto de escárnio nem em Satã nem em Iago. Satã é bem menos genial do que Iago, mas opera em maior escala, causando a queda de toda a humanidade e não apenas de um valente (embora limitado) general.

Já ressaltei que, nos dias de hoje, o leitor comum precisa de mediação crítica para realizar uma leitura mais aprofundada de *Paraíso Perdido*, mas, creio eu, relativamente poucos aceitariam tal empreitada. Isso é lamentável, e incorre em grande perda cultural. Por que ler um poema épico tão difícil e tão erudito? Em termos meramente históricos, porque Milton é o poeta central do protestantismo, assim como Dante é o poeta-profeta central do catolicismo. Nos Estados Unidos, a cultura e a sensibilidade, e até mesmo a nossa religião, em diversos e sutis aspectos, são mais pós-protestantes do que protestantes, porém, dificilmente serão compreendidas sem que se tenha uma clara noção do espírito protestante. Tal espírito atinge a sua apoteose em *Paraíso Perdido*, e um leitor corajoso será bem recompensado por tentar superar as dificuldades do poema.

William Wordsworth

O leitor que tenha lido qualquer poesia moderna, de certa maneira, terá lido William Wordsworth, ainda que indiretamente. Mas todos (isto é, aqueles que ainda lêem) devem ler Wordsworth, e não apenas pelo fato de ele haver influenciado (mais uma vez, ainda que indiretamente) quase todos os poetas que, depois dele, escreveram em língua inglesa. Se alguém nos solicita um poema, ou nos insta a compô-lo, no mais das vezes, os versos seriam sobre nós mesmos, e não sobre algo externo ao nosso eu. William Hazlitt, contemporâneo mais jovem do que Wordsworth (e que nutria sentimentos ambíguos com relação a Wordsworth), tinha ciência da extraordinária originalidade do poeta:

> Ele utiliza um tema ou uma narrativa como se fossem meros pregos, ou ganchos, onde pendurar reflexão e sentimento; os incidentes são de somenos, comparados ao desdém que o poeta demonstra pelas aparências pretensiosas; as reflexões são profundas, como convém a uma mente de aspirações sérias e elevadas como a sua.

As aspirações da mente de Wordsworth eram, deveras, cruciais; o poeta desconfiava da visão humana, "o mais tirânico dos sentidos", e sempre confiava no poder da imaginação. Tudo isso teria sido em vão, se Wordsworth não dispusesse de uma aptidão sobrenatural, extraordinária, para a acuidade emocional:

Veio um torpor e me selou a mente;
   Sem temores humanos,
Pareceu-me que ela era indiferente
   À passagem dos anos.

Agora não se move, a força é gasta;
   Não ouve, enxerga ou canta;
A rotação terrestre a rola e arrasta
   Com rocha, e pedra, e planta.[12]

A "natureza" em Wordsworth não é muito naturalista; antes, é um espírito que nos convida a sublimes prenúncios, ou mesmo a horrores, como nesse notável poema citado acima, que fala de perda e que tanto se aproxima de uma transcendência. Trata-se de um dos excelentes poemas do ciclo "Lucy", que, diga-se de passagem, não foram organizados em se-

---

[12] *William Wordsworth: Poesia Selecionada.* Tradução de Paulo Vizioli. São Paulo: Edições Mandacaru, 1988, p. 43. [N.T.]

qüência pelo próprio poeta. Tudo leva a crer que, em conjunto, os poemas sejam uma elegia a Margaret Hutchinson, irmã caçula de Mary, mulher de Wordsworth, e de Sara, com quem Coleridge queria se casar, mas não pôde (pois já era casado). Margaret Hutchinson faleceu em 1796, com pouco mais de vinte anos, e, evidentemente, representava para Wordsworth (pelo menos em sua imaginação) um amor perdido ou frustrado.

A primeira estrofe do poema descreve a jovem em questão como um ser visionário, "[...] indiferente / À passagem dos anos". O leitor sofrerá grande impacto, quase traumático, no início da segunda estrofe, pois, em certo sentido, Margaret Hutchinson continua a ser uma figura visionária; Wordsworth não consegue afirmar, literalmente, que Margaret faleceu. Diariamente, a Terra "rola e arrasta", e os restos mortais da jovem rolam "com rocha, e pedra, e planta". Estará o poeta por demais entorpecido para expressar a sua dor? Trauma parece constituir o sentimento mais forte do poema; no entanto, talvez "trauma" seja apenas um rótulo usado para reduzir o poema.

Como ler esse poema do ciclo "Lucy", e como fazê-lo bem, é um exercício e tanto, em termos de paciência e receptividade, mas é, também, uma fonte de prazer. Shelley, em determinados aspectos, discípulo involuntário de Wordsworth, definia o Sublime na poesia como uma experiência capaz de dissuadir o leitor da busca de satisfações fáceis, levando-o a procurar prazeres mais sofisticados. Visto que a leitura de bons poemas, contos, romances e peças teatrais, decerto, constitui prazer mais sofisticado do que a maior parte do que nos é oferecido, visualmente, na televisão, em filmes e *video games*, a definição formulada por Shelley é crucial a este livro. A segunda estrofe de "Veio um torpor e me selou a mente" é uma aventura ao Sublime poético. Como noção literária, "Sublime", originalmente, significava "elevado", no tratado alexandrino sobre estilo, segundo consta, escrito pelo crítico Longino. Mais tarde, no século XVIII, "Sublime" passa a significar uma grandiosidade visível na natureza e na arte, reunindo aspectos como poder, liberdade, ardor, arrebatamento e a possibilidade de terror. Algo dessa noção de Sublime permeia a estranha elegia composta por Wordsworth para Margaret Hutchinson. Força e movimento fazem parte da rotação diária da Terra; Margaret encontra-se agora na mesma condição das rochas, pedras e plantas. Não se trata de um consolo, mas temos aqui uma abertura a um processo maior, no qual a morte de uma bela jovem é apenas uma parte.

Vejamos outro poema breve de autoria de Wordsworth, igualmente célebre, mas menos sublime:

> Eu sinto o coração bater mais forte
> Quando o arco-íris posso ver.
> Assim foi quando a vida começou,
> Assim é agora quando adulto sou,
> E assim será quando eu envelhecer...
> Senão, melhor a morte!
> O menino é pai do homem;
> E eu hei de atar meus dias, cada qual,
> Com elos da piedade natural.[13]

Poema extraordinário, "Eu sinto o coração bater mais forte" é, também, embrião da grande *Ode: Prenúncios de Imortalidade em Recordações da Primeira Infância*, cuja epígrafe são os três últimos versos desse fragmento de poema ora analisado (se é que se trata de um fragmento). "Eu sinto o coração bater mais forte", fazendo-nos lembrar que o arco-íris é o símbolo da aliança de Noé com Javé, recorre ao arco-íris para celebrar outra aliança, a continuidade da consciência de Wordsworth com relação ao eu. Sem dúvida, esse breve poema é simples, tanto em estrutura quanto em linguagem, mas nele o leitor pode vir a descobrir certa complexidade. O estático arco-íris da criança é primário, quase instintivo. "Assim é agora quando adulto sou" é, necessariamente, uma percepção secundária, pois depende da memória da alegria sentida pela criança. "E assim será quando eu envelhecer..." é, nitidamente, uma terceira noção, pois depende da memória e do revigoramento da memória. O impacto causado pelo poema tem início no verso "Senão, melhor a morte!". Wordsworth não quer viver, se seus dias — passados, presentes e futuros — não puderem ser atados uns aos outros, como elos e alianças. As palavras "Senão, melhor a morte!" atestam, ao mesmo tempo, um sentido de potencial desespero e ânsia de fé, a crença em uma predestinação poética que Wordsworth, tal-

[13] Op. cit., p. 49. [N.T.]

vez, erroneamente, chama "piedade natural", o que não queria dizer a "religião natural" do Iluminismo que opunha razão natural à revelação. William Blake, diante dessa denominação equivocada, notoriamente, reage, em tom áspero: "Não existe Piedade Natural porque o Homem Natural é Inimigo de Deus".

A resposta de Wordsworth a Blake, provavelmente, está implícita em um verso de "Eu sinto o coração bater mais forte" ainda não analisado, o flagrante paradoxo: "O menino é pai do homem". Não seria difícil para Sigmund Freud aceitar essa proposição, mas é possível que a mesma expresse ironia bastante antifreudiana. Ao ver o arco-íris, Noé aceita-o como sinal da aliança: o fim do dilúvio, e o advento da bênção de vida longa, em um tempo sem limites. Wordsworth, embora recorra ao símbolo de Javé, almeja a sobrevivência de seu próprio talento poético, que depende da renovação da alegria da criança. A memória, grande recurso de Wordsworth, é, também, fonte de ansiedade poética. Ele há de continuar a perseguir provas da predestinação poética, que se tornam escassas a partir de 1807, quando o poeta ainda estava com trinta e sete anos de idade. Wordsworth viveu mais quarenta e três anos, e escreveu resmas de poemas ruins. A suprema originalidade do poeta e o subseqüente declínio de seu talento estabeleceram os parâmetros da poesia moderna.

Samuel Taylor Coleridge

O melhor amigo de Wordsworth chamava-se Samuel Taylor Coleridge, poeta, crítico, filósofo, teólogo leigo, cientista político e (às vezes) plagiador. Seu grande poema é uma balada dividida em sete partes, somando 625 versos: *A Rima do Velho Marinheiro.* Fazendo lembrar um magnífico pesadelo, essa balada é um poema absolutamente essencial, propiciando singular prazer ao bom leitor.

O poema tem por base a balada folclórica intitulada "O Judeu Errante", mas, na verdade, o Velho Marinheiro tem mais a ver com personagens de Kafka, em "Gracchus, o Caçador" ou em "O Médico do Interior", do que com o judeu que zomba de Cristo. Na literatura anterior a Coleridge, os ancestrais do Velho Marinheiro são Iago, de Shakespeare, e Satã, de Milton. Entre Coleridge e Kafka, temos Pym, criado por Poe, Ahab, personagem de Melville, e Svidrigailov e Stavrogin, de Dostoiévski. Depois de Kafka, vêm Gide, Camus, Borges e muitos outros escritores, pois a balada mágica e eloqüente de Coleridge é peça central na tradição ocidental dos relatos de crimes gratuitos, a "maldade sem motivo" que Coleridge (a meu ver, equivocadamente) atribuía a Iago.

O navio em que o Marinheiro serve é levado por uma tormenta ao Pólo Sul, onde fica preso no mar congelado. Surge, então, um albatroz, recebido e alimentado pela tripulação, e que, misteriosamente, faz a camada de gelo se romper, salvando-os a todos. O pássaro é domesticado e passa a viver no navio, até que o Velho Marinheiro, gratuitamente, com sua besta alveja o albatroz. Depois desse incidente, testemunhamos a descida do Marinheiro e de toda a tripulação ao Inferno.

Esse resumo grosseiro trai toda a poesia da balada, em que Coleridge exibe uma arte singular:

> E então veio neve e nevoeiro,
> E o frio gelava a espalda:
> E gelo, à altura do mastro,
> Flutuava, verde-esmeralda.
>
> Na borrasca, aquela nevasca
> Refletia uma luz sombria:
> Nem rastro de homem ou fera,
> A geleira tudo encobria.

Trata-se de uma visão fantasmagórica, mediada pelo Marinheiro, capaz de ver e descrever muito bem, mas que, pobre de imaginação, raramente distingue aquilo que vê. É isso que Coleridge pretende; dependemos do relato do Velho Marinheiro, um literalista à deriva em uma obra que Coleridge denominou "fruto de pura imaginação". O infeliz Marinheiro torna-se um fundamentalista do que hoje chamamos ecologia:

> Melhor reza o que ama os seres —
> O pequeno e o grande também —

Pois o Deus, que tanto nos ama,
Tudo criou, a tudo quer bem.

Eis a moral do poema, na percepção do Marinheiro; sendo ele um indivíduo obcecado, um monomaníaco, não temos por que identificá-lo com Coleridge. Nesse particular, contamos com o testemunho do próprio autor. Quando a célebre protofeminista Mrs. Barbauld critica o poema, acusando-o de carecer de moral, Coleridge comenta, de modo brilhante:

> Disse-lhe que, no meu entendimento, o poema esbanjava moral; e que o único, ou principal defeito, se ela me permitisse dizê-lo, era a imposição ao leitor, abertamente, de um sentimento de ordem moral, como princípio, ou causa da ação, em uma obra que é fruto de pura imaginação. O poema não deveria exibir mais moral do que o conto, em *Noites da Arábia*, do mercador que come tâmaras e atira as cascas dentro de um poço. Eis que de dentro do poço surge um gênio, que afirma ter de matar o mercador, porque uma casquinha de tâmara, supostamente, cegara-lhe o filho.

Nesse conto temos, então, o crime verdadeiramente gratuito, e, talvez, Coleridge, um terço de século após ter escrito seu melhor poema, nele tivesse incluído ainda mais perversidade. Contudo, a maldade do poema é suficientemente sublime, se confiarmos na história, e *não* no velho contador. Leitor: não mates albatrozes, e cuidado quando jogares fora cascas de tâmara; mesmo assim, descerás ao Inferno no barco da morte:

No alto de um céu quente, de cobre,
O Sol sangrento, ao meio-dia,
Acima do mastro pairava,
Maior que a lua não parecia.

Dia após dia, dia após dia,
Sem vento que mexesse o pano,
Éramos a estampa de um barco
Que tem ao fundo um oceano.

Água, água por todo lado,
E o madeirame a encolher,

Água, água por todo lado,
E nenhuma gota a beber.

Podridão, o fundo do mar!
Ó Deus! Que visão horrorosa!
Seres nojentos fervilhavam
Em meio a uma água viscosa.

Se compararmos essas quatro estrofes às duas anteriormente citadas, que falam da geleira verde-esmeralda, sem dúvida, teremos de admitir que a infeliz tripulação vai de mal a pior. Estar preso no inferno de uma geleira que reflete uma luz sombria é algo aterrorizante, embora o momento careça da bravata medonha expressa nos versos: "Seres nojentos fervilhavam / Em meio a uma água viscosa".

A meu ver, o Marinheiro e o poema por ele composto denotam compulsividade mesmo *antes* do extermínio do bondoso albatroz. O leitor há de perceber que está diante de um poema que é "fruto de pura imaginação", de modo que a jornada descrita é, necessariamente, visionária. Mas *por que* o Velho Marinheiro mata o albatroz humanizado? Ao longo do poema, o Marinheiro é de uma passividade impressionante, até mesmo quando executa a ave. Seus únicos outros atos ocorrem quando ele bebe o próprio sangue, para ter forças de gritar ao avistar uma embarcação, e, mais tarde, quando concede uma bênção. Remanescente de Lemuel Gulliver, criado por Swift, e de Robinson Crusoé, personagem de Defoe, o Marinheiro mais parece um observador desprovido de sentimento e sensibilidade, embora atento. Houve época em que eu pensava que o protagonista de Coleridge buscasse, desesperadamente, a afirmação do ego, por meio do crime gratuito, mas já não encontro indícios textuais que justifiquem essa interpretação "modernista". Afinal, não se pode afirmar que no desfecho do poema o Velho Marinheiro exiba uma aguçada percepção de sua identidade. É uma máquina a ditar sempre a mesma história.

Conforme observou Coleridge, o poema não contém moral alguma — nem deveria conter. Portanto, a pergunta — por que é morto o albatroz? — não tem resposta. Exorto o leitor a não batizar o poema, que não trata do Pecado Original, ou da Queda de Adão e Eva, questões que envolvem desobediência e depravação; *A Rima do Velho Marinheiro* não é *Pa-*

raíso Perdido. De certo modo, esse poema de Coleridge é shakespeariano, em termos de distanciamento e tom, enquanto a linguagem visionária apresenta, às vezes, afinidades com o canto de Tom de Bedlam:

A lua movente o céu subia,
Em um só lugar não parava;
Tendo ao lado algumas estrelas,
Lentamente, o céu escalava —

Seus raios zombavam do mar,
Branqueado qual geada de abril,
Mas, na sombra imensa do barco,
A água enfeitiçada queimava,
Um plácido e vermelho arco.

Para além da sombra do barco,
Eu as cobras d'água enxergava:
Seu rastro era um branco brilhante,
E quando se erguiam, a luz mágica
Emanava em tom cintilante.

Uma vez na sombra do barco,
Exibiam suas ricas vestes:
Em azul, negro e verde vivo,
Nadavam e, então, se enroscavam;
Seu rastro era fogo atrativo.

Mas que criaturas felizes,
De indescritível formosura!
No coração jorrou-me amor,
E as abençoei, sem notar;
Os santos de mim se apiedaram,
E as abençoei, sem notar.

No exato momento da prece,
Do meu pescoço a tombar,
Desprende-se, então, o albatroz
E afunda, qual chumbo, no mar.

Temos aqui não apenas a resolução de *A Rima do Velho Marinheiro* (se é que o poema contempla alguma resolução), mas, em termos de poesia, o efeito mais marcante alcançado por Coleridge. O Marinheiro, de modo geral, tão incapaz, comove-se diante da beleza e da aparente felicidade das cobras d'água, e as abençoa, de coração, assim livrando-se da maldição (tanto quanto possível). O leitor compreensivo, que aprecia a intricada fusão do estranho e do belo apresentada no poema, ao término dessa sombria jornada, vê aumentado o seu entendimento da liberdade — mais um motivo para ler.

Shelley e Keats

Shelley e Keats muito diferem entre si, e não se pode dizer que tenham sido amigos (Keats desconfiava da riqueza e da carreira exuberante de Shelley); contudo, estarão para sempre ligados em *Adonais*, elegia composta por Shelley para Keats. Os dois são os últimos poetas nos quais me detenho, de modo aprofundado, no presente livro, pois sou obrigado a me contentar com breves observações, quando falo dos poetas do século XX que mais admiro: W. B. Yeats, D. H. Lawrence, Wallace Stevens e Hart Crane.

Quanto à obra de Shelley, limitar-me-ei a alguns trechos do magnífico (e inacabado) poema sobre a morte — *O Triunfo da Vida* —, a meu ver, o exemplo mais convincente de como Dante, autor da *Divina Comédia*, soaria se houvesse escrito em língua inglesa. *O Triunfo da Vida* é uma visão infernal, um fragmento de cerca de 550 versos, em dantesca *terza rima*, no meu julgamento, o poema mais desesperador (de verdadeira grandeza) já escrito em inglês. Shelley, em seus últimos dias de vida (embora com apenas vinte e nove anos de idade), oferece-nos a sua visão da natureza humana e do destino, antes de partir para a derradeira viagem, em que morre afogado (ainda não sabemos, ao certo, se a morte foi acidental). O mais romântico dos poetas, Shelley lega-nos *O Triunfo da Vida*, seu testamento, que nos deixaria atormentados e deprimidos, não fosse a sua grande força poética.

Pareceu-me observar a via pública,
   Coberta da poeira do verão,
E o mais intenso fluxo de indivíduos,
   Qual nuvens de mosquitos no crepúsculo,

Apressados, embora não soubessem
   Onde iam, nem de onde vinham, nem
O que faziam em meio à multidão,

   Sendo pela corrente transportados,
Como folhas mil em céu de verão.
   Velhos e jovens, homens e meninos,

Formavam uma única torrente,
   Alguns fugiam daquilo que temiam,
Outros o objeto do medo buscavam,

   Outros, qual caminhantes rumo ao túmulo,
Olhavam os insetos sobre o solo,
   E outros, pesarosos, caminhavam

Na tristeza da própria sombra, a morte...
   E outros fugiam da sombra qual fantasma,
Trôpegos e ofegantes na aflição.

   Cruzavam os caminhos, uns dos outros,
Seguindo ou evitando andar nas sombras,
   Buscando ou não as aves do meio-dia,

Nas trilhas em que as flores não cresciam;
   Sedentos e cansados desse afã,
Não ouviam as fontes, cujo orvalho

   Jorrava de suas úmidas alcovas,
Nem sentiam a brisa da floresta,
   Que fala em trilha amena e doces bosques

De imensos elmos, frígidas cavernas,
   Campos de violeta, terra de sonhos;
Insistiam na tolice de hoje e sempre.[14]

Essa Dança Macabra é a [séria] "tolice" da competição em que vivemos, cruzando "os caminhos, uns dos outros". O título — *O Triunfo da Vida* — é de uma ironia amarga, pois, no poema, a "vida" cujo triunfo nos abate é "morte-em-vida", que aniquila a individualidade e a integridade:

   Enquanto eu observava, pareceu-me
Que o povo se agitava, como a mata,
   Em junho, afagada pelo vento norte.

E um brilho frio, mais forte que o da lua,
   Cortante como gelo, ofuscava
O sol e os astros. Como a lua nova,

   Que na raia do pôr-do-sol e da noite,
Faz tremer casca branca no ar carmim,
   E, enquanto a tempestade toma força,

Como um arauto que a anuncia, carrega
   O espectro da mãe morta, em um abraço
Etéreo e escuro, no berço do infante,

   Surge uma carruagem, esplendorosa,
Na calada tormenta, transportando
   Figura deformada pelo tempo,

Sombria, de capuz e capa negra,
   Curvada como à sombra de um túmulo;
Acima da cabeça, um toldo negro

   Mantinha em trevas o interior,
Desviando a luz. Guiava a carruagem
   Uma Sombra de Jano, multiface,

---

[14] Ofereço aqui uma tradução livre do original, composto em *terza rima.* [N.T.]

No comando da tal parelha alada.
    As Figuras que buscaram os raios
Se perderam: eu escutava apenas,

    No ar suave, a melodia das asas.
As quatro faces daquele cocheiro
    Tinham olhos vendados... pouco adianta

Velocidade quando se está cego,
    Ou aproveitar raios que o sol saciam,
Se olhos vendados vão romper a esfera

    Do que existe, existiu ou existirá.
Mal conduzida era a carruagem,
    Mas corria, célere e majestosa...

Anunciada pela imagem da lua cheia nos braços da lua nova (empréstimo da balada "Sir Patrick Spence", citada por Coleridge em epígrafe à ode "Tristeza"), a carruagem da vida irrompe à nossa frente. Shelley, corajosamente, parodia a Carruagem Divina, presente no Livro de Esequiel, no Apocalipse, em Dante, e em Milton, enquanto a Figura chamada Vida Conquistadora é conduzida por um cocheiro endemoniado, ousada paródia dos quatro querubins, ou anjos da Carruagem Divina. Como o deus romano Jano, com faces voltadas em sentido contrário, o cocheiro infernal nada enxerga, e o brilho frio que emana da carruagem nos ofusca. Aos poucos, o leitor percebe que Shelley estabelece uma distinção entre três regiões de luz: as estrelas (poesia), o sol (natureza) e o brilho da carruagem (vida). A natureza brilha mais do que a imaginação (a perda é nossa), e a força destrutiva da carruagem brilha mais do que a natureza (a derrota é nossa).

Atrás da carruagem triunfante tropeça a incontável hoste de prisioneiros, incluindo jovens amantes, entregues à loucura erótica, e velhos malapessoados, que com muito custo seguem a Carruagem da Vida. Buscando, desesperadamente, algum entendimento, Shelley confronta seu guia, Rousseau (como Virgílio o fora para Dante), que fala ao poeta com uma eloqüência e urgência proféticas:

"Antes do teu tempo,

Temi, amei, odiei, sofri, morri;
Se a centelha do Céu que iluminou
Minha alma fosse feita pela Terra,

Não teríamos hoje a decadência
Do que um dia foi Rousseau — nem o disfarce
Mancharia o invólucro que o despreza."

Esta é a poesia mais difícil por mim apresentada ao leitor, mas temos aqui aprendido como e por que ler. O orgulho de Rousseau surge mesclado à sua própria percepção de decadência, mas a afirmação é, universalmente, humana, e transcende o Rousseau histórico. O guia de Shelley fala em nome da intimidade de cada leitor, pois quem de nós não receia estar, por assim dizer, disfarçado, isolado do eu verdadeiro (a centelha), em decorrência da degradação da morte-em-vida?

Espero que o leitor prossiga sozinho na leitura dessa grande obra inacabada, lembrando-se sempre de ler sem pressa, de preferência, em voz alta, esteja só ou em companhia de terceiros. A intensidade e a vivacidade da expressão final de Shelley, tanto em termos da amarga eloqüência como da introvisão sobre a condição humana, haverá de recompensar-lhe os esforços.

Aqui eu gostaria de sobrepor ao epílogo trágico de Shelley a magnífica balada de Keats, "La Belle Dame sans merci", que, em sua obsedante tristeza, é, em última análise, um poema tão angustiante quanto *O Triunfo da Vida*:

Que te pode doer, pobre-diabo
Só em desalento vagando;
Os cíperos vêm secos desde o lago
E nenhum pássaro cantando.

Que te pode doer, pobre-diabo
Tão triste, tez desfigurada?
Cheio o celeiro do esquilo
E a colheita consumada.

Vejo um lírio em tua fronte
   Em angústia e febre orvalhado;
E na face uma rosa lânguida
   Que já em breve também terá murchado.

Uma Dama nos prados encontrei
   Formosa em plenitude, filha de fada
De longa cabeleira, leve o pé
   E era de fera a sua fé mirada.

Pousei-a em meu corcel a passo
   E durante esse dia mais vi nada
E do lado inclinada ela pendia
   E uma canção cantou de fada.

Uma grinalda fiz para a cabeça
   E bracelete e laço perfumado
E como se me amasse me fitou
   E suave lamento foi lançado.

Sumo de orvalho, mel agreste e essências
   De ameno sabor me regalou
E com certeza em língua estranha,
   Eu te amo, declarou.

Para a sua gruta encantada me levou
   E lá bem suspirou profundamente
E lá cerrei seus feros tristes olhos
   Assim beijados, dormentes, dormentes.

E lá bem me embalou até o sono
   E lá sonhei — Ah, mala sina
O último sonho que jamais sonhei
   Nesse lado frio da colina.

Pálidos reis eu vi e também príncipes
   Guerreiros pálidos, na lividez da morte
Gritando: "*La Belle Dame sans mercy*"

Tem-vos serva a sorte."

Vi seus lábios à míngua no crepúsculo
   Greta agourenta grande e bem ferina
E despertei aqui me achando
   Nesse lado frio da colina.

E eis por que passo por aqui
   Só em desalento vagando
Embora os cíperos secos desde o lago
   E nenhum pássaro cantando.[15]

Em termos poéticos, talvez seja essa a melhor balada em língua inglesa, desde as Baladas Folclóricas de Fronteira, surgidas na Alta Idade Média. Para um leitor avisado, trata-se de uma excelente oportunidade de se aperfeiçoar em leitura de poesia. Existe algo muito estranho em "La Belle Dame sans merci", que está longe de ser um poema celebrativo — conforme pensava o poeta e romancista Robert Graves. Para Graves, a *Belle Dame* era, ao mesmo tempo, a tuberculose (que dera cabo de Keats aos vinte e cinco anos de idade), Fanny Brawne (amada, embora jamais possuída, por Keats), o amor, a morte, a poesia, e a Deusa Branca, musa mitológica que gerava, desposava e enterrava os poetas autênticos. Embora fosse um bom leitor de poesia, em sua leitura da balada de Keats, Graves projetou a sua relação, a um só tempo, sublime e destruidora com a poetisa norte-americana Laura Riding.

O poema de Keats — "A Bela Dama sem piedade" — toma o título emprestado a um poema francês que remonta à Idade Média, mas é sempre tão original e sutil que jamais sabemos ao certo se a estamos lendo corretamente. Em todo caso, lendo-o com atenção, somos levados a duvidar que essa "filha de fada" seja, deveras, impiedosa, ainda que, sem dúvida, tenha vitimado uma série de amantes — reis, príncipes e pálidos guerreiros —, que, supostamente, definharam, por terem passado a recusar alimento mundano após um repasto de fadas. Mas esse é o sonho do cavaleiro do poema — será que devemos nele acreditar?

---

[15] *Grandes Poetas da Língua Inglesa do Século XIX*. Organização e tradução de José Lino Grünewald. 2. ed. Rio de Janeiro: Nova Fronteira, 1998, p. 65-67. [N.T.]

Estamos em um fim de outono, ou início de inverno, e o cavaleiro encontra-se angustiado, enfermo, possivelmente, a definhar. Nas primeiras três estrofes ouvimos a voz de Keats; nas demais nove fala o desolado amante da fada. Quando a última estrofe nos faz retornar, em círculo, à primeira, percebemos que Keats evita inserir a balada dentro de uma estrutura fechada, em que ele próprio aparecesse como narrador, no início e no fim. Será que, muito sutilmente, o gesto não indicaria uma identidade entre Keats e o cavaleiro, conforme pensava Graves?

A questão crucial do poema é que a *Belle Dame* e o cavaleiro não conseguem se comunicar, e é possível que ele esteja interpretando erroneamente os gestos e as expressões faciais da mulher. O cavaleiro apaixona-se pela bela fada à primeira vista; e como poderia ser diferente? Contudo, as palavras do cavaleiro fazem-nos duvidar da interpretação que ele próprio faz da atitude da *Dame*: "E *como se me amasse* me fitou / E suave lamento foi lançado". Esse lamento pode ser mais uma ameaça do que uma expressão de amor, e podemos perceber a insegurança do cavaleiro quando este diz: "E *com certeza* em língua estranha, / Eu te amo, declarou". A interpretação do cavaleiro parece equivocada, e preocupa-nos saber que a *Dame* "bem suspirou profundamente", pois constatamos o fracasso de mais um amante iludido.

Expressão perfeita de amantes tristonhos, os versos abaixo, embora estejam entre os mais melancólicos escritos em língua inglesa, podem traduzir auto-ilusão:

> E despertei aqui me achando
> Nesse lado frio da colina.

O cavaleiro adormece na "gruta encantada" onde a fada habitava — com que propósito, não somos informados, mas os beijos que ele dá nos "tristes olhos" da Dama podem ter sido toda a recompensa que ele obteve. Como terá sido transportado daquele ninho de amor (se é que se tratava de um ninho de amor) para o lado frio da colina, onde ele desperta? Pode ter sido em um passe de mágica, mas como saberemos se tudo não terá passado de uma ilusão? Quando começa o sonho do cavaleiro?

A balada é por demais inteligente para responder, peremptoriamente, a todas essas indagações. Permanecemos na dúvida, encantados, como o próprio Keats parece encantar a si mesmo. Por que ler "La Belle Dame sans merci"? Pela maravilhosa expressão de anseio universal pelo romance, e pela profunda convicção de que todo romance, literário e humano, depende do conhecimento incompleto e incerto.

Resumindo

Uma lista dos principais poetas de língua inglesa neste século que termina, certamente, incluiria o norte-americano Robert Frost, o anglo-americano T. S. Eliot, e o poeta e romancista inglês Thomas Hardy. Mas gostaria de concluir minhas observações considerando aqui a obra de quatro poetas que se equiparam em importância: o anglo-irlandês W. B. Yeats, os norte-americanos Wallace Stevens e Hart Crane, e o profético poeta e romancista inglês D. H. Lawrence. Yeats é herdeiro da lírica simbólica de William Blake, do monólogo dramático vitoriano e das perspectivas visionárias de Shelley e Keats. Stevens e Crane descendem, em parte, dessa linhagem, mas são também legatários da tradição norte-americana de Whitman e Dickinson. Lawrence, ao mesmo tempo, próximo a Blake e a Whitman, é o ponto culminante do desespero visionário que, para mim, constitui o cerne da grande poesia de língua inglesa.

"Mas, e o que dizer dos poemas que expressam um outro tipo de sentimento?", perguntaria o leitor. "Será que para ser extraordinária a poesia deve expressar desespero?" Decerto que não, mas a releitura dos comentários que fiz, previamente, sobre o "Ulisses", de Tennyson, sobre Whitman e Dickinson, sobre "Tom de Bedlam", os *Sonetos* shakespearianos, Milton e Wordsworth há de demonstrar que "desespero visionário" não é desespero conforme tantas vezes sentimos em nossa vida cotidiana. Selecionei meus poemas prediletos, precisamente, porque sua característica visionária transcende as trevas mundanas. A poesia, conforme aqui exorto o leitor a perceber, pode ser um veículo de transcendência, secular ou espiritual, dependendo de como é recebida. Passo a ilustrar a questão, brevemente, recorrendo à obra dos quatro poetas modernos por mim escolhidos.

Yeats, que era versado em ocultismo, e dizia que os espíritos lhe traziam "metáforas para poesia", escreveu "O homem e o eco", marcante poema sobre a morte. Atormentado pelo remorso ("Passo noite após noite acordado"), o velho cuja voz é ouvida no poema obtém do eco apenas respostas frias: "Deite-se e morra" e "Noite adentro". No entanto, o poeta conclui o poema com uma coragem estóica, agnóstica, respondendo à pergunta por ele próprio formulada — "Devemos nos alegrar na grande noite?" — através da verdade incontestável da condição humana:

O que mais sabemos nós,
Senão que face a face aqui estamos?

Leitores de todas as idades poderão detectar nesses versos algo que vai além do desespero, similar ao ato de Childe Roland, quando leva o trompete aos lábios e faz soar a profecia de Shelley. Outro poema sobre a morte que confronta situações extremas é o majestoso "Sombras", de D. H. Lawrence, em que o poeta, na meia-idade, morrendo em conseqüência da tuberculose (como o jovem Keats), consegue reunir coragem para expressar uma nova visão:

Se esta noite minha alma encontrar paz,
dormir e se entregar a devaneios,
e, de manhã, acordar qual flor aberta,
é porque fui regado e recriado em Deus.

A voz poética de Lawrence, libertada pelas cadências heróicas de Whitman (que, conforme ressalta John Hollander, não configuram "verso livre", pois verso algum que seja autêntico será livre), entrega-se a "devaneios", e não a noções mais comuns sobre a morte, i.e., aniquilação ou sobrevivência da alma. Buscando o possível sentido de ser "recriado", Lawrence, com eloqüência, admite o horror do próprio fracasso: "meus pulsos estão quebrados". Todavia, o que surge de "Sombras" é a percepção viva do espírito de Lawrence, *sustentada pelo poema que está sendo escrito.* A meu ver, poesia é a única "auto-ajuda" que funciona, pois recitar "Sombras" em voz alta fortalece o meu espírito. Vale lembrar ao leitor que a boa poesia deve ser lida em voz alta, esteja ele só ou acompanhado.

Wallace Stevens, enfrentando a própria morte em conseqüência de um câncer, contempla a visão da "palmeira ao final da mente", no poema mais sublime que escreveu nos últimos dias de vida: "Meramente ser".

Confrontando fantasmagoria, o poeta agonizante tem um profundo *insight*: "Então compreende-se que não é a razão / Que traz tristeza ou alegria".[16] No final da mente, surge uma palmeira. Não sei se Stevens tinha conhecimento do belo mito xiita-sufi, segundo o qual Alá, após criar Adão a partir do barro, usou a sobra para moldar a palmeira, a "irmã de Adão". Mas, será que vem ao caso, se Stevens conhecia ou não a bela lenda? Isso nos leva à questão da necessidade de mediação crítica na obra dos poetas considerados difíceis, indiretos, para ser compreendida pelo leitor comum. O estudo da obra de Milton, talvez o poeta mais erudito de todos os tempos, decerto, é enriquecido através da mediação. O mesmo se dá com Stevens, embora em menor grau. Shakespeare é praticamente singular entre os poetas, por ser, ao mesmo tempo, o maior dos artistas populares e, em última análise, extremamente complexo, devido à incomparável força de sua mente. Stevens é, às vezes, indireto, reticente, mas a sua visão final é, igualmente, simples e enigmática:

> ....
> O pássaro canta. As penas brilham.
>
> A palmeira paira no limiar do espaço.
> O vento roça devagar seus galhos.
> As penas de fogo do pássaro pendem frouxas.[17]

A Fênix, originalmente, mito egípcio, vivia quinhentos anos, consumia-se em fogo, e, então, ressurgia das próprias cinzas. Stevens não sabe (tampouco nós o sabemos) se a vistosa ave presente em sua visão seria a Fênix. Mas isso vem ao caso? O pássaro *canta*, as penas *brilham*, a palmeira *paira* (por mais precariamente que seja), o vento *roça*: tais fenômenos ocorrem com certeza, e propiciam consolo. O pender frouxo é ambíguo; o leitor talvez se remeta à imagem da morte em "Manhã de domingo", poema escrito por Stevens quarenta anos antes de "Meramente ser": "Em direção à sombra, com suas asas".[18] Mas o último verso de "Meramente ser"

---

[16] *Wallace Stevens. Poemas.* Tradução e introdução de Paulo Henriques Britto. São Paulo: Companhia das Letras, 1987, p. 199. [N.T.]

[17] Ibid. [N.T.]

[18] Op. cit., p. 35. [N.T.]

— "As penas de fogo do pássaro pendem frouxas" — é muito mais exuberante, como asserção final de uma consciência poderosa. Mais uma vez, cabe ao leitor decidir se temos aqui uma imagem de transcendência secular, ou um prenúncio de espiritualidade.

O meu favorito entre os poetas modernos é Hart Crane, que, com apenas trinta e dois anos, suicidou-se, atirando-se no mar do Caribe durante uma viagem de navio. Seu poema sobre a morte (que, provavelmente, não trata da própria morte do poeta) é a extraordinária auto-elegia "A torre em ruínas", que tem uma estrofe que me persegue há quase sessenta anos, desde os meus tempos de menino:

E por isso entrei no mundo em ruínas,
A perseguir a companhia visionária do amor,
Cuja voz, um instante no vento (não sei para onde corria),
Não durava o bastante a permitir a escolha da dor.

A dignidade estética desses versos é irresistível, em parte, porque Crane foi um mestre do encantamento, capaz de nos enfeitiçar, sendo esse um dos indubitáveis poderes da poesia. Entrar em um mundo em ruínas é nascer em uma catástrofe da criação, o que, para sempre, condena o poeta a "perseguir", a encurralar e descrever "a companhia visionária do amor", companhia que, no caso de Crane, certamente, incluía as figuras de Blake, Shelley e Keats. A longa série de relacionamentos homoeróticos de Crane, cada escolha momentânea e dorida, implica a desesperada — porém, válida — busca de uma voz cujo destino e duração eram alterados pelo vento, vento esse idêntico à inquestionável inspiração do poeta.

Hart Crane, mais do que a maioria dos poetas, prontamente, revela seu segredo e valor quando nos dispomos a memorizar seus versos. Enfatizo aqui, mais uma vez, o prazer da memorização, imensa contribuição à leitura de poesia. Guardado na memória, o poema passa a nos possuir, e podemos, então, lê-lo mais minuciosamente, conforme o exige e faz recompensar a grande poesia. As primeiras leituras da poesia de Hart Crane costumam produzir gloriosos rompantes de som e ritmo, ainda que de difícil assimilação. Sucessivas releituras de "A torre em ruínas" ou "A ponte de Brooklyn" ensejam a memorização para sempre. Conheço várias pessoas que, quando estão sós, recitam poemas em voz alta, convictas de que se apropriando do poema e deixando-se por ele possuir conseguirão sobreviver.

Essa espécie de ajuda é oferecida por Emily Dickinson, cuja originalidade intelectual permite aos leitores atentos romper convenções de recepção profundamente arraigadas. Nesse particular, Dickinson é discípula de Shakespeare. O valor superno das reflexões de Hamlet, conforme demonstro mais adiante neste livro, é mais um reforço da autonomia do leitor. Como *Hamlet*, os *Sonetos* de Shakespeare são fonte perpétua do prazer da descoberta de novos significados a cada releitura.

A melhor poesia de Walt Whitman provoca impacto e identificação. A grande poesia perpetra em nós um grau de violência que a ficção em prosa raramente consegue (ou mesmo tenta) realizar. Para os Românticos essa era a verdadeira função da poesia: despertar-nos da letargia da morte, para um sentido mais pleno da vida. Não há razão melhor para ler e reler o que há de melhor em nossa poesia.

III

Romances, Primeira Parte

Introdução

Em certos aspectos, a leitura de um romance não deveria configurar uma experiência muito diferente da leitura de uma peça shakespeariana, ou de um poema lírico. O mais importante é a identidade do leitor, uma vez que é impossível deixar de se colocar, pessoalmente, no ato da leitura. Visto que a maioria de nós traz consigo expectativas específicas, a leitura do romance introduz uma diferença, pois esperamos encontrar, senão nossos amigos e a nós mesmos, pelo menos uma realidade social reconhecível, seja contemporânea ou histórica. Um novo romance de Iris Murdoch provocava em mim sensações distintas do advento de um novo livro de poemas de John Ashbery. A escrita de má qualidade é monolítica; já a boa escrita é de uma diversidade assombrosa, e na boa escrita os gêneros literários constituem divisões autênticas. Ainda há alguns poetas dramáticos e narrativos vivos cuja obra vale a pena ser lida, mas são, na verdade, poucos; leio Ashbery para reencontrá-lo, uma solidão que anseia pelo outro e pela alteridade. De um romance de Murdoch, a mais tradicional dos nossos bons romancistas, espera-se personagem, enredo, reflexão metafísica e erótica, bem como uma irônica e sábia visão social. Jamais se esperaria de Murdoch algo como *A Casa Abandonada* ou *Middlemarch* (*Um Estudo da Vida Provinciana*), mas algo que desse continuidade a uma tradição e que, um dia, propiciasse a criação de obras similares. Talvez os novos personagens cheios de vida criados por Murdoch venham a desaparecer, em um *continuum*, conforme costuma ocorrer. Mesmo assim, restará o prazer da citação, de manter viva a tradição civilizada.

O público-leitor de poesia lírica é, necessariamente, diminuto. Os nossos melhores poetas se ressentem desse fato, mas têm precedentes em William Blake, Walt Whitman, Emily Dickinson e Gerard Manley Hopkins, que, em vida, contaram com um número bastante reduzido de leitores. Whitman publicou a sua própria obra, assim como Blake, e Dickinson e Hopkins foram editados postumamente. Os leitores de Elizabeth Bishop eram fiéis, mas poucos, e um punhado dos nossos melhores poetas contemporâneos segue o trabalho de Bishop. Mesmo que o novo milênio nos traga a recorrência de uma Era Teocrática (como previu Giambattista Vico, em sua obra *Nova Ciência*), seria de se esperar a sobrevivência da poesia elitista, mas o destino do romance pode ser mais sombrio. Romances requerem um número maior de leitores do que poemas — estranha asserção, que sempre me deixa perplexo, embora concorde com ela. Tennyson, Browning e Robert Frost tinham um bom público-leitor, mas, talvez, dele nem precisassem. Dickens e Tolstoi contavam com imenso número de leitores, e deles precisavam; a arte de ambos contempla multidões de ouvintes. Como ler um romance de modo diferenciado, se suspeitamos pertencer a uma minguada elite, e não a uma grande massa?

A leitura poderá ser feita em voz alta, diante de terceiros, mas nem mesmo a presença de terceiros transformará essa leitura, de ato pessoal, em ato social. Há cinqüenta anos, leio romances por seus personagens, pelos enredos, pela beleza da voz autoral e narrativa. Se o romance está fadado a desaparecer, então, vamos reverenciá-lo por seus valores estéticos e espirituais, talvez até por seu heroísmo, seja por seus protagonistas ou pelos autores. Nesses primeiros anos do terceiro milênio, leiamos o romance como este era lido nos séculos XVIII e XIX: por prazer estético e discernimento espiritual.

Nos grandes romances, personagens não se resumem a caracteres impressos sobre páginas; antes, são retratos pós-shakespearianos da realidade de homens e mulheres: verdadeiros, prováveis, viáveis. O romance aí está para ser lido e no presente século acrescentou Proust, Joyce, Beckett e uma quantidade de escritores norte-americanos, hispânicos e nórdicos à rica tradição de Austen, Dickens, Flaubert, Stendhal e demais autores clássicos. Joyce, em *Finnegans Wake*, de modo profético, lamenta não contar com o público que freqüentava as encenações das peças de Shakespeare, no Teatro Globe, e receio que, na presente era visual, *Finnegans Wake* venha a desaparecer. Talvez Proust também desapareça, estranha ironia, pois romance algum me parece ganhar tanto, nesses tempos nefastos, quando relido no sombrio contexto dos romances que definham.

Miguel de Cervantes: *Dom Quixote*

Qualquer discussão sobre como e por que ler romances deve incluir *Dom Quixote*, de Cervantes, a primeira e a maior de todas as obras do gênero, mas que, todavia, é mais do que um romance. Para o escritor basco Miguel de Unamuno, crítico de Cervantes que mais me agrada, o livro em questão é a verdadeira bíblia espanhola, e "Nosso Senhor Dom Quixote" é um autêntico Cristo. Se o leitor me permite uma visão estritamente secular, Cervantes me parece o único rival possível de Shakespeare, na literatura de ficção produzida ao longo dos últimos quatro séculos. Dom Quixote é comparável a Hamlet, assim como Sancho Pança está à altura de Sir John Falstaff. Elogio maior do que esse eu não poderia tecer. Contemporâneos perfeitos (é possível que tenham morrido no mesmo dia), Shakespeare, evidentemente, leu *Dom Quixote*, mas é bastante improvável que Cervantes soubesse da existência de Shakespeare.

Entre os romancistas apaixonados por *Dom Quixote*, destacam-se Henry Fielding, Tobias Smollett e Laurence Sterne, na Inglaterra do século XVIII; a obra desses escritores seria inconcebível sem Cervantes. E a influência de Cervantes é intensa em Stendhal e Flaubert, cuja Madame Bovary é "Quixote de saias". Herman Melville e Mark Twain foram influenciados por Cervantes, assim como o foram Dostoiévski, Turgenev, Thomas Mann e, praticamente, todos os autores hispânicos de ficção moderna.

Dom Quixote é obra tão extensa (embora, concordando com Samuel Johnson, eu não gostaria que fosse mais curta) que, na orientação que aqui ofereço quanto à sua leitura, restrinjo-me à amizade entre Dom Quixote e Sancho Pança, relacionamento central à obra. Não há relacionamento similar em Shakespeare, uma vez que o Príncipe Hal, quando se vê Rei Henrique V, termina a amizade com Falstaff, que já se tornara altamente dúbia quando os vemos juntos, pela primeira vez, no início de *A Primeira Parte de Henrique IV*. Horácio não passa de um coadjuvante de Hamlet, e todos os demais relacionamentos masculinos em Shakespeare, especialmente nos *Sonetos*, apresentam aspectos equívocos. As personagens femininas criadas por Shakespeare são capazes de manter entre si amizades sinceras, mas não os masculinos. De quando em vez, isso me parece tão factual na vida quanto em Shakespeare, ou será que não teríamos aqui mais um exemplo da influência de Shakespeare na vida real?

O Dom e Sancho têm muitas desavenças, mas sempre fazem as pazes, e sempre contam um com o outro, em termos de afeto, lealdade, bem como quanto à grande falta de sabedoria do Dom e à admirável sapiência de Sancho. Os personagens de Shakespeare (como na vida?) não são bons ouvintes. Rei Lear presta pouquíssima atenção ao que os outros dizem, enquanto Antônio e Cleópatra (às vezes, de modo hilariante) *jamais* ouvem o que o outro diz. O próprio Shakespeare deve ter sido o melhor, o mais talentoso e extraordinário dos ouvintes, especialmente quando se encontrava em companhia de Ben Jonson, que nunca parava de falar. Cervantes, podemos supor, era, igualmente, um ouvinte incansável.

Embora quase tudo que é possível acontecer, de fato, aconteça em *Dom Quixote*, o que há de mais importante no romance são os contínuos diálogos entre Sancho e o Dom. Se abrimos, aleatoriamente, o livro, é provável que nos deparemos com uma dessas conversas — zangadas, sonhadoras, em última análise, sempre afáveis, fundadas em respeito mútuo. Mesmo quando discutem com veemência, jamais faltam com a cortesia, e sempre aprendem, a partir daquilo que o outro tem a dizer. E ouvindo, ambos se modificam.

Acredito na possibilidade de estabelecer o princípio de que a mudança, i.e., o aprofundamento e a internalização do ser, seja algo absolutamente antitético, em se tratando de Cervantes e Shakespeare. Sancho e o Dom renovam e enriquecem seus egos, ouvindo o que o outro tem a dizer; já Falstaff e Hamlet passam pelo mesmo processo ouvindo a si mesmos. Os maiores romancistas ocidentais devem tanto a Shakespeare quanto a Cervantes. O Ahab de Melville, em *Moby Dick*, não tem um Sancho; encontra-se tão isolado quanto Hamlet ou Macbeth. Quixotesca em outros aspectos, a infeliz Emma Bovary tampouco tem um Sancho, e a autoescuta acaba por levá-la à morte. Huckleberry Finn tem em Jim o seu Sancho, sendo, por isso, salvo de fenecer, gloriosamente, em solidão. Raskolnikov, em *Crime e Castigo*, de Dostoiévski, confronta o que poderíamos chamar de anti-Sancho Pança no Iago niilista que é Svidrigailov. O Príncipe Mishkin, em *O Idiota*, de Dostoiévski, nitidamente, muito deve à nobre "loucura" de Dom Quixote. Mann, ciente do débito com Cervantes, propositadamente, reproduz a complexa homenagem de Göethe ao autor de *Dom Quixote*, assim como o tributo de Sigmund Freud a Cervantes.

Nos afetuosos (ainda que tantas vezes exaltados) debates, o Dom e Sancho, aos poucos, adquirem algumas características um do outro. A loucura visionária de Quixote passa a exibir um aspecto mais cauteloso, e a astúcia e o bom-senso de Sancho se transformam em um mundo de faz-de-conta e busca. As naturezas dos dois jamais se fundem, mas eles aprendem a contar um com o outro (ao ponto de isso de gerar comicidade). Explicando suas intenções a Sancho, o Dom enumera a loucura erótica de seus ciumentos precursores — Amadis e Orlando — e, sensatamente, acrescenta que, talvez, se limite a imitar Amadis, que, ao contrário de Orlando, alcançara a fama causando males insanos a todos que dele se aproximavam.

> — A mim parece — disse Sancho — que os cavaleiros que fizeram todas essas coisas foram enfeitiçados [...] mas [...] por que Vossa Mercê haveria de enlouquecer? Que dama vos rejeitou?
>
> — É isso, exatamente — replicou Dom Quixote —, planejei tudo nos mínimos detalhes, pois de que vale a um cavaleiro-errante enlouquecer por um bom motivo? A minha intenção é me tornar lunático sem o menor motivo.

Tanto quanto Hamlet, o Dom nada tem de louco, nem de bobo (o mesmo pode ser dito de Sancho). Como o Príncipe Hal e Falstaff, o Dom e Sancho estão envolvidos em um jogo complexo, felizmente, sem ambivalência. Trata-se de um jogo de tamanha complexidade que o leitor está fadado a construir o seu próprio *Dom Quixote*, pois Cervantes, mais uma vez, tanto quanto Shakespeare, é tão imparcial quanto complexo. Contrariando Unamuno, crítico de Cervantes que mais me agrada, muitos estudiosos defendem Erich Auerbach, que via no romance uma alegria nada problemática. No entendimento de Unamuno, porém, Quixote encarna o sentido trágico da vida, e a "loucura" do Dom é um protesto contra a inevitabilidade da morte, podemos dizer, uma revolta contra o temperamento espanhol, que, em épocas distintas, cultua a morte. Algo em Cervantes, guerreiro mais do que sofrido (teve a mão esquerda permanentemente inutilizada na batalha naval de Lepanto, contra os turcos), está sempre prestes a exclamar, como o faz Sir John Falstaff: "Dêem-me vida!". A meu ver, Unamuno acerta quando afirma que a alegria do livro decorre, inteiramente, da grandeza de Sancho Pança, que, ao lado de Falstaff e de Panurgo, de Rabelais, é mais um grande exemplo do que em nós não morre.

Em nenhuma das peças de Shakespeare temos dois personagens que dividam entre si as honras da capacidade de imaginar. Em termos de imaginação, Falstaff supera Hal, Julieta supera Romeu, Cleópatra supera Antônio. Entre os esplendores de Cervantes, o mais espetacular é que, no Dom e em Sancho, o autor nos oferece duas grandes almas que se amam e se respeitam.

O interessante é que os dois discutem vigorosa e constantemente, como condiz a duas personalidades fortes, com identidades bem definidas. Embora Dom Quixote e, mais tarde, Cervantes sejam assediados por feiticeiras, identidades não correm qualquer risco. O que Shakespeare chamava de "idêntico",[1] expressão que, para ele, designava a integridade da identidade individual, predomina no Dom, a despeito da suposta loucura dos cavaleiros-errantes. Um elemento crucial desse "idêntico" é o modo como Dom Quixote se dedica a algo que é fruto de sua própria imagina-

[1] *Selfsame*: idêntico, o mesmo. Alexander Schmidt, *Shakespeare Lexicon and Quotation Dictionary* (1902), vol. II. New York: Dover Publications, 1971, p. 1.024. [N.T.]

ção, a extraordinariamente bela e virtuosa Dulcinéia, por ele invocada com tanta eloqüência: "Ó Dulcinéia del Toboso, dia da minha noite, glória do meu sofrimento, Norte e bússola do meu caminho, estrela-guia do meu destino". Na realidade, a mulher é apenas uma camponesa da vizinhança, Aldonza Lorenzo, rude como seria de se esperar. Feiticeiras teriam transformado a inigualável Dulcinéia na reles Aldonza, mas Dom Quixote compreende a sua própria ficção, a sua bela invenção para o jogo: "Tudo o que eu digo é, absolutamente, verdadeiro e completo, e desenho tudo em minha mente, segundo a minha vontade". O leitor deve dar *algum* crédito a Dulcinéia, pois, de certo modo, ela representa para o Dom o que Beatriz representa para Dante, o centro de um heterocosmo, mundo alternativo ao da natureza. A visão do Alto Romantismo, ou shelleyana, é destruída por Sancho Pança e, de certo modo, pelo próprio Dom, que conhece e desconhece os limites do jogo: "Sei quem sou, e quem posso ser, se eu assim quiser". O leitor que aprende a se deixar fascinar por Dom Quixote e Sancho Pança, por causa deles passa a se conhecer melhor. Cervantes, tanto quanto Shakespeare, diverte qualquer leitor, e, tanto quanto Shakespeare, é capaz de criar leitores ativos, dependendo da capacidade de tais leitores. É Dom Quixote, diante dos leões enjaulados, quem *sabe* se as nobres feras haverão de atacá-lo. É o leitor ativo, cavalgando ao lado do Dom e de Sancho, quem passa a compartilhar com estes a idéia de que são personagens de uma história, e, na Segunda Parte do extenso livro, o Dom e Sancho, por sua vez, compartilham da percepção do leitor, pois tornam-se críticos e espectadores, avaliando suas próprias aventuras.

Em cerca de vinte e quatro de suas melhores peças, Shakespeare foi capaz de obliterar a si mesmo, em um gesto de suprema arte; o leitor ou espectador gostaria de conhecer o pensamento do poeta-dramaturgo a respeito da ação, mas Shakespeare não permite que o alcancemos, e, em muitos casos, graças a ele próprio, dele não precisamos. Cervantes, especialmente na Segunda Parte de *Dom Quixote*, inventou o estratagema oposto, impedindo-nos de prescindir do autor. É como se abrisse uma fenda na ilusão que ele próprio criara para nós, visto que, ao longo de toda a Segunda Parte, o Dom e Sancho comentam os papéis por eles representados na Primeira Parte. Cervantes, mais barroco e sagaz do que a dupla de protagonistas, junta-se a Dom Quixote, nas queixas contra as feiticeiras e feiticeiros, no caso de Cervantes, o impostor que haveria de concluir o romance em seu lugar.

Thomas Mann, escrevendo sobre *Dom Quixote*, exalta a singularidade de um herói que "vive da glória de sua autoglorificação". Sancho, astuto demais para chegar a tanto, não obstante, diz que pode "ser encontrado na história, e que se chama Sancho Pança". Se o leitor ficar um pouco confuso, basta recorrer a Cervantes. Este, falando como Miguel de Cervantes Saavedra, assume e sustenta um novo tipo de autoridade narrativa, cujo último herdeiro pode ter sido Marcel Proust, autor que talvez tenha levado o romance cervantino ao seu ponto máximo. Ou, quem sabe, o último herdeiro tenha sido James Joyce, em *Ulisses*, ou o discípulo de Proust e Joyce, Samuel Beckett, na trilogia *Molloy*, *A Morte de Malone* e *O Indescritível*.

Ler *Dom Quixote* é um prazer infindo; só espero ter aqui oferecido algumas indicações de como ler essa grande obra. Muitos de nós são figuras cervantinas, mesclas de Quixote e Pança. Por que ler *Dom Quixote*? O livro continua a ser o melhor dos romances, além de ter sido o primeiro, assim como Shakespeare continua sendo o melhor dos dramaturgos. Há determinados aspectos do nosso ser que só conheceremos plenamente quando conhecermos, o melhor que pudermos, Dom Quixote e Sancho Pança.

Stendhal:
A Cartuxa de Parma

Stendhal — pseudônimo de Marie-Henri Beyle — nasceu em Grenoble, na França, em 1783, e morreu em Paris, em 1842. A Batalha de Waterloo (1814), que encerra a carreira de Napoleão, dá início à carreira de Stendhal como escritor. Vivendo na Itália, de onde, em 1821, é expulso pela polícia austríaca, Stendhal transfere-se para Paris, onde, em 1830, publica o seu primeiro e perene romance *O Vermelho e o Negro*. Analiso aqui a outra grande realização artística do autor, *A Cartuxa de Parma*, por ele ditada, em pouco mais de sete semanas, enquanto se encontrava enfermo, e que mereceu o elogio de Balzac, ao ser publicada em 1839. Decidi-me por *Cartuxa* (passo a me referir ao romance nessa forma abreviada), em vez de *O Vermelho e o Negro*, porque *Cartuxa* me agrada ainda mais do que a obra-prima anterior de Stendhal, e devido à disponibilidade de uma excepcional tradução recente do romance para a língua inglesa, feita pelo poeta Richard Howard.

Stendhal, ao lado de Balzac e Flaubert, forma uma trindade de grandes romancistas franceses, anterior ao ápice alcançado por Marcel Proust. Contrastando com Flaubert e Proust, e com Balzac, que é extremamente produtivo e detalhista, Stendhal é o mais "elevado" dos autores do Alto Romantismo, partidário de Shakespeare, e, em menor grau, de Lord Byron.

Richard Howard tem um comentário admirável a respeito de *Cartuxa*: "nada é definitivo [...] Stendhal é o anti-Flaubert". *Madame Bovary* é obra autônoma, fechada e auto-suficiente, assim como *Ulisses*, de James Joyce, embora em escala titânica. No entanto, conforme observa Howard, no que tem de melhor, a obra relativamente amorfa de Stendhal exige *releitura*, surpreendendo-nos a cada instante. Proust, talvez até mais shakespeariano do que Stendhal, era fascinado por Stendhal, que não o ameaçava como, possivelmente, o ameaçava Flaubert. Por que ler Stendhal? Porque romancista algum (entre os que admiro) transforma o leitor em comparsa, como o faz esse autor; o leitor fiel torna-se cúmplice de Stendhal.

Elogiando *Cartuxa*, disse Balzac: "muitas vezes temos um livro inteiro em uma página". Tal característica poderia levar à loucura um leitor apático, mas, para os que sentem um pouco de entusiasmo (termo crítico predileto de William Hazlitt), *Cartuxa* é o romance ideal. Insanamente racional, como só um Romântico poderia ser, Stendhal, não obstante, registra, no aparentemente amorfo *Cartuxa*, o desaparecimento da era de Napoleão, e a volta de uma Itália anterior, do século XVIII, uma parte do mundo que Metternich busca restaurar depois de Waterloo.

Agradam-me os romances históricos, desde *Redgauntlet*, de Sir Walter Scott, a *Lincoln*, de Gore Vidal, mas, a rigor, *Cartuxa* não é um romance histórico, embora pretenda sê-lo, assim como *Romeu e Julieta* (cuja influência em *Cartuxa* é profunda) não é, na verdade, um drama histórico. Tanto quanto *Romeu e Julieta*, *Cartuxa* é uma tragédia, ainda que Stendhal, de uma ironia sempre fascinante, jamais se submeta ao sentimento trágico; o autor é por demais lúdico, por demais quixotesco, para tal submissão. *Cartuxa* tem um começo alegre, com a vitória dos jovens exércitos de Napoleão, em 1796, na Itália. Se Stendhal tinha uma paixão, além da volúpia frustrada que sentia por certas mulheres que o evitavam, era pelo idealismo napoleônico. O fruto desse idealismo é um herói romântico criado por Stendhal — Fabrício —, jovem e garboso pilantra, propenso a desastres, querido de uma tia por afinidade (não de sangue), a fascinante e briosa Gina. Esta, por sua vez, é amada pelo gentil e maquiavélico Mosca, ministro do Príncipe de Parma. Fabrício, porém, ama Clélia, filha de seu carcereiro, a sua Julieta. A frustração é grande, e geral, a não ser da parte do leitor, que se diverte com os dois triângulos: Mosca/Gina/Fabrício e Gina/Fabrício/Clélia.

De Shakespeare (e de seus próprios desastres amorosos), Stendhal aprendera que todas as grandes paixões são arbitrárias; de Cervantes, aprendera que a paixão, mesmo quando mortal, é uma espécie de jogo. Tudo é ironia, exceto para os quatro amantes presos nesse tabuleiro de xadrez. Conforme percebe Balzac, o jogo envolve paixões de natureza pessoal; a era de Napoleão havia terminado. Estamos em um tempo posterior ao dos cavaleiros-errantes, e o que importa são os quatro apaixonados. Depois do triunfo de Wellington, o amor é tudo. Julien Sorel, em *O Vermelho e o Negro*, constrói uma carreira erótica, ao mesmo tempo suicida e um tanto heróica, como clone napoleônico destinado a sofrer com o advento da Restauração. Mas, depois do Congresso de Viena, Parma é uma sublime loucura, onde vale tudo, onde nada é para sempre, exceto a condição do nobre (e triste) sobrevivente Mosca, que enriquece, mas que perde Gina, que perde Fabrício, que perde Clélia.

O que faz de *Cartuxa* um romance maravilhoso é o grande e sincero apreço que ele nos inspira, através da exuberância e da bravata de Gina e Fabrício, de Clélia e Mosca. E como nos divertem! São personagens admiráveis, em termos de orgulho, verve, honra, erotismo autêntico e extraordinária *sprezzatura*; são, de fato, os infelizes/felizes escolhidos de Stendhal, por ele recomendados aos felizes escolhidos — nós, os leitores. Com audácia, Stendhal dirige-se a nós como se fôssemos correligionários de Henrique V, em Agincourt, prestes a sermos conduzidos à glória.

A Cartuxa de Parma é um enigma; não se trata de um símbolo, mas de um subterfúgio. Deparamo-nos com ela na última página do romance, como o local onde Fabrício vive o último ano de sua vida, um Romeu tristonho, sem a sua Julieta, Clélia. Como título, *Cartuxa* confunde, mas tudo o mais confunde nesse romance heróico e atabalhoado, em que tudo é, ao mesmo tempo, paradoxo e paixão. Stendhal, um namorador magoado, celebra o desejo desmedido. Como em Shakespeare e Cervantes, recebemos aqui uma lição sobre a loucura que é se apaixonar.

Mas como o leitor se diverte com esse jogo de xadrez, essa mesa de carteado formada por Gina, Fabrício, Clélia e Mosca! Stendhal, conforme o faz em *O Vermelho e o Negro*, cria personagens shakespearianos que nos cativam, provocam a nossa admiração e nos fazem refletir. Julien Sorel, em *O Vermelho e o Negro*, apresenta uma consciência melhor acabada do que a de Fabrício, em *Cartuxa*, mas a psique um tanto ou quanto descuidada de Fabrício contribui para o imenso charme do personagem. A figura mais querida e convincente do romance, no entanto, é Gina, a amante de Mosca apaixonada por Fabrício, que quase cai por Gina, até que encontra Clélia, a filha do carcereiro.

Embora Fabrício seja filho natural do Tenente Roberto (que só aparece nas páginas iniciais do romance, como oficial do exército libertador de Napoleão), sua mãe é a amante do Tenente, a Marquesa del Dongo; portanto, doravante, refiro-me a ele como Fabrício del Dongo, nome adotado na vivaz tradução de Richard Howard. A suposta tia do jovem, Gina del Dongo, irmã da Marquesa, é cerca de quinze anos mais velha do que ele, o que não a impede de por ele se apaixonar, perdidamente.

O afeto de Fabrício del Dongo por Gina, embora intenso, tem limite; conforme ocorre com Romeu, Fabrício se apaixona por Clélia à primeira vista, e o relacionamento relata, como em Shakespeare, uma espécie de morte do amor. Na verdade, ele jamais se apaixona pela meia-tia, Gina, embora sinta por ela mais afeição do que por qualquer outra pessoa. O centro da atenção de Stendhal e, portanto, o foco do romance é a paixão não correspondida de Gina, pois ela é a personagem mais notável e bem acabada do romance. Afinal, o que vale em *Cartuxa* é Gina; figura alguma em Stendhal é tão viva e fascinante, ou, em última análise, tão shakespeariana e cervantina. Gina é a glória da carreira literária de Stendhal.

O relacionamento de Gina e Fabrício jamais é consumado sexualmente, de um lado, devido à cautela do jovem (seria incesto?), de outro, devido à ironia das circunstâncias. Para o poeta que traduz o livro, Richard Howard, *Cartuxa* é um romance sem herói e sem heroína. Há que se admitir que Fabrício é por demais metamórfico para ser totalmente heróico, mas o tradutor parece ter o coração um pouco frio, quando deixa de ver em Gina, por quem o leitor se apaixona, a heroína do livro.

A personalidade e a moral de Gina Pietranera, Duquesa de Sanseverina, apresentam grandes defeitos, mas estes servem tão-somente para aguçar o nosso interesse por ela. Poucas vezes prudente, apanhada pelas oportunidades momentâneas, Gina nos cativa (e assusta) com sua sinceridade contumaz (e destrutiva). Como Romântico, louco por mulheres, Stendhal mereceu o beneplácito de Simone de Beauvoir, que no livro *O Segundo Sexo* o exalta como "um homem que vive em meio a mulheres de carne e osso". Gina é a representação mais convincente que Stendhal cria de tais mulheres.

Stendhal, embora sempre elogiado como psicólogo do amor heterossexual, a meu ver, mais parece um metafísico em busca da verdade do desejo não muito consciente. A vaidade, para Stendhal, é o cerne da paixão; ou melhor, quando nos apaixonamos, tudo o que nessa condição não for patologia é vaidade. O leitor, especialmente o leitor apaixonado, pode sentir-se perturbado pela obra de Stendhal, mas ficará, também, mais esclarecido.

Os prazeres de *A Cartuxa de Parma*, assim como de *O Vermelho e o Negro*, não produzem um arrebatamento permanente. Stendhal escreve a partir da inspiração, mas não pretende nos inspirar. Antes, sua intenção é nos ensinar a ver frieza erótica como vaidade, e paixão como a vaidade elevada à loucura. Os personagens masculinos e femininos por ele criados não são quixotescos, mas napoleônicos, e até as relações mais sinceras por eles travadas, por mais heróicas que sejam, são autodestrutivas. Byron, embora Stendhal pudesse desejar o oposto, está mais próximo de Stendhal do que Shakespeare; *Cartuxa* tenta apresentar Fabrício e Clélia como Romeu e Julieta, mas, em certos momentos, o par faz lembrar amantes dignos de *Don Juan*. Paul Valéry, o poeta e literato francês mais talentoso do século que ora encerra, observou que *Cartuxa* "às vezes, parece uma opereta", comentário que não traduz qualquer depreciação. A espirituosidade extremamente ágil e a constante vivacidade de Stendhal fascinavam o intelectual Valéry.

"Um cético que acreditava no amor": será que a definição que Valéry propõe de Stendhal aplica-se a *Cartuxa*? Duvido que um Shakespeare amadurecido acreditasse no amor, e tenho minhas dúvidas, também, quanto a Stendhal.

Valéry, no entanto, pôde perceber o modo inteligente com que Stendhal atraía o leitor à cumplicidade, o que, suponho, Stendhal aprendera de Cervantes. O verdadeiro credo do autor de *Cartuxa* (conforme aponta Valéry) era o eu natural, o dele e o do leitor. É possível que, em dados momentos, pensemos que Stendhal esteja apelando para o egocentrismo do leitor (e dele próprio), mas não o faz por mal. Ser um dos "felizes escolhidos" é um grande benefício, pois os eleitos passam a se conhecer melhor. A energia pessoal é exaltada, desde que não se confunda com auto-ilusão. A grandeza de Gina fica mais evidente do que nunca durante o diálogo com o amante, Conde Mosca, no décimo sexto capítulo do romance, quando, aos trinta e sete anos ("estou às portas da velhice"), ela afirma a inocência e o desespero do amor que sente por Fabrício:

> [...] amo-o por instinto [...] Amo sua coragem tão simples e tão perfeita, que, pode dizer-se, ele próprio ignora [...] comecei a ver [em meu sobrinho] uma graça perfeita. Sua grande alma revelava-se-me [...] Enfim, se ele não é feliz, tampouco eu o posso ser.[2]

No trecho acima, Stendhal vai muito além do ceticismo ou da ironia, e leva-nos com ele. Nossa vontade é ver Fabrício e Gina juntos, e felizes, mas sabemos que não pode ser assim, pois, aos vinte e dois anos, Fabrício está apaixonado por Clélia. O único interesse de Stendhal é no amor malfadado pelas estrelas, e *A Cartuxa de Parma*, romance impulsivo e jocoso, em seu desfecho, transforma-se em tragédia. O filho de Clélia e Fabrício morre e, meses mais tarde, morre também a pesarosa Clélia. Fabrício retira-se para a enigmática Cartuxa que consta do título do romance, e morre

---

[2] *A Cartuxa de Parma*. Tradução de Vidal de Oliveira. Edições de Ouro. Rio de Janeiro: Editora Globo, s.d., p. 325. [N.T.]

um ano depois. Infeliz em um mundo desprovido de Fabrício, Gina (que desposara Mosca) morre pouco tempo depois. Mosca sobrevive, e parece até que estamos no palco, nos momentos finais de *Romeu e Julieta* ou *Hamlet*, em que todos os personagens vitais se foram.

Balzac, resenhando *Cartuxa*, em 1840, congratula-se com Stendhal por este ter ido muito além de um realismo simplista, e por só retratar personagens de qualidades excepcionais. A observação seria aplicável à prática do próprio Balzac, mas *os dois* romancistas, embora diferentes um do outro, merecem o elogio. O leitor de Stendhal (ou Balzac) engrandece a sua própria realidade, o que, no caso da obra de Stendhal, ocorre sem qualquer recurso à fantasia.

Jane Austen: *Emma*

É mais fácil atribuir propósitos sociais a romances do que a contos, ou a poemas. Mas o leitor deve desconfiar daqueles que insistem que o romance, para sobreviver, deve ser um instrumento de reforma. Talvez, romancista algum, em língua inglesa, supere Jane Austen — e quais seriam os propósitos reformistas de *Orgulho e Preconceito*, *Emma*, *Mansfield Park* e *Persuasão*? As heroínas desses romances requerem alguma correção quanto aos seus posicionamentos pessoais, providência de que Austen se encarrega, bem como maridos amáveis, que a elas são garantidos. Com profunda ironia (recurso empregado para aperfeiçoar certos aspectos da invenção do humano levada a termo por Shakespeare), Austen é por demais pragmática para se deter nas origens dúbias das fortunas pessoais dos tais maridos amáveis. E o pragmatismo da autora não deixa de ser louvável, pois que diferença faria se os recursos fossem limpos, expurgados, por exemplo, da exploração de escravos no Caribe? Austen não é profeta, nem trabalha com política. É inteligente demais para ignorar que grande parte da realidade social não escaparia ilesa de um exame minucioso, mas, para ela, a ordem social é um fato, um dado a ser aceito, algo que lhe possibilite contar suas histórias. Henry James, que pertence à tradição de Austen, faz de Isabel Archer, em *Retrato de uma Senhora*, a "herdeira de todas as eras", mas o elemento financeiro dessa herança o preocupa apenas na medida em que o mesmo enseja o ardil de Madame Merle contra Isabel.

Dickens visava à reforma social, Austen e James não. *Grandes Esperanças* se desenvolve a partir de complexidades de ordem legal e financeira, mas não devemos promulgar leis que imponham à ficção o fardo de melhorar a sociedade. Quais seriam os propósitos sociais de Cervantes, o ancestral de todos os romancistas? Será que a Espanha avançaria moralmente se todos parassem de ler romances de cavalaria? Stendhal, grande Romântico, entregou o coração ao mito napoleônico; no entanto, *A Cartuxa de Parma* tem mais a ver com *Romeu e Julieta* do que com a carreira titânica que chega ao fim em Waterloo. Somente a literatura pode vir a ser literatura, embora a vida seja, necessariamente, um componente importante, ainda que quase sempre como conteúdo, não como forma.

Embora *Persuasão* seja o meu preferido entre os romances de Austen, uma vez que já o analisei em *O Cânone Ocidental*, escolhi *Emma*, que ocupa o segundo lugar na minha preferência, seguido de perto por *Orgulho e Preconceito* e *Mansfield Park*. Mas ao discorrer sobre *Emma* farei referências a *Orgulho e Preconceito*, pois tanto as semelhanças quanto as diferenças entre Emma Woodhouse e Elizabeth Bennet são extremamente úteis ao esforço de ler ambos os romances conforme merecem ser lidos.

Jane Austen faleceu aos quarenta e um anos, em 1817, em decorrência de uma enfermidade que se arrastou durante um ano. Tivesse ela vivido mais, sem dúvida, teria escrito vários outros romances tão esplêndidos quanto *Emma* e *Persuasão*, frutos dos últimos anos de vida da autora. Embora tenha começado a escrever ficção aos dezoito anos, sua criatividade só passa a operar com força total a partir de 1811, quando Austen inicia a revisão de *Orgulho e Preconceito*, com base em uma antiga versão, intitulada *Primeiras Impressões*. Na verdade, os quatro grandes romances da autora foram escritos em apenas cinco anos; portanto, a nossa perda com sua morte prematura é imensa.

É truísmo afirmar que Emma Woodhouse tem mais imaginação do que Elizabeth Bennet, enquanto Elizabeth é mais espirituosa do que Emma. A imaginação de Emma nem sempre é uma virtude (outro truísmo), e, às vezes, a espirituosidade de Elizabeth a engana. Ambas são dotadas de força de vontade, e ambas são propensas à auto-ilusão, defeito do qual ambas conseguem se livrar.

Existe algo inelutavelmente shakespeariano em Elizabeth e Emma, ainda que, em sua obra, Austen desenvolva o trabalho de romancistas que a precederam, e.g., os maravilhosos romances *Clarissa* e *Sir Carlos Grandison*, de Samuel Richardson, bem como *Evelina*, de Fanny Burney. Contudo, as extraordinárias Clarissa e Evelina carecem da espirituosidade e da imaginação shakespearianas encontradas em Elizabeth e Emma. Elizabeth Bennet nos faz lembrar Beatriz, em *Muito Barulho por Nada*, enquanto a vivacidade de Emma nos remete a Rosalinda, em *Como Gostais*. Em sua ironia, Austen não é, precisamente, shakespeariana; a ironia de Hamlet é mais agressiva do que defensiva. Mas, exceto Shakespeare, autor algum em língua inglesa excede como Austen na criação de figuras, centrais e periféricas, sempre coesas em termos de padrão de fala e consciência, e tão intensamente diferentes entre si. As fortes personalidades das heroínas de Austen são elaboradas com sutil individualidade, o que comprova a grande força criativa da autora. Não tivesse ela morrido tão precocemente, teria criado uma galeria diversa, shakespeariana, de "pessoas", apesar do estreito e, propositadamente, restrito gama social por ela representado. Austen aprendera de Shakespeare a lição mais difícil: demonstrar simpatia por todos os personagens, até pelos menos admiráveis, e, ao mesmo tempo, distanciar-se dos preferidos (Emma). A autora receava que somente ela gostaria de Emma, mas tal receio pode ter um componente de ironia. Não conheço um só leitor que não sinta profunda estima pela tremenda, fascinante Emma Woodhouse.

Será que as heroínas de Austen, como as de Shakespeare, nas comédias, casam-se com homens que delas estão aquém? O charmoso Darcy (*Orgulho e Preconceito*) e o gentil Mr. Knightley (*Emma*) superam até mesmo Orlando, de Rosalinda, e Benedito, de Beatriz, quanto mais o grosseirão Bertram, de Helena (*Bem Está o que Bem Acaba*), e o biruta Duque Orsino, de Viola (*Noite de Reis*). Se Austen, evidentemente, está satisfeita com Darcy e Mr. Knightley, por que não estaríamos nós? Ou será que o leitor, para seguir modismos acadêmicos, deve concluir que, em Austen e Shakespeare, as grandes heroínas são vitimadas por uma tirania social que não reflete os seus interesses? Segundo penso, os leitores atentos, que não ficam procurando supostas provas de humilhação, não haverão de subestimar Austen e Shakespeare. Tampouco descobrirão, entre as romancistas vivas, gênios comparáveis a Austen ou George Eliot. Talvez seja uma peculiaridade histórica, mas o fato é que tampouco temos uma poeta viva que se equipare a Emily Dickinson e Elizabeth Bishop. Policiamento ideológico não produz, necessariamente, grandes (ou mesmo bons) leitores e escritores; antes, mais parece prejudicar-lhes a formação.

Não existe ódio a homens em Jane Austen, George Eliot ou Emily Dickinson. Elizabeth Bennet e Emma Woodhouse não estão preocupadas em preservar ou destruir o patriarcado. Dotadas de vasta inteligência, Elizabeth e Emma, assim como Rosalinda, não pensam em termos ideológicos. Para lermos com proficiência as histórias de Elizabeth e Emma, precisamos adquirir um pouco da sabedoria da própria Austen, sábia como o Dr. Samuel Johnson. Austen exorta-nos a livrar nossas mentes da presunção. No sentido johnsoniano, presunção implica chavões, carolices, pensamento em bloco. Austen não via na presunção a menor utilidade, tampouco nós deveríamos ver. Os que hoje lêem Austen "em termos políticos", na verdade, não estão lendo a sua obra.

Como tantos grandes autores, de ambos os sexos, Austen, implicitamente, acredita ser a imaginação das mulheres superior à dos homens. Shakespeare, embora tenha-nos proporcionado Hamlet, Falstaff e Iago, proporcionou-nos, também, Rosalinda, Pórcia e Cleópatra — portanto, creio que podemos afirmar que tenha dividido as honras. Embora Austen, em *Emma*, crie o admirável Mr. Woodhouse (na opinião de A. C. Bradley, o mais perfeito cavalheiro de toda a ficção, além de Dom Quixote), a própria Emma e Jane Fairfax merecem bem mais a atenção da autora, e são dignas da atenção (e da imaginação) de qualquer leitor.

Emma é a personagem mais complexa de Jane Austen. Sir Walter Scott, resenhando o romance, em 1815, observa, com ironia: "a heroína, como uma boa soberana que visa mais ao bem-estar das súditas de Highbury do que aos seus próprios interesses, dispõe-se a arranjar parceiros para as amigas, sem pensar no próprio matrimônio". A atitude de Austen com relação a Emma é caracterizada por uma estima irônica, mas sua intenção é de que Emma nos encante. Os leitores *ficam* encantados, com Emma e com Jane Fairfax, mas Emma é mais "imaginista", e, em última análise, é ela quem mais nos fascina, sendo bem mais interessante do que Jane. "Imaginista" é termo da própria Austen, decerto carregado de ironia, e, até onde eu saiba, não foi empregado por nenhum outro autor. Ser "imaginista" é ter uma consciência que não se dá conta, plenamente, da realidade das outras pessoas. Emma, sempre desastrada em seus esforços casamenteiros, precisa ser submetida a um longo processo de mutação, até ser parcialmente curada de seu solipsismo. Em contrapartida, Elizabeth Bennet é, desde sempre, desprovida de solipsismo.

Austen, com toda a certeza, prefere Emma a Elizabeth, por razões que cabe ao leitor explorar. O centro do romance é Emma; é a perspectiva de Emma que influencia a do narrador (Austen). Para Austen, os defeitos de Emma são tão-somente o excesso de suas virtudes. Imaginar Emma restringindo-se às suas próprias aspirações seria vê-la como uma espécie de visionária wordsworthiana. Mas a obsessão de Emma por arranjar casamentos configura uma imaginação bastante peculiar; trata-se, com efeito, de uma paródia do campo de ação de Austen como artista. Pode parecer estranho ver Austen como Cervantes e Emma como Quixote, mas os esquemas absurdos que Emma contempla para Harriet (Elton, Churchill e, finalmente, o charmoso Knightley) são análogos ao heróico Dom desafiando moinhos, leões e soldados que vigiam escravos.

As cômicas enrascadas de Emma não causam sofrimento ao leitor, a despeito do que possam causar a Emma. Quando esta teme que Knightley pretenda se casar com Harriet, a situação que se segue é, para o leitor, extremamente cômica, embora humilhante e desesperadora para Emma. A imaginação livre, sem limites, que ela própria põe em curso, e que causara danos a terceiros, agora a submete à agonia mental. Eis Austen, no ápice do seu gênio, distanciando-se de Emma, por exigência da Musa da Comédia:

> Quando Harriet apresentou todas as suas provas, apelou para a sua cara *Miss* Woodhouse para que lhe dissesse se ela tinha ou não motivos de esperança.
>
> — Nunca teria a presunção de pensar nisto antes — disse ela — se não fosse por sua causa. Disse-me certa vez para que o observasse cuidadosamente, deixando que o comportamento dele fosse o padrão do meu — e assim o fiz. Mas agora pareço sentir que eu possa ser digna dele; e que, se ele me escolher, isto não será uma coisa tão extraordinária.

Os amargos sentimentos ocasionados por esta fala, os muitos amargos sentimentos, exigiram de Emma o mais concentrado esforço para permitir-lhe dizer em resposta:

— Harriet, só vou me arriscar a declarar que o Sr. Knightley seria o último homem do mundo a dar intencionalmente a uma mulher a idéia de que seus sentimentos por ela seriam mais fortes do que na verdade são.

Harriet pareceu pronta a venerar a amiga por uma sentença tão satisfatória; e Emma só foi salva de arroubos e ternuras, que no momento seriam para ela uma terrível penitência, pelo som dos passos de seu pai. Estava entrando no vestíbulo. Harriet estava agitada demais para encontrá-lo. "Ela não vai conseguir controlar-se... O Sr. Woodhouse vai ficar alarmado... é melhor ela sair"; com o mais pronto encorajamento por parte de sua amiga, portanto, ela saiu por outra porta... e no momento em que ela se foi, Emma deixou explodir seus sentimentos: "Ó Deus! antes eu nunca a tivesse conhecido!"

O resto do dia, a noite seguinte, quase não foram suficientes para os seus pensamentos. Estava atordoada em meio à confusão de tudo o que havia rapidamente ocorrido com ela nas últimas horas. Cada momento lhe trazia uma nova surpresa, e cada surpresa devia ser motivo de humilhação para ela. Como compreender tudo aquilo? Como entender as decepções que ela estava provocando em si mesma, e conviver com elas? Os enganos e engodos de sua mente e sentimentos! Ficava sentada, saía para andar, tentava o próprio quarto, procurava caminhar pelo bosque — em todos os lugares, em todas as posições, percebia haver agido de maneira muito frívola; que tinha sido submetida por outros a um grau muito humilhante; e que havia se submetido a um grau ainda mais humilhante; que ela estava infeliz, e não devia provavelmente considerar aquele dia senão como o começo da infelicidade.[3]

Essa fina comédia depende do contraste entre a desesperada exclamação de Emma — "Ó Deus! antes eu nunca a tivesse conhecido!" — e o maravilhoso trecho — "Ficava sentada, saía para andar, tentava o próprio quarto, procurava caminhar pelo bosque — em todos os lugares, em todas

---

[3] *Emma.* Tradução de Ivo Barroso. Rio de Janeiro: Nova Fronteira, 1996, p. 311-12. [N.T.]

as posições, percebia haver agido de maneira muito frívola". A vontade de Emma, por ela amalgamada à imaginação, é submetida à abnegação da comédia deliciosa, decorrente dessa ida até o "bosque". As palavras "todas as posições" mais sugerem uma humilhação para Emma, cuja imaginação agora se reduz à mera ilusão. Austen, quase se identificando com Emma, salva a heroína desse purgatório através da ação de Mr. Knightley, maduro o bastante para suportar a visão de Emma, e manter-se ao lado dela no fim.

As extraordinárias heroínas de Austen — especialmente Emma e Elizabeth — aproximam-se do esplendor de Rosalinda, em *Como Gostais.* São capazes de integrar espirituosidade e vontade, e triunfam nessa integração.

Charles Dickens: *Grandes Esperanças*

Reler livros antigos, conforme recomendava William Hazlitt, é a forma mais intensa de prazer literário, e fonte de auto-instrução quanto ao que existe de mais profundo em nossos anseios. Eu costumava ler *Os Documentos de Pickwick* duas vezes ao ano, e sucessivos exemplares do romance pereceram nesse processo. Se a prática era uma fuga, fez-me muito feliz, embora personagem algum do romance provocasse em mim a alegria da identificação. No mundo de caricaturas e grotescos de Dickens, de modo geral, o leitor não é convidado (ou tentado) a se identificar com os personagens, que têm mais em comum com as aterradoras caricaturas criadas por Ben Jonson e Tobias Smollett do que com os homens e mulheres de Shakespeare. No entanto, temos em Dickens figuras complexas, interiorizadas, especialmente Esther Summerson, em *A Casa Abandonada*, e Pip, em *Grandes Esperanças.* Pip, decerto, o personagem mais interiorizado em Dickens, vem mesmo a calhar, considerando os meus objetivos aqui. Entender Pip em todas as suas facetas é ter lido *Grandes Esperanças* muito bem, além de ser um bom exercício de leitura de romance.

Apenas três narradores de Dickens falam em primeira pessoa: Pip, em *Grandes Esperanças*, David Copperfield, no livro que leva seu nome no título, e Esther Summerson, em *A Casa Abandonada*, sendo que, neste último, Dickens nem sempre se lembra de permitir que Esther desempenhe a função de narradora. Os entusiastas de Dickens raramente incluem *Grandes Esperanças* entre as melhores obras do autor; o romance não é como *Oliver Twist*, que se tornou mitologia popular, e o próprio Dickens preferia *David Copperfield*, enquanto muitos críticos literários (inclusive eu) apontariam *A Casa Abandonada* como o melhor dos romances do autor. No entanto, assim como *História de Duas Cidades*, *Grandes Esperanças* é divertimento popular do mais alto nível, equiparando-se a *Orgulho e Preconceito* e *Emma*, de Jane Austen, e a cerca de uma dúzia de peças shakespearianas, como obras destinadas a sobreviver à nossa atual Era da Informação, e isso não apenas em versões para cinema ou televisão. Continuaremos a ler *Grandes Esperanças* assim como seguiremos lendo *Hamlet* e *Macbeth*:

> O nome de família de meu pai era Pirrip. O meu nome de batismo é Philip. Minha língua infantil jamais pôde formar dessas duas palavras nada mais longo e explícito do que um resumo de três letras apenas: Pip. E por isso eu próprio me chamava de Pip, e todo mundo me designava com o mesmo apelido.[4]

Pip tem plena consciência do *pathos* da sua própria situação, desde sempre, tendo início com seu apelido, e não terminando nem quando ele se encontra em companhia do afilhado, o pequeno Pip, no desfecho original (e melhor) do romance:

> Encontrava-me na Inglaterra, em Londres, caminhando por Piccadilly com o pequeno Pip, quando uma criada surgiu correndo atrás de mim, pedindo-me que voltasse alguns passos, para ter com uma senhora que estava em um coche e que desejava falar-me. Tratava-se de uma charrete, conduzida pela própria dama; a senhora e eu trocamos um olhar bastante melancólico.

---

[4] *Grandes Esperanças*. Tradução de Alceu Masson. Ediouro. Rio de Janeiro: Editora Tecnoprint, s.d., p. 17. [N.T.]

— Estou muito mudada, eu sei; mas pensei que você gostaria de apertar a mão de Estella, Pip. Erga essa bela criança até mim, para que eu a beije! — (creio que ela tenha pensado que a criança fosse minha).

Mais tarde, a conversa encheu-me de satisfação, pois, em seu semblante, em sua voz, no modo em que me tocou, ela transmitiu-me a certeza de que o sofrimento fora mais marcante do que os ensinamentos de Miss Havisham, e que lhe conferira um coração capaz de compreender o que fora o meu coração.

Dickens não é um romancista shakespeariano; a sua maior afinidade é com a Comédia de Humores de Ben Jonson. Os romancistas shakespearianos — Jane Austen, Dostoiévski, Göethe, Stendhal, Philip Roth e Cormac McCarthy (entre tantos outros) — entregam-se a personagens mutantes, mas Pip torna-se sombrio, sem chegar a se desenvolver. Contudo, em *Grandes Esperanças*, Dickens manipula *Hamlet*, parodiando a peça, fazendo reverter vingança em perdão universal. Magwitch, pai adotivo de Pip e progenitor verdadeiro de Estella, surge como o Fantasma do pai de Hamlet, sem, no entanto, transformar Pip em um Hamlet.

Contrariando Freud, duvido muito da possibilidade da existência do sentimento de culpa *inconsciente*, mas admito que Hamlet e Pip sejam muito conscientes de uma "ansiedade de contaminação". À medida que a peça se desenrola, Hamlet tem plenos motivos para sentir-se culpado: é grosseiro com Ofélia, não demonstra remorso por ter morto Polônio, e, gratuitamente, encaminha Rosenkrantz e Guildenstern a uma injusta execução. No entanto, nada disso parece incomodá-lo; o mal que o aflige é de natureza metafísica, não psíquica, e vem de muito antes. O caso de Pip é, sem dúvida, bem diferente, mas a narrativa do personagem jamais assinala indícios de culpa. *Grandes Esperanças* apresenta suficientes características românticas, i.e., não realistas, que nos permitem considerar a cumplicidade de Pip, em termos de um sentimento de culpa não expresso, como algo *dado*, uma das condições para que a história possa ter início e possa se sustentar. O que importa é que o leitor confia em Pip e por ele se afeiçoa, vendo-o como um menino de bom coração, aceitando o seu espírito soturno como um elemento gótico do romance. Kafka, que tanto aprendeu com Dickens, deve ter encontrado em Pip (e outros protagonistas de Dickens) estímulo para a terrível formulação do conto "Colônia Penal":

"A culpa jamais deverá ser questionada". Pip, tanto quanto Hamlet, não me parece ser um dos "masoquistas morais" de Freud, ou seja, indivíduos incapazes de aceitar a felicidade e o sucesso. Casado com uma Estella cuja personalidade não fosse distorcida por Miss Havisham, Pip teria sido feliz. Quanto a Hamlet, grande carismático, fica difícil visualizá-lo no trono da Dinamarca, ao lado da Rainha Ofélia. O Príncipe da Dinamarca é um esteta rebelde, e algo nele sempre o levaria a tentar encenar outras tantas versões de *O Assassinato de Gonzaga* que pudessem ser revistas e transformadas em *A Ratoeira*. Pip, sempre a criança perdida, ao final, tem a satisfação de ser acolhido pelos bondosos Gargerys, enquanto passeia com o afilhado, o pequeno Pip. O final revisto por Dickens, que introduz a possibilidade de um casamento com Estella, é insustentável. Será que Pip assumirá o papel de Drummle, o sádico marido de Estella, espancando-a regularmente? Quando penso nos afetos de Pip, não me vêm logo à mente a paixão frustrada por Estella, nem a profunda afeição que ele sentia por Joe Gargery. Lavrados em minha memória estão o amor de Pip por Magwitch, que é mais pai dele do que de Estella, e o amor permanente de Magwitch por Pip, resguardado há tanto tempo.

Como ler *Grandes Esperanças*? Com os recursos mais profundos de nossos próprios medos, afetos e expectativas, como se pudéssemos voltar a ser criança. Dickens a tanto nos convida, e a tanto nos possibilita; talvez seja esse o seu maior talento. *Grandes Esperanças* não nos conduz ao Sublime, como o fazem Shakespeare e Cervantes. A história pretende fazer-nos retornar às origens, por mais doridas e culpáveis que sejam. O apelo feito pelo romance à nossa infantil necessidade de amar, ao resgate do eu, é quase irresistível. O porquê da leitura é, portanto, evidente: voltar para casa e curar a dor.

Fiodor Dostoiévski:
Crime e Castigo

Raskolnikov, estudante cheio de ressentimento, alimenta a fantasia de assassinar uma velha gananciosa, dona de uma casa de penhores que o explora. A fantasmagoria torna-se realidade quando o jovem mata não apenas a anciã, mas também a meia-irmã demente da própria anciã. Depois que os crimes são cometidos, o destino de Raskolnikov é traçado nos encontros mantidos com os três personagens principais do romance. A primeira é Sônia, jovem pura e angelical que se entregara à prostituição como meio de prover aos filhos indigentes. O outro é Porfírio Petrovich, esperto investigador de polícia, nêmese implacável de Raskolnikov. O terceiro é o mais fascinante dos três, Svidrigailov, monumento ao solipsismo niilista e à volúpia.

No intricado enredo, Raskolnikov apaixona-se por Sônia, começa a perceber que Porfírio sabe que ele é culpado e, cada vez mais, constata no brilhante Svidrigailov o seu próprio potencial de degradação. O leitor depreende em Raskolnikov uma acentuada divisão, entre o ímpeto de arrependimento e a convicção de que o seu ser napoleônico necessita de plena expressão. O próprio Dostoiévski encontra-se, sutilmente, dividido, pois Raskolnikov só se entrega ao arrependimento no epílogo do romance.

Crime e Castigo continua sendo o melhor dos romances de suspense, quase um século e meio após ter sido lançado. É preciso ler o romance — embora seja tão angustiante — porque, conforme ocorre com Shakespeare, trata-se de uma obra que altera a nossa consciência. Ainda que muitos de nós neguem o niilismo das grandes tragédias de sangue shakespearianas — *Hamlet*, *Otelo*, *Rei Lear* e *Macbeth* —, as mesmas constituem a origem inegável dos grandes niilistas de Dostoiévski: Svidrigailov; Stavrogin, em *Os Possessos* (*Os Demônios*); e o velho Karamazov, o pai em *Os Irmãos Karamazov*. Jamais saberemos qual era a verdadeira crença (ou descrença) de Shakespeare, ao passo que Dostoiévski se torna um reacionário do clericalismo, a um ponto quase inconcebível. Porém, especialmente no caso de *Crime e Castigo*, devemos seguir a máxima de D. H. Lawrence: confia no conto, não no contista.

Dostoiévski acreditava em um cristianismo que ainda está por acontecer: um tempo em que nos amaríamos uns aos outros, altruisticamente, e nos sacrificaríamos uns pelos outros, como o faz Sônia, em *Crime e Castigo*. Nesse tempo cristão, que estaria além da civilização conforme por nós é conhecida, seria possível escrever romances? Presumivelmente, deles não necessitaríamos. Tolstoi, que queria ver Dostoiévski como uma Harriet Beecher Stowe da Rússia, insistia em preferir *A Cabana do Pai Tomás* a *Rei Lear*.

Dostoiévski, essencialmente, um autor trágico, e não um moralista épico, discordava de Tolstoi. Às vezes, reflito sobre a coincidência de Dostoiévski, aos vinte e três anos, ter deixado o exército, para seguir a carreira literária, e de Rodion Raskolnikov ter vinte e três anos, no verão terrível em que, gratuitamente, mata duas mulheres, de modo a engrandecer a visão napoleônica que ele tem do seu próprio ser. Existe uma afinidade tácita entre a recusa de Raskolnikov de se desviar de sua auto-avaliação e a busca heróica de Dostoiévski de escrever ficções eternas, culminando em *Os Irmãos Karamazov*. O arrependimento de Raskolnikov é sincero, no Epílogo pouco convincente do romance, quando o personagem se rende à figura de Madalena, encarnada por Sônia, esperando uma ressurreição, da morte à salvação, conforme se dá com Lázaro. Mas como a recalcitrância trágica de Raskolnikov está, inextricavelmente, presa ao ímpeto heróico de Dostoiévski, no sentido de escrever grandes tragédias, o leitor não se convence muito dessa tardia humildade cristã da parte de Raskolnikov. Dostoiévski é mestre em introduções, perito em desenvolvimento da ação, mas, surpreendentemente, um tanto ou quanto fraco em conclusões, considerando-se que seu temperamento apocalíptico (ao que se supõe) deveria torná-lo bem versado em questões finais.

Leitores abertos à obscuridade experimental de *Crime e Castigo* serão levados a refletir sobre a possibilidade de uma divisão não apenas em Raskolnikov mas no próprio Dostoiévski, e podem chegar à conclusão de que a recalcitrância do autor, de ordem dramática, e não moral-religiosa, faz com que ele relute em transformar Raskolnikov em um ser redimido. Finais felizes não condizem com obras que retratam niilistas inveterados, como Svidrigailov e Iago. Quando penso em *Crime e Castigo*, de súbito, vem-me à mente Svidrigailov, e estremeço diante da explicação que ele oferece, no momento em que puxa o gatilho e se suicida, dizendo: "Para a América".[5] Temos aqui o pós-niilista (niilista apenas não basta) que afirma a Raskolnikov a existência da Eternidade; é como um banheiro imun-

[5] *Crime e Castigo*. Tradução de Luiz Cláudio de Castro. Edições de Ouro. Rio de Janeiro: Editora Tecnoprint, s.d., p. 354. [N.T.]

do, em meio aos campos russos, infestado de aranhas. O pobre Raskolnikov, diante da terrível realidade encarnada pelo mais que derrotado Svidrigailov, pode ser perdoado por almejar uma visão mais confortadora, a despeito de nela acreditar ou não.

A meu ver, existe uma grande afinidade entre Raskolnikov e o assassino Macbeth, assim como no caso de Svidrigailov e Edmundo (em *Rei Lear*), este último, outro sensualista frio. Nascido em 1821, Dostoiévski associa o perturbador Svidrigailov a Lord Byron, que se tornara imensamente popular na Rússia, pela ação de Pushkin, à época o "poeta nacional" (e que precedeu Dostoiévski e Turgenev na admiração por Shakespeare). A volúpia criminosa de Svidrigailov, instigada, especialmente, por meninas, é uma degradação das tendências de Edmundo e Byron. Mas Raskolnikov, apesar de tudo, está longe de se tornar um Svidrigailov, assim como o assassino — embora sempre cativante — Macbeth é vilão e herói, e não um comparsa de Iago e Edmundo.

Dostoiévski segue Shakespeare ao identificar a imaginação do leitor com Raskolnikov, assim como Macbeth arrebata-nos a imaginação. Porfírio, inspetor de polícia que, de modo brilhante, tortura Raskolnikov com a incerteza, apresenta-se como cristão, mas, nitidamente, desagrada Dostoiévski, para quem a nêmese de Raskolnikov é um "mecanicista" ocidentalizado, um manipulador da psique tão atormentada de Raskolnikov. Sônia encontra-se, espiritualmente, muito além de nós, leitores, no tocante à dimensão transcendental; do mesmo modo, o incrível Svidrigailov excede-nos em seu demonismo. Não resta alternativa, senão seguirmos a consciência de Raskolnikov, assim como acompanhamos Macbeth em sua viagem às trevas. *Nós* talvez não assassinássemos velhotas ou monarcas bonachões; porém, como, até certo ponto, *somos* Raskolnikov e Macbeth, dependendo das circunstâncias, quem sabe, seríamos capazes de fazê-lo? Assim como Shakespeare, Dostoiévski nos torna cúmplices dos assassinatos cometidos por seus heróis-vilões. *Macbeth* e *Crime e Castigo* são tragédias deveras assustadoras, que não nos purgam de qualquer sentimento de compaixão, quanto mais de terror. Revertendo a idéia aristotélica da catarse (que possui natureza sociológica e médica), segundo a qual a tragédia nos livra de emoções que não propiciam o bem-estar social, Shakespeare e Dostoiévski têm intenções mais soturnas a nosso respeito.

É essa sublimidade terrível, comparável à de *Macbeth*, que faz com que *Crime e Castigo* ultrapasse o ponto de nos deixar deprimidos, enquanto vivemos aquele inóspito verão em Petersburgo, no qual o pesadelo fantasmagórico se transforma em realidade. Todas as paredes parecem pintadas de um tom mórbido de amarelo, e o horror de uma metrópole moderna é retratado com uma intensidade que faz lembrar Baudelaire, ou Dickens, nos momentos menos afáveis. Chegamos a sentir que na Petersburgo de Raskolnikov, assim como na Escócia enfeitiçada de Macbeth, nós também talvez fôssemos capazes de cometer assassinatos.

Subitamente, a questão — como ler *Crime e Castigo* — torna-se: o que leva Raskolnikov a se tornar um assassino? O personagem tem uma série de qualidades positivas; no fundo, seus impulsos são decentes, verdadeiramente, humanos. Espanta-me a noção do eminente romancista contemporâneo italiano Alberto Moravia, de que Raskolnikov seria um precursor dos comissários de Stalin, mais conhecidos como opressores de terceiros do que como indivíduos propensos à auto-recriminação. Raskolnikov, assim como Svidrigailov, sua paródia demoníaca, é dado à autopunição, e seu masoquismo é absolutamente incompatível com o desejo expresso de ser um Napoleão. Em certo sentido, Raskolnikov mata para descobrir se, na verdade, é um Napoleão em potencial, embora tudo o leve a crer que ele esteja muito longe disso. Talvez o sentimento mais profundo de Raskolnikov seja a culpa atroz, que *precede os crimes por ele cometidos*. Duvido, porém, que ele encarne uma versão grosseira da vontade de sofrer constatada em Sônia. Tampouco é Raskolnikov um duplo, passivo, de Svidrigailov, cujo sadismo malévolo é um véu que encobre o "Para a América" — ou seja, o suicídio. É, praticamente, impossível separar Raskolnikov de Dostoiévski, que, aos vinte e oito anos, esteve oito meses encarcerado em cela solitária, por pertencer a um grupo político radical. Condenados à morte, Dostoiévski e companheiros chegaram a se ver diante de um pelotão de fuzilamento, recebendo a comutação da pena na última hora. Seguiram-se, então, quatro anos de trabalhos forçados na Sibéria, período em que Dostoiévski se tornou um reacionário consumado, além de monarquista, e devoto seguidor da Igreja Ortodoxa Russa.

Raskolnikov é recolhido à Sibéria durante sete anos, sentença leve para alguém que cometeu dois assassinatos; o atenuante é ele ter confessado os crimes, e o tribunal tê-lo considerado, pelo menos, em parte, mentalmente desequilibrado, especialmente nos momentos em que cometera os assassinatos. Não consigo ver como um leitor comum, de mente aberta, poderia definir, com um mínimo grau de certeza, a motivação das transgressões de Raskolnikov, no sentido corrente da palavra "motivação". A perversidade, tão arraigada em Svidrigailov, Iago e Edmundo, ocupa pouco espaço nas psiques de Raskolnikov e Macbeth, o que torna a queda desses personagens ainda mais aterrorizante. Tampouco adianta-nos procurar em Raskolnikov e Macbeth indícios do Pecado Original. Ambos sofrem de uma imaginação intensamente profética. Quando se vêem frente a uma ação que lhes oferece a possibilidade de ganho pessoal, atiram-se a ela, imaginam ter cometido os crimes, e sofrem da culpa decorrente. Quando a imaginação é assim tão intensa e a consciência tão culpada, o assassinato, em si, não passa de uma cópia, uma repetição, um ferimento que dilacera a realidade, ainda que apenas para completar algo que, de certo modo, já foi feito.

Por mais envolvente, o romance *Crime e Castigo* não deixa de ser um tanto tendencioso, falha sempre presente em Dostoiévski, autor aguerrido, cuja perspectiva contundente fica sempre explícita em tudo aquilo que escreve. Seu propósito é soerguer-nos, como Lázaro, do nosso niilismo ou ceticismo, e converter-nos à Ortodoxia. Eminentes escritores, como Tchekhov e Nabokov, não o toleravam; para tais escritores, Dostoiévski não era um artista, mas um pseudoprofeta de voz estridente. Do meu ponto de vista, *Crime e Castigo*, a cada leitura, é uma provação, de uma intensidade terrível, e um tanto perniciosa, como se fosse um *Macbeth* composto pelo próprio Macbeth.

Raskolnikov nos magoa porque não conseguimos dele nos livrar. Sônia me parece bastante intolerável — nem mesmo Dostoiévski foi capaz de criar um santo que fosse racional. Sônia me faz estremecer. Mas é extraordinário que Dostoiévski nos tenha oferecido dois personagens coadjuvantes tão expressivos como Porfírio, o inspetor de polícia que se torna grande antagonista de Raskolnikov, e Svidrigailov, figura extremamente plausível, dotada de um charme infindo.

Porfírio, experiente investigador, é uma espécie de pragmatista, um utilitário que acredita na possibilidade do bem maior, para a maioria, através do exercício da razão. Suponho que qualquer leitor, inclusive eu, haveria de preferir a companhia de Porfírio à do perigoso Svidrigailov para um jantar, mas acho que Dostoiévski preferiria Svidrigailov. Abertamente, Porfírio compara-se a uma vela, e Raskolnikov tal qual mariposa, voando em círculos, em um belíssimo jogo de espera:

> — E se eu fugir? — perguntou Raskolnikov com um riso estranho.
>
> — Não foge. Um mujique fugiria, um revolucionário vulgar fugiria porque tem um credo para toda a vida. Mas o senhor já não crê na sua teoria: que levaria se fugisse? Ademais, que existência ignóbil e odiosa a de um fugitivo! Fugindo, voltaria por sua própria vontade. *O senhor não pode passar sem nós.*[6]

Temos aqui, merecidamente, um momento clássico da história do "romance policial". O que poderia ser mais sutil do que as palavras de Porfírio — *O senhor não pode passar sem nós* —, a vela falando à mariposa? Em momentos como esse, percebemos que o grande Tchekhov se equivocara; é perigoso subestimar Dostoiévski, mesmo quando a sua obra desagrada.

Mais perigoso, e ainda mais memorável, é Svidrigailov, niilista autêntico, ponto final do que poderia ser chamada a avenida shakespeariana em Dostoiévski (juntamente com Stavrogin, em *Os Possessos*). Svidrigailov é personagem tão forte, e tão estranho, que chego quase a voltar atrás na minha afirmação quanto à tendenciosidade de Dostoiévski. Raskolnikov confronta Svidrigailov, que persegue Dunia Raskolnikov, irmã do protagonista. Eis Svidrigailov, discorrendo sobre a mulher que sempre o rejeitará:

> Com toda a aversão natural de Avdotia Romanovna e a despeito de meu aspecto invariavelmente sujo e repulsivo — ela acabou tendo pena de mim, pena de uma alma perdida. Quando o coração de uma jovem sente compaixão, é mais perigoso do que qualquer outra coisa. Ela passa a querer "salvá-lo", chamá-lo à razão e o levanta e encaminha a nobres objetivos recuperando-o para a vida nobre e útil — sim, todos nós sabemos até que ponto esses sonhos podem ir... Vi, imediatamente, que o passarinho estava pronto para cair no alçapão; eu também estava pronto. Percebo, Rodion

[6] Op. cit., p. 321. [N.T.]

> Romanovitch, que está se enfurecendo; não há necessidade! Como o senhor sabe, tudo não passou de uma bolha de sabão. (Diabos me levem! como estou bebendo vinho!) Desde o começo lamentei que sua irmã não tenha tido o destino de nascer no século II ou III de nossa era, como filha de um príncipe reinante ou de algum governador ou procônsul na Ásia Menor; sem dúvida alguma seria uma daquelas que enfrentaram o martírio, teria sorrido quando lhe dilacerassem seus seios com tenazes em brasa, e por seus próprios pés teria enfrentado o martírio. E no século IV ou V, ter-se-ia refugiado nos desertos do Egito para lá ficar trinta anos, vivendo de raízes e de êxtases. Ela tem loucura por sofrer por quem quer que seja e não conseguindo é capaz de se atirar de uma janela.[7]

Depois que fracassa a tentativa de Avdotia Romanovna (Dunia Raskolnikov) de matar Svidrigailov (algo que ele desejava, ainda mais ardentemente do que a ela), Svidrigailov parte "para a América" — suicidando-se. A liberdade de Svidrigailov, como a de Stavrogin, em *Os Possessos*, é absoluta, e, absolutamente, aterrorizante. Raskolnikov jamais se arrepende, embora no Epílogo ele se entregue à santidade de Sônia. Mas é Svidrigailov, não Raskolnikov, quem escapa da contundente ideologia de Dostoiévski, e quem, na verdade, escapa do livro. O leitor pode dizer com seus botões — "Svidrigailov vive" —, embora não saísse a pichar a frase nas paredes do metrô.

Henry James:
Retrato de uma Senhora

Retrato de uma Senhora, meu favorito entre os romances de Henry James, foi, originalmente, publicado em 1880-81. Mais de vinte e cinco anos depois, em 1908, a obra foi profundamente revista pelo próprio autor, para integrar a *New York Edition* dos romances e contos de Henry James. Tendo, aos trinta e sete anos, esboçado o retrato de Isabel Archer, James, aos sessenta e cinco, revisa-o.

---

[7] Op. cit., p. 330-31. [N.T.]

Temos, praticamente, duas versões de Isabel Archer, de modo que o leitor deve ser cauteloso ao escolher uma edição, dando preferência à versão final. Romancista algum — nem mesmo Cervantes, Austen ou Proust — possui consciência tão ampla quanto a de James. Seria preciso voltar a Shakespeare para encontrar, na frase de Emily Dickinson, uma demonstração mais convincente de que o cérebro é mais vasto do que o céu. Isabel Archer, sempre a heroína da consciência, apresenta uma consciência nitidamente mais vasta na versão de 1908.

Por que ler *Retrato de uma Senhora*? Por muitas razões, e para obter imensos benefícios, mas o cultivo de uma consciência individual seria, certamente, um objetivo primeiro, bem como o grande benefício decorrente de uma leitura intensa. Energia intelectual e introvisão: eis os atributos da consciência do leitor solitário que mais se desenvolvem através da leitura. Informação social, seja sobre o passado ou sobre a contemporaneidade, a meu ver, constitui um benefício periférico à leitura, e conscientização política um ganho ainda mais tênue.

Ao revisar *Retrato de uma Senhora*, James exacerba a sua semi-identidade com respeito a Isabel Archer. Sendo Isabel a personagem mais shakespeariana criada pelo autor, percebemos que ela tem a identidade projetada nas perspectivas do leitor. Na versão revista, somos mais guiados por James, sendo, portanto, plausível o argumento de que Isabel é personagem mais rica, mais enigmática, em 1881 do que em 1908. Em outras palavras, o maior mestre do romance norte-americano parece confiar menos no leitor, e mais em si mesmo, à medida que se alteram as suas perspectivas com respeito a Isabel.

Em 1881, Isabel é vítima de seu impulso de autonomia. Em 1908, James transforma a perda parcial de autonomia da personagem, causada por seus próprios erros de julgamento, em ganhos para sua consciência. Ela *vê* melhor, ainda que, aparentemente, isso lhe custe grande parte de sua liberdade. Recorrendo a um dos modismos atuais, suponho que um leitor feminista sentir-se-ia mais satisfeito com a Isabel de 1881 do que com a figura mais jamesiana de 1908, cuja maior preocupação é não se deixar enganar. O equivocado (embora corajoso) exercício da *Auto*confiança constatado na primeira versão é substituído pela ênfase dada à ótica superior do eu. Autoconfiança é a doutrina fundamental de Ralph Waldo

Emerson, e Isabel Archer é filha de Emerson, conforme James, no fundo, bem o sabia. Uma vez que Henry James (o pai) jamais conseguiu superar a influência de Emerson, os comentários do filho sobre o Sábio de Concord devem ser lidos com precaução:

> Não será demais, nem de menos, dizer sobre os escritos de Emerson que, na verdade, não foram "compostos".
>
> Ninguém teve uma visão tão firme, constante e, acima de tudo, tão natural daquilo que necessitamos e do que somos capazes de realizar, no que concerne às aspirações e à independência.
>
> [...] a singularidade do gênio de Emerson, que o torna, aos olhos dos mais atentos, o primeiro, e o extremamente raro, espírito norte-americano nas letras [...]

A primeira observação é de uma condescendência absurda; uma leitura do ensaio de Emerson intitulado "Experiência" bastará para nos levar a discordar de Henry James. Mas o segundo excerto é todo Isabel Archer; trata-se, precisamente, da visão da personagem. Quanto ao terceiro comentário, duvido muito que seja sincero; James preferia Hawthorne, o constrangido companheiro de caminhada de Emerson. A ardente Hester Prynne, protagonista de *A Letra Escarlate*, de Hawthorne, parece-me mais uma heroína emersoniana do que Isabel Archer, que foge do amor, tanto quanto o fazia Henry James. Emerson esteve apaixonado por suas duas esposas, Ellen e Lidian, talvez mais pela primeira, que faleceu tão precocemente. James, não Emerson, é responsável pela repressão a que Isabel impõe a sua própria natureza sexual. Jamais um grande leitor de romances, Emerson leu *A Letra Escarlate* mas o subestimou — e duvido que viesse a admirar *Retrato de uma Senhora*. No entanto, reconheceria na idealista Isabel uma jovem autêntica, e deploraria o esteticismo que a faz escolher para marido o terrível Gilbert Osmond, paródia de Emerson e de Walter Pater, sumo sacerdote do Esteticismo na Inglaterra.

Em uma primeira leitura de *Retrato de uma Senhora*, será útil ao leitor perceber que Isabel Archer sofre a mediação constante do narrador, Henry James, e dos admiradores — Ralph Touchett, Lord Warburton e Caspar Goodwood (sobrenome imperdoavelmente afrontoso!). Em termos de personalidade dramática, no sentido shakespeariano, James não confere muito a Isabel. Aceitamo-la de bom grado porque o estudo da consciência da personagem apresentado por James é extremamente sofisticado e artístico, e porque a jovem produz um efeito tão marcante nos demais personagens do romance, masculinos e femininos, à exceção, ironicamente, do marido *poseur*, Osmond. Para Osmond, Isabel não deve passar de um retrato, ou uma escultura; a grandeza da alma da mulher ofende a mente bitolada do marido. Eis a questão central do romance, constatada por todo leitor: por que Isabel se casa com o enfadonho Osmond, e mais, por que volta para ele no final?

Por que tantos leitores, de ambos os sexos, apaixonam-se por Isabel Archer? Para o leitor que, ainda jovem, se deixa arrebatar pela leitura, o primeiro amor, provavelmente, será ficcional, em vez de real. Isabel Archer, notoriamente alcunhada por Henry James "a herdeira de todas as épocas", atrai muitos de nós porque, seja na ficção ou na vida real, ela é o arquétipo da jovem marcada pelo destino, precisamente, por buscar a plena realização do seu potencial, enquanto mantém um idealismo que impede o egoísmo. Dorothea Brooke, personagem de George Eliot em *Middlemarch*, tem aspirações corajosas, mas seus anseios transcendentais prescindem do diferencial emersoniano encontrado em Isabel Archer: perseguir a liberdade interior a qualquer custo.

Sendo Isabel o auto-retrato de Henry James como senhora, a consciência da personagem é extraordinariamente vasta, quase equiparando-se à do autor. Isso torna irrelevante qualquer julgamento de ordem moral imputado à personagem por leitores. O romancista Graham Greene, discípulo de James, insistia que o ímpeto afetivo do autor em *Retrato de uma Senhora* está centrado na idéia de traição, conforme exemplificado por Madame Merle, que trama, com sucesso, o casamento de Isabel e Osmond, de modo que este e Pansy, filha da própria Merle e Osmond, possam beneficiar-se da fortuna de Isabel. Porém, apesar de seus ardis, Madame Merle não é capaz de imprimir marcas indeléveis na consciência de Isabel. Graham Greene era muito mais obcecado por traição do que Henry James.

Embora *Retrato de uma Senhora* seja uma espécie de tragicomédia, o livro provoca riso em poucos leitores. A despeito da expressividade (ainda que desagradável) de Osmond e Madame Merle, e dos diversos tipos que surgem nas esplêndidas figuras dos admiradores de Isabel — Touchett, Warburton, Goodwood —, James mantém Isabel Archer sempre no centro da nossa atenção. De fato, o retrato de Isabel é o que importa; todos os demais personagens existem apenas em função dela. Isabel é importante demais para James, assim como para o leitor sensível, para permitir qualquer abordagem cômica. Tampouco qualquer ironia poderá dominar o relato de James a respeito da odisséia da consciência dessa jovem, embora a sua situação seja de uma ironia quase absurda. Ela aceita Osmond na ilusão de estar escolhendo — e concedendo — liberdade. Osmond era um homem por demais experiente, ela pensara, e haveria de ensinar-lhe tudo o que na vida valia a pena saber. O terrível engano da jovem pode até parecer uma crueldade da parte de James, mas o autor sofre com ela e por ela, e o erro de Isabel é absolutamente crucial ao livro. "Errar na vida é necessário à vida", dizia Nietzsche. Nem Henry James nem Isabel Archer são figuras nietzschianas, mas o dito de Nietzsche elucida o grande equívoco de Isabel.

O que terá cegado Isabel? Ou, formulando a pergunta de outra maneira, por que James reserva tamanha catástrofe para o seu auto-retrato como mulher? Nas revisões introduzidas na edição de 1908, Osmond surge consideravelmente mais soturno, um autêntico esnobe, inútil, um farsante, o que torna ainda mais estranha a falta de discernimento de Isabel. A primeira descrição que James oferece de Gilbert Osmond é bastante para prevenir o leitor de que o futuro marido de Isabel não é flor que se cheire:

> Ele tinha uns quarenta anos, cabeça alta mas bem formada e cabeleira farta ainda, mas de um prematuro grisalho, cortada bem curta. Tinha rosto fino, estreito, bem modelado e composto, cujo único defeito era exatamente o fato de tender um tanto para o anguloso; uma aparência para a qual o formato da barba contribuía bastante. A barba, aparada à moda dos quadros do século XVI e coroada por um bigode claro, cujas pontas faziam uma romântica virada para cima, conferia a seu dono uma aparência estrangeira e tradicional, a sugerir que ele era um cavalheiro que estudava estilo. Contudo, seus olhos conscientes e curiosos, ao mesmo tempo vagos e penetrantes, inteligentes e duros, expressando o observador bem como o sonhador, assegurariam a quem o visse que o estu-

> dava apenas dentro de limites bem escolhidos e que o encontrava na medida em que o procurava. Seria difícil tarefa determinar seu clima e país originais; nada tinha dos sinais superficiais que geralmente tornam a resposta a esta pergunta insipidamente fácil. Se tinha sangue inglês nas veias, provavelmente recebera alguma mistura francesa ou italiana; mas ele, como boa moeda de ouro, não sugeria nenhuma estampa ou emblema da cunhagem comum prevista para circulação geral; era a elegante e complicada medalha cunhada para ocasiões especiais. Tinha o corpo magro, um tanto lânguido, não era alto nem baixo. Vestia-se como se veste um homem que se preocupa apenas o bastante com isso para não usar coisas vulgares.[8]

Osmond, norte-americano radicado na Itália, "estudava estilo", mas "apenas dentro de limites bem escolhidos e [...] na medida em que o procurava". Esplêndida, e tipicamente jamesiana, essa assertiva traduz para o leitor a pequenez e o caráter dúbio de Osmond. Vejamos, em contraste, a primeira descrição de Isabel Archer no romance:

> Ela olhava ao redor novamente — o gramado, as grandes árvores, o estreito e prateado Tâmisa, a bela casa antiga. Ao realizar esse exame, incluiu nele seus companheiros — abrangência de observação facilmente compreensível por parte de uma jovem que era obviamente inteligente e estava entusiasmada. Ela se sentara e pusera o cãozinho no chão; suas mãos brancas, pousadas no colo, estavam cruzadas sobre o vestido preto; tinha a cabeça erguida, os olhos brilhantes; o corpo flexível voltava-se com facilidade para um lado e outro, solidário com a vivacidade com que ela evidentemente colhia impressões. E que eram numerosas, e refletiam-se todas em um sorriso claro e tranqüilo.
>
> — Jamais vi algo tão lindo quanto isto.[9]

Isabel não estuda estilo, e sim pessoas e locais, e jamais o faz dentro de limites bem escolhidos. Inteligente, entusiasmada, bela, alerta com respeito às próprias, e numerosas, impressões, tranqüilamente satisfeita: não é de se admirar que Ralph Touchett, Lord Warburton e o velho Sr. Tou-

---

[8] *Retrato de uma Senhora.* Tradução de Gilda Stuart. São Paulo: Companhia das Letras, 1997, p. 218. [N.T.]

[9] Op. cit., p. 33. [N.T.]

chett por ela se apaixonem à primeira vista, o mesmo ocorrendo conosco, à medida que a conhecemos melhor. Na edição de 1908, as duas descrições aparecem separadas por um intervalo de cento e setenta páginas; mesmo assim, embora retardada, a justaposição é direta e desconcertante. A sublime Isabel Archer — tanto quanto as heroínas shakespearianas, Rosalinda, Viola, Beatriz, Helena e outras — está fadada a casar-se com um homem que lhe está aquém; vale lembrar que, em potencial, Ralph Touchett, Lord Warburton e Caspar Goodwood não são desastrosos; Gilbert Osmond é uma catástrofe. Cabe a cada leitor julgar se, de fato, Henry James torna a opção que Isabel faz por Osmond algo convincente, inevitável. Por mais que estime James, Isabel e *Retrato de uma Senhora*, jamais me convenci disso, e, a meu ver, aí está a única falha sem a qual o romance seria perfeito. A falta de visão de Isabel é necessária ao sucesso do livro, mas a Isabel mais jamesiana que consta da versão revista é, simplesmente, por demais perspicaz para ser enganada por Osmond, mesmo porque, na versão de 1908, James apresenta Osmond como alguém que, definitivamente, *não é* "o herdeiro de todas as épocas".

James, o mais sutil dos mestres do romance (à exceção de Proust), lança mão de toda a sua arte para tornar plausível o equívoco de Isabel. Osmond, nas palavras do autor, é "pura convenção", e sua função teórica é libertar-nos do caos, embora, na prática, cause o cerceamento das possibilidades de Isabel. Pansy, filha de Osmond, é para ele, antes de mais nada, uma obra de arte a ser vendida, de preferência, a um "marido rico e nobre". Osmond, "moeda de ouro" ambulante, vê em Isabel não apenas fortuna (a ela deixada por familiares, os Touchetts), mas também "material de trabalho", um retrato a ser pintado. Mas Isabel nada percebe, a não ser quando já é tarde demais para ser salva. Por quê? James aponta-nos várias possibilidades, nenhuma definitiva. Temos Pansy, que desperta em Isabel instintos maternais (o filho que ela tem com Osmond morre aos seis meses de idade, e James insinua que o relacionamento sexual entre o casal morre pouco tempo depois). E temos a crescente obsessão de Isabel, no sentido de "escolher" uma forma de vida: Ralph Touchett é parente, e não tem saúde; Lord Warburton representa a aristocracia inglesa, da qual o espírito norte-americano da jovem se esquiva; Caspar Goodwood, pretendente desde os tempos em que ela vivia em Albany, é por demais possessivo e apaixonado, amando-a exageradamente. Tanto quanto Henry James, Isabel deseja ser amada, mas não quer ser objeto do desenfreado ardor sexual de quem quer que seja.

Ademais, James atribui a aceitação de Osmond, homem de fino bom gosto e parcos recursos, ao idealismo magnânimo (e juvenil) de Isabel, bem como ao seu sentimento de culpa pela herança legada pelos Touchetts. Será isso o bastante? Não creio, conforme já disse, mas James é bastante shakespeariano, e talvez realista, quanto aos mistérios da escolha conjugal. Shakespeare casou-se com Anne Hathaway, e viveu em Londres, longe da mulher, durante vinte anos, fazendo remessas de dinheiro a Stratford, para sustentá-la e os filhos, mas raramente visitando a família. James, que tinha forte tendência homoerótica, embora não a pusesse em prática, expressava um respeito extraordinário pelo valor e pela santidade do casamento heterossexual, ao mesmo tempo em que observava, secamente, que ele próprio não valorizava a vida o bastante para se aventurar no abençoado estado civil.

Acho um pouco mais compreensível, embora ainda enigmática, a volta de Isabel para Roma e para Osmond, no final da história. Embora, mais uma vez, rejeite Goodwood, ela sente (e teme) o vigor da paixão do homem:

> Ele fuzilou-a com o olhar por um átimo em meio à obscuridade e, no momento seguinte, ela sentiu os braços dele em volta do seu corpo e seus lábios sobre os dela. O beijo dele foi como um lívido relâmpago, um clarão a espalhar-se, e de novo a espalhar-se e deixar marca; e o extraordinário era, enquanto estava sendo beijada, ela ter sentido cada aspecto da sua áspera virilidade que menos a tinha agradado, cada agressivo fato de seu rosto, do seu corpo, de sua presença, justificada em sua intensa identidade e tornados todos um nesse ato de posse. Era isso que ela ouvira falar das pessoas que se afogam e vão afundando seguindo uma série de imagens enquanto descem para o fundo do mar. Mas quando a escuridão voltou, ela estava livre.[10]

Isabel estava livre para seguir "uma trilha muito reta" que a levaria de volta a Roma e a Osmond. Isso a manteria longe de Goodwood, mas a

---

[10] Op. cit., p. 536. [N.T.]

vida ao lado de Osmond, na melhor das hipóteses, seria um armistício. Será *esse* o destino final da herdeira jamesiana de todas as épocas? Isso o autor não nos responderá, pois a sua atuação na história chega ao fim; ele nada mais sabe e, provavelmente, nesse desenlace, a própria Isabel nada mais sabe. Mas o que há de ser do potencial de grandeza de espírito, de amplitude de consciência, dessa jovem, sem o que o livro fracassa? James recusa-se a oferecer-lhe alternativas com relação a Osmond; Goodwood ameaça-lhe a autonomia, o que, de certo modo, não é o caso de Osmond. Mas, mesmo em 1908, Isabel poderia ter constituído, em si mesma, uma alternativa: divórcio e um acordo financeiro a livrariam de Osmond. Talvez, tais fatos venham mesmo a acontecer, mas James não nos oferece qualquer indicação nesse sentido. Osmond, com toda a sua mesquinharia, não é páreo para Isabel. Ela volta para ele, deduzo eu, para tentar superar as conseqüências do equívoco a que fora levada por seu próprio idealismo, e, assim, garantir a continuidade da sua própria consciência. Tal atitude é tipicamente jamesiana, mas os leitores não estarão errados se protestarem. *Retrato de uma Senhora*, em sua forma final, requer leitura atenta e solidária. Talvez, a escolha de Isabel não nos satisfaça, mas sua história aponta-nos, mais uma vez, um motivo por que ler: conhecer melhor uma consciência preciosa demais para ser ignorada.

Marcel Proust:
Em Busca do Tempo Perdido

Hoje em dia, "como ler um romance" traduz-se, para mim, em como ler Proust, esplendor do romance clássico. O que fazer diante da extrema inventividade de *Em Busca do Tempo Perdido*?

O vasto romance de Proust é narrado pelo quase inominado Marcel, um retrato do romancista (principalmente) quando jovem, relatando emaranhadas recordações da sociedade francesa, desde a última década do século XIX até 1922 (ano da morte de Proust). Os grandes temas do romance, listados em ordem alfabética, incluem amizade, beleza, bordéis, o Caso Dreyfus (e a imersão no anti-semitismo), ciúme (acima de tudo!), costumes, esteticismo, indumentária, inversões (homossexualismo masculino e feminino), literatura e a gradual evolução do narrador-romancista, mar, memória (tão prevalecente quanto o ciúme), mentira, os mortos (anexos aos vivos), sadomasoquismo, sono e tempo (tão onipresente quanto ciúme e memória).

Em Busca do Tempo Perdido relata três histórias de amor (erotismo talvez seja o termo mais adequado). Carlos Swann, "colunável" de origem judaica, torna-se eroticamente obcecado por Odette de Crecy, com quem, finalmente, se casa, após sofrer os tormentos do amor e do ciúme. A filha do casal, Gilberta, antes de se casar com Saint-Loup, que fora apaixonado por uma atriz chamada Raquel, é a primeira paixão do narrador Marcel, melhor amigo de Saint-Loup. Gilberta Swann é apenas uma precursora da grande paixão do narrador, Albertina Simonet, com quem Marcel tem um longo e complicado caso de amor, que culmina na fuga da mulher, e subseqüente morte em um acidente eqüestre.

Por mais maravilhosos que sejam os relatos de Proust acerca do sofrimento causado pelo ciúme de Swann, com relação a Odette, e pelo ciúme de Saint-Loup, com relação a Raquel, a apoteose do que poderíamos chamar "ciúme sublime" é alcançada na retrospectiva busca do tempo perdido, empreendida por parte de Marcel, no que concerne aos relacionamentos homossexuais de Albertina, em que esta "trai" o amante possessivo. É preciso recorrer à Bíblia, a Shakespeare e a Dante para encontrar exemplos à altura da energia, da intensidade e do sofrimento do narrador, em busca do que Norman Mailer chamaria "o tempo da vez de Albertina". A tragicomédia shakespeariana, como em *Medida por Medida* e *Tróilo e Créssida*, é o que mais se aproxima da extraordinária ironia e do fascinante azedume característicos da grande busca de Marcel.

Atualmente, correm rumores de que o inominado narrador (nas 3.300 páginas do romance, apenas duas vezes chamado, ironicamente, de Marcel) é um subterfúgio de Proust, sendo o referido narrador heterossexual e cristão. São rumores estúpidos; os *gays* e as lésbicas que habitam as páginas do romance, assim como os judeus e os defensores de Dreyfus, ganham em simpatia, como resultado do aparente desinteresse do narrador (o próprio Proust era homossexual, partidário de Dreyfus e filho de querida mãe judia). Falando pelo magnífico autor, o narrador tem o privilégio de apresentar a mais extensa, vital e variada constelação de personagens a ser encontrada fora da obra shakespeariana. Saber ler romance, e Proust, especificamente, antes de mais nada, é saber ler e apreciar personagens literários. Em ordem alfabética, as personalidades indispensáveis a Proust são Albertina, Charlus, Françoise, Oriane Guermantes, a Mamma do narrador, Odette, Saint-Loup, Swann e Verdurin (Madame). Se acrescentarmos uma décima personalidade, o próprio narrador, teremos um elenco mais expressivo, interiorizado e titanicamente cômico do que o de qualquer outro romance. O cosmo de Proust é tão irônico quanto o de Jane Austen; contudo, a ironia proustiana é menos defensiva e, talvez, menos um alicerce da invenção artística. Podemos dizer que, em Proust, ironia não é dizer algo cujo verdadeiro significado difere do conteúdo óbvio das palavras, mas, antes, é fazer prenúncios que são amplos demais para caber em qualquer contexto social específico. Tais prenúncios tocam os pontos mais remotos da nossa consciência, e buscam os nossos princípios de como agir corretamente. Parece estranho considerar mística, ou quietista, essa ironia, mas, com efeito, trata-se de um correspondente secular da mais profunda espiritualidade. Não quero aqui confundir Proust e Krishna, no *Bhagavad Gita*, mas a memória proustiana, em última análise, parece um correto curso de ação, que cura o narrador, bem como o leitor, de um mal que a mencionada obra hindu denuncia como "inércia sombria". Lemos romances (os grandes romances) como um tratamento contra a inércia sombria, enfermidade que leva à morte. O nosso desespero requer consolo, e a terapia de uma narrativa profunda. O personagem, no romance de Proust, assim como na obra de Shakespeare, realiza a cura que lhe é implicitamente prescrita pela cultura literária. Vivemos um momento de terrível ironia, quando uma cultura que fracassa em todos os seus aspectos conceituais — na filosofia, na política, na religião, na psicanálise, na ciência — vê-se compelida a se tornar literária, ao estilo da antiga Alexandria. Proust, assim como Shakespeare, médico mais perito do que Freud, oferece-nos personagens tão humanos quanto os de Chaucer e Shakespeare. Todos os personagens de Proust são, essencialmente, gênios cômicos; como tal, dão-nos a opção de acreditar que a verdade é tão engraçada quanto cruel.

Nietzsche, em uma de suas formulações mais hamletianas, adverte que só encontramos palavras para expressar o que já está morto em nossos corações, de maneira que o ato da fala sempre traz em si algo desprezível. Proust, ao contrário de Shakespeare, é imune a esse desprezo, e seus grandes personagens expressam a generosidade do autor. A inércia em nossos corações, o nosso egoísmo, é questão séria, manifestada mais através do ciúme do que de qualquer outro sentimento humano, tanto em Proust quanto em Shakespeare. Atrevo-me a dizer que, hoje em dia, ler romances traz alívio à inveja, cuja expressão mais virulenta é o ciúme de natureza sexual. Uma vez que os dois autores ocidentais que melhor dramatizam o ciúme são Shakespeare e Proust, a questão de como ler o romance pode ser reduzida, provisoriamente, a como ler o ciúme. Às vezes, penso que a melhor instrução literária passível de ser oferecida a meus alunos, em Yale ou na Universidade de Nova York, será tão-somente um aperfeiçoamento da experiência de que os mesmos já dispõem, em termos de ciúme sexual, a mais estética de todas as enfermidades psíquicas, como Iago bem o sabia. Deve ser por isso que Proust compara as buscas dos amantes ciumentos às obsessões do historiador da arte, como se vê quando Swann reconstitui os detalhes da vida sexual pregressa de Odette, "com mais paixão do que o esteta que interroga os documentos subsistentes da Florença do século XV, a ver se penetra mais avante na alma da Primavera, da Bella Vanna, ou da Vênus, de Botticelli".[11] Supostamente, para historiadores da arte, essa pesquisa é prazerosa, ao passo que o pobre Swann, "sem nada lhe dizer, olhava-a pensativo".[12] No entanto, o sofrimento de Swann provoca-nos um prazer cômico, ainda que estremeçamos. Talvez, ler, em ficção, relatos da agonia causada pelo ciúme não nos livre de similares angústias, e, talvez, jamais nos ensine a adotar uma perspectiva cômica aplicável a nós mesmos, mas o prazer solidário que a leitura nos traz parece constituir o cerne da experiência estética. Em Proust, como em Shakespeare, a arte é, em si, a natureza, noção crucial em *Conto do Inverno*, que compete com *Otelo* na expressão da visão shakespeariana do ciúme de ordem sexual. Proust não nos transforma em Iagos, à medida que lemos o romance, mas deleitamo-nos com a autodestruição do narrador, pois, em Proust, todo

---

[11] *No Caminho de Swann*. Tradução de Mario Quintana. 5. ed. Porto Alegre: Editora Globo, 1981, p. 262. [N.T.]

[12] Ibid. [N.T.]

personagem central, especialmente Marcel, torna-se seu próprio Iago. Dos vilões shakespearianos, Iago é o mais criativo, no que tange à instigação de ciúme na vítima, nesse caso, Otelo. A genialidade de Iago é a de um grande dramaturgo que sente satisfação em atormentar e mutilar seus personagens. Em Proust, muitos protagonistas são exemplos de Iagos que se voltam contra si mesmos. O que poderia causar mais prazer estético do que um bando de Iagos que praticam automutilação? Meu trecho predileto de toda a obra de Proust ocorre depois da morte de Albertina, a amada do narrador, e resulta da minuciosa investigação que este faz de cada detalhe das paixões homossexuais da mulher:

> Albertina já não existia; mas, era a pessoa que me havia escondido seus relacionamentos com mulheres, em Balbec, e que imaginava ter conseguido me manter ignorante quanto à questão. Quando consideramos o que há de acontecer conosco após a morte, não é o nosso "eu" vivo que, erroneamente, ao fazê-lo, projetamos? Será mais absurdo, afinal, lamentar que uma mulher que já não existe desconhece ter vindo à tona o que ela fazia seis anos atrás, ou desejar que o público fale bem de nós, daqui a um século, quando estivermos mortos? Se o segundo caso tem mais fundamento que o primeiro, o arrependimento, retrospectivo, do meu ciúme partiu do mesmo erro de visão que produz no homem o desejo da celebridade póstuma. Todavia, se a impressão da natureza solene e irrevogável da minha separação de Albertina, momentaneamente, suplantou a idéia que concebi de suas más ações, a mesma impressão serviu tão-somente para agravá-las, conferindo-lhes um caráter irremediável. Vi a mim mesmo perdido na vida, como em uma praia infinita, onde estava só e onde jamais a encontraria, seguisse eu em qualquer direção.

"Como ler o romance" pode ser resumido a "como ler esse trecho", epítome da *Busca* de Proust, e, portanto, modelo do romance tradicional. A noção de Proust concernente ao ciúme, bastante shakespeariana, é que, de fato, trata-se de uma busca do tempo perdido, e do espaço perdido também. Otelo, Leontes, Swann e Marcel cometem "o mesmo engano visual", o ressentimento nutrido por ciúme que os faz pensar que já não haverá tempo suficiente, nem espaço, para desfrutarem, respectivamente, de Desdêmona, Hermione, Odette e Albertina. Esse ressentimento é mais uma expressão da grande afronta: a morte do amante, em lugar da amada.

Como escritor, necessariamente, Proust almeja a imortalidade literária, que se reduz à aprovação do público-leitor um século após a publicação da obra. Os *Sonetos* shakespearianos chegam perto de uma associação entre o ciúme (de natureza sexual) e a inveja (de poetas rivais), mas somente Proust atribui ambas as expressões de ressentimento ao tão bem definido "engano visual", sem dúvida, como diria Nietzsche, um dos erros da vida necessários à vida. Ao ler Proust compreendemos nossos próprios enganos visuais, a mesquinhez dos nossos ciúmes, mas também a nossa necessidade de metáfora, de ler mais um romance. Grande comediante do espírito, Proust hoje parece ter antecipado o peso do nosso atraso, de termos chegado tardiamente à história, no milênio. Proust definiu a amizade como "o ponto intermediário entre a exaustão física e o tédio mental", e disse que o amor é "um exemplo perfeito do pouco que a realidade significa para nós". Enquanto Nietzsche adverte que a mentira é exaustiva, Proust celebra a "mentira perfeita", uma abertura ao novo. Referi-me, anteriormente, à rápida diminuição do número de leitores (sérios) do romance, e percebo, relendo Proust, que a fuga do romance é uma rejeição da literatura sábia. Onde mais poderemos encontrar sabedoria?

A sabedoria de Proust não é a de George Eliot, nem a de Jane Austen, mas parece existir um saber comum aos grandes romancistas, algo que poderíamos denominar "pragmatismo romanesco", segundo o qual o verdadeiro diferencial é aquele característico dos mestres da ficção em prosa. Sobre a morte, Proust observa que ela cura o nosso anseio pela imortalidade, o que talvez seja uma ironia cruel demais para Eliot e Austen, mas que, legitimamente, leva adiante a batalha de ambas contra as ilusões. Com maior aprofundamento, Proust discerne inúmeros meios de nos dizer que eu e sociedade são irreconciliáveis, o que não significa que sejamos meros engodos, da linguagem ou dos contextos sociais. A nossa personalidade, como diz Proust, é um "múltiplo exército", constatação implícita em George Eliot e visível em Proust, como convém ao "romance entre romances" por ele criado, que alcança um momento de verdadeira grandeza ao se atrever a definir a perdida Albertina como "grande deusa do Tempo". *Nós* podemos dizer o mesmo com relação a Dorothea Brooke, personagem de Eliot em *Middlemarch*, ou a Emma Woodhouse, idealizada por Austen, mas as respectivas criadoras não podiam fazê-lo; Proust ensina-nos a profetizar e a ter ciúme, retrospectivamente, quando aprendemos a ver seus personagens como divindades do tempo, e insinua que as duas sensações são, na verdade, uma só. Os heróis e heroínas por ele criados são como os deuses em Homero, igualmente consumidos pelo ciúme e pela rivalidade.

A despeito do poder de cura de Proust, hoje não sou capaz de ler um romance como o fazia há meio século, quando me entregava àquilo que lia. Meu primeiro amor (se não me falha a memória) não foi uma menina de carne e osso, mas Marty South, personagem de Thomas Hardy em *The Woodlanders*, e sofri terrivelmente quando ela corta os lindos cabelos para poder vendê-los. Poucas experiências equiparam-se à realidade de se apaixonar por uma heroína, e pelo livro que conta a sua história. A chegada da velhice pode ser medida pelo aprofundamento da visão que se tem de Proust. Como ler o romance? Com carinho, se o livro mostra-se capaz de abarcar o nosso afeto; e com ciúme, porque o romance pode se tornar a imagem dos nossos limites em termos de tempo e lugar, ainda que seja capaz de oferecer-nos a bênção proustiana: mais vida.

Thomas Mann: *A Montanha Mágica*

Quando eu era menino (e começava a ler vorazmente), há cerca de sessenta anos, *A Montanha Mágica*, de Thomas Mann, era universalmente considerada uma obra de ficção moderna quase comparável ao *Ulisses*, de Joyce, e a *Em Busca do Tempo Perdido*, de Proust. Acabo de reler *A Montanha Mágica* (1924), após um intervalo de quinze anos, e me apraz ter redescoberto o prazer e a força perenes do romance. Longe de ser obra datada, o livro continua a propiciar uma experiência de leitura atual e intensa, ainda que alterada pelo tempo.

Infelizmente, nos últimos trinta anos, Mann tem sido um tanto ofuscado, por não ser, em absoluto, um romancista da contracultura. *A Montanha Mágica* não é obra que possa ser encaixada entre *Na Estrada* e um exemplar de *cyberpunk*. O romance representa a alta cultura hoje em dia posta em xeque, pois trata-se de um livro que pressupõe considerável erudição e reflexão. O protagonista, Hans Castorp, jovem engenheiro alemão, vai ao encontro de um primo internado em um sanatório de tuberculosos nos Alpes suíços, para o que seria uma rápida visita. Uma vez constatado que ele próprio sofre de tuberculose, Castorp permanece sete anos na Montanha Mágica, para ser curado, e para prosseguir em seu *Bildung*, ou formação, educação cultural.

A princípio, Mann descreve Hans Castorp como um "jovem singelo", mas isso constitui uma ironia. Castorp não é um jovem comum, mas tampouco é, essencialmente, propenso a buscas espirituais, pelo menos, não no início do romance. Em todo caso, não é um "jovem singelo". Infinitamente capaz de assimilar ensinamentos, imensamente suscetível a colóquios profundos e ao estudo, Castorp é submetido a um extraordinário e sofisticado processo educacional na Montanha Mágica, principalmente, ao interagir com professores antitéticos: primeiro, e prioritariamente, temos Settembrini, humanista liberal italiano, discípulo do poeta e livre-pensador Carducci; mais tarde, na metade do romance, surge Naphta, reacionário radical, jesuíta judeu, marxista-niilista, opositor da democracia, defensor da síntese religiosa medieval e crítico da perda de fé observada na Europa. Os debates entre Settembrini, defendendo a Renascença e o Iluminismo, e Naphta, apóstolo da Contra-Reforma, são sempre implacáveis, chegando a um ponto crucial quando Naphta verbaliza uma profecia que haveria de triunfar na Alemanha uma década após a publicação de *A Montanha Mágica*:

> — Não, senhor! — prosseguiu Naphta. — O segredo e a existência da nossa era não são a libertação e o desenvolvimento do Eu. O que ela necessita, o que deseja, o que criará é — o terror.[13]

Naphta e Settembrini obtêm, igualmente, a atenção do leitor, mas apenas Settembrini, apesar da infinita ironia de Mann, conquista o nosso apreço. A ironia é, ao mesmo tempo, o recurso mais marcante de Mann e, talvez, a sua maior fraqueza (como ele bem o sabia). O protesto do escritor, em 1953, contra os que o criticavam permanece útil:

---

[13] *A Montanha Mágica*. Tradução de Herbert Caro. 3. ed. Rio de Janeiro: Nova Fronteira, 1980, p. 445. [N.T.]

> Fico sempre um tanto entediado quando os críticos restringem a minha obra definitiva e inteiramente ao campo da ironia, e me consideram um ironista inveterado, sem, ao mesmo tempo, levar em conta a questão do humor.

A ironia tem diversos significados na literatura, e a ironia de uma época, raramente, será a mesma de outra. Do meu ponto de vista, a criação literária sempre contém um certo grau de ironia, e por isso Oscar Wilde fez a advertência de que toda poesia ruim é sincera. Mas a ironia não é uma condição precípua da linguagem literária, e o significado nem sempre é um andarilho exilado. No sentido mais amplo do termo, "ironia" implica dizer algo cujo real significado difere do conteúdo óbvio, às vezes chegando mesmo a sugerir o oposto do que é dito. Muitas vezes, a ironia de Mann é uma forma sutil de paródia, mas o leitor que estiver aberto à interpretação de *A Montanha Mágica* encontrará um romance dotado de uma seriedade meiga e altiva, em última análise, uma obra que encerra grande paixão, intelectual e emocional.

Hoje em dia, a fascinante história de Mann, primeiramente, não traduz ironia nem paródia, mas a carinhosa visão de uma realidade que não mais existe, de uma alta cultura européia perdida para sempre, a cultura de Göethe e Freud. No ano 2000, *A Montanha Mágica* é vista como um romance histórico, monumento de um humanismo perdido. Publicado em 1924, o romance retrata uma Europa prestes a se despedaçar na Primeira Guerra Mundial, catástrofe que faz Hans Castorp descer da sua Montanha Mágica. Grande parte da cultura humanística sobreviveu à Grande Guerra, mas Mann, profeticamente, prenuncia o terror nazista que se instalaria no poder não mais que uma década depois do surgimento do romance. Embora Mann talvez pretendesse criar uma carinhosa paródia da cultura européia, as contra-ironias do tempo, bem como das mudanças e da destruição, fazem de *A Montanha Mágica*, no ano 2000, um estudo da nostalgia, imensamente tocante.

O próprio Hans Castorp hoje me parece um personagem mais sutil e simpático do que na primeira leitura que fiz do romance, há mais de cinqüenta anos. Ainda que Mann veja Castorp como um indivíduo em busca de algo, não considero crucial ao protagonista do romance a questão da busca. Castorp não busca um objeto sagrado, nem um ideal. Figura de um distanciamento admirável, Castorp é capaz de ouvir, com igual satisfação, o racionalista Settembrini, o terrorista Naphta, ou o estranho vitalista Mynheer Peeperkorn, que chega à Montanha, tardiamente, em companhia da sensual e bela eslava Claudia Chauchat, com quem Castorp, apaixonado, passa apenas uma noite de prazer. O distanciamento erótico de Hans Castorp parece um tanto extraordinário; apaixonado por Claudia, só depois de passados sete meses, ele desfruta de um único momento de plenitude sexual, em seguida, retraindo-se ao longo dos sete anos de sua estada na Montanha, e tampouco sente muito ciúme, quando Claudia ressurge em companhia de Peeperkorn. Castorp é órfão desde os sete anos de idade e, na adolescência, vivenciara um intenso fascínio homoerótico por um colega de escola, de origem eslava, Przibislaw Hippe, predecessor de Claudia. O amor de Castorp por Claudia faz renascer a paixão reprimida que ele sentira por Hippe, e, de um modo bastante místico, a paixão dupla produz no jovem os sintomas da tuberculose, e o mantém na Montanha por um período de sete anos, uma formação, no espírito de um humanismo agonizante.

Que o amor seja visto como uma enfermidade, como tuberculose, é uma convincente fantasia da parte de Mann, sem dúvida, reflexo do próprio homossexualismo (a duras penas) reprimido do autor, cuja grande expressão será sempre a *novella* intitulada *Morte em Veneza.* O leitor se detém na Montanha Mágica porque Castorp se apaixona por Claudia à primeira vista. Seja qual for a realidade clínica da doença de Castorp, o leitor é enfeitiçado à medida que a história se desenrola, uma vez que a experiência universal, no que tange à mudança de planos, de local ou de condição psíquica quando se está apaixonado, é integrada, sagazmente, à iniciação do leitor no mundo da Montanha Mágica. Tenho dúvidas se o público leitor (masculino ou feminino), necessariamente, apaixona-se pela sinuosa e enigmática Claudia, mas a identificação com Castorp, indivíduo dotado de infinita boa vontade e distanciamento sexual, é difícil de ser evitada, considerando-se o esmero da arte de Mann. Nem sempre vemos, sentimos ou pensamos como Hans, mas estamos sempre ao seu lado. À exceção de Poldy, meu homônimo no *Ulisses* de Joyce, não há na ficção moderna personagem mais atraente do que Castorp. As tentativas de Joyce no sentido de promover distanciamento não foram bem-sucedidas, e Leopold Bloom espelha muitas das qualidades pessoais mais cativantes de Joyce. O parodista irônico Thomas Mann, apesar de seus esforços conflitantes, não consegue se separar de Castorp.

Atualmente, está em voga na crítica literária negar tanto a realidade do autor quanto a do personagem; no entanto, conforme todos os modismos, esse há de passar, e insisto que o leitor não se furte ao prazer da identificação com seus personagens mais queridos, pois os autores não têm conseguido resistir a essa satisfação. A minha exortação tem limite: Cervantes não é Dom Quixote, Tolstoi não é Anna Karenina (embora a amasse), em *Operação Shylock*, Philip Roth não é "Philip Roth" (nenhum dos dois!). Contudo, de modo geral, os romancistas, por mais irônicos, identificam-se com seus protagonistas; o mesmo se dá com os dramaturgos. Kierkegaard, filósofo religioso dinamarquês que escreveu *O Conceito da Ironia*, observou que Shakespeare é o grande mestre da ironia — noção indiscutível. Entretanto, mesmo o mais irônico dos autores encontrava-se, de modo mais autêntico e misterioso, no personagem de Hamlet, conforme proponho adiante. Por que ler? Porque só podemos conhecer, intimamente, algumas poucas pessoas, e talvez porque, na verdade, jamais as conheçamos. Após ler *A Montanha Mágica*, conhecemos Hans Castorp profundamente, e como vale a pena conhecê-lo!

Relendo *A Montanha Mágica*, chego à conclusão de que a maior ironia de Mann (talvez involuntária) é iniciar o livro com uma referência a Hans Castorp, dizendo que "o leitor em breve [o] conhecerá como um jovem singelo, ainda que simpático".[14] Sou professor universitário há quarenta e cinco anos, e posso afirmar: Castorp é o aluno ideal outrora proclamado pelas universidades (antes da autodegradação a que tais instituições ora se submetem), e jamais encontrado. Castorp tem imenso interesse em tudo, em tudo que é conhecimento, mas no conhecimento como um bem em si mesmo. Para Castorp, conhecimento não significa, absolutamente, poder, seja sobre terceiros ou sobre ele próprio; conhecimento nada tem de faustiano. Hans Castorp é extremamente valioso para leitores no ano 2000 (e posteriormente), por encarnar um ideal hoje arcaico, mas sempre relevante: o cultivo do desenvolvimento pessoal, de modo a possibilitar a

[14] Op. cit., p. 9. [N.T.]

completa realização do potencial do indivíduo. A avidez de confrontar idéias e personalidades está aliada, em Hans, a uma notável energia espiritual; jamais meramente cético, ele, tampouco, se deixa arrebatar (exceto no auge da paixão pela dúbia Claudia). A eloqüência humanística de Settembrini, as exortações terroristas de Naphta, o balbuciar dionisíaco de Peeperkorn inundam Castorp, mas jamais o afogam.

A insistência de Mann quanto à palidez de Castorp se torna uma espécie de piada, pois o jovem engenheiro naval tem afinidade com experiências místicas e até mesmo ocultas. Chegara à Montanha Mágica trazendo consigo o livro *Vapores Oceânicos*, mas se torna leitor incansável de obras sobre as ciências da vida, especialmente psicologia e fisiologia, e, com base nas mesmas, embarca em contínuas "viagens culturais". Qualquer noção que ainda perdure (apenas como resultado da ironia de Mann) da suposta "singeleza" de Hans Castorp dissolve-se no maravilhoso capítulo intitulado "Neve", pouco antes do final da sexta seção, de um total de sete em que o romance é dividido. Preso em uma tempestade de neve, durante uma solitária excursão em que saíra a praticar esqui, Hans quase não sobrevive, e é acometido de uma série de visões. Quando estas desaparecem, ele admite que "a morte é uma grande força", mas afirma: "*Em consideração à bondade e ao amor, o homem não deve conceder à morte nenhum poder sobre os seus pensamentos*".[15]

Daí em diante, *A Montanha Mágica* inicia a sua própria dança da morte, à medida que se aproxima a deflagração da Primeira Guerra Mundial. Naphta desafia Settembrini a um duelo com pistola; Settembrini atira para o ar, e o enfurecido Naphta mata-se com um tiro na cabeça. O pobre Settembrini cai em depressão e sua pedagogia humanística é estancada. O dionisíaco Peeperkorn, defensor da personalidade e do culto ao sexo, confronta a própria senilidade e impotência, e também se mata. Hans Castorp, patrioticamente, engaja-se na luta armada, em defesa da Alemanha, e Mann diz que, embora as chances de o jovem sobreviver não sejam grandes, a questão permanecerá em aberto.

O leitor, quase que a despeito de Thomas Mann, considera as chances de Castorp bem mais promissoras, pois este tem algo de mágico, um

[15] Op. cit., p. 552. [N.T.]

encantamento absolutamente à margem do tempo. Castorp pode *parecer* a apoteose do homem comum, mas é, nitidamente, demoníaco e, na verdade, não precisa da infinda instrução cultural que recebe (embora a mesma lhe traga benefícios). Hans Castorp tem a Bênção, assim como o José, de Mann, mais tarde, na tetralogia *José e seus Irmãos*. Despedindo-se do protagonista, Mann diz que a importância de Castorp decorre do seu "sonho de amor". Hoje em dia, no ano 2000, e no futuro, é grande a importância de Castorp, pois o leitor, tentando compreendê-lo, perguntar-se-á: qual é o meu sonho de amor, ou a minha ilusão erótica, e como esse sonho ou essa ilusão afeta as minhas possibilidades de crescer ou desabrochar?

Resumindo

Parece claro que ler um romance em 2000 é algo bastante diferente do que o era em 1944, quando comecei a lê-los, após ter passado anos lendo, exclusivamente, poesia e as Escrituras. Grandes romancistas, como Philip Roth, dizem-me que os leitores não estão se renovando, e, decerto, uma arte que só veio a se desenvolver plenamente no século XVIII pode expirar no final do segundo milênio, que nos chega tão depressa. Talvez a ficção *cyberpunk*, forma mais recente do romance, seja o presságio da vingança cíclica deste gênero contra o rebento ingrato, a novela. A novela mais ou menos realista tem dominado a literatura ocidental ao longo dos três últimos séculos; os grandes monumentos do gênero estendem-se desde *Clarissa*, de Samuel Richardson, a *Em Busca do Tempo Perdido*, de Marcel Proust.[16] Como ler romances, se receamos que o gênero desapareça brevemente? Será que não sentiremos um pesar extra, distinto do *pathos* inerente aos protagonistas da história?

Uma lição potencialmente válida é indagar: os personagens principais sofrem mutações? Em caso afirmativo, o que os faz mudar? No magnífico *Em Busca do Tempo Perdido*, de Marcel Proust, predomina o método shakespeariano da mudança em decorrência da auto-escuta, ao passo que em *A Montanha Mágica*, de Thomas Mann, o cativante herói, Hans

[16] Na tradição literária de língua portuguesa a distinção entre romance e novela é menos marcante do que na de língua inglesa. [N.T.]

Castorp, segue o método cervantino, com o filósofo liberal Settembrini desempenhando o papel de um Sancho intelectualizado, contracenando com Castorp-Quixote.

Mutação de personagem é a maior invenção de Shakespeare, seguindo Chaucer, poeta inglês medieval, e não Ovídio, poeta romano que, no entanto, juntamente com Chaucer e Christopher Marlowe, é uma das três verdadeiras influências identificáveis em Shakespeare. Quando personagens como Hamlet, Rei Lear, Antônio e Cleópatra sofrem mutações, no mais das vezes, é porque escutam-se a si mesmos, quase como se as suas próprias falas fossem proferidas por uma outra pessoa. Antônio, após ouvir-se a si mesmo dizer ao escudeiro Eros — "Eros, ainda podes me enxergar?" — fica a tal ponto perplexo diante das próprias palavras que chega a duvidar da própria identidade:

> [...] Aqui estou,
> Antônio; mas não tenho, meu rapaz,
> Como manter visível esta forma.[17]

O leitor haverá de pensar quantas vezes percebe em si mesmo a disposição de mudar, após se surpreender escutando as suas próprias palavras. Suponho que em países de língua inglesa ou alemã, onde a influência de Shakespeare é mais profunda, nossas mutações decorram, mais freqüentemente, da auto-escuta shakespeariana do que do método cervantino, no qual conversas francas com um bom amigo conduzem à auto-reflexão e às conseqüentes alterações psicológicas. Stendhal, Jane Austen, Dostoiévski, Henry James e Proust seguem o paradigma shakespeariano, enquanto Dickens e Mann seguem mais o cervantino, assim como o fazem Maupassant e Calvino, entre os contistas. Os demais mestres da narrativa curta cuja obra é aqui discutida — Turgenev, Tchekhov, Hemingway e Borges, especialmente — parecem-me dever mais a Shakespeare. Isso vale também para os romancistas norte-americanos analisados no último capítulo, à exceção do extraordinário e afrontoso Thomas Pynchon.

---

[17] *Antônio e Cleópatra.* Tradução e notas de José Roberto O'Shea. São Paulo: Mandarim, 1997, p. 281. [N.T.]

Será que a boa leitura nos ajuda a aprender a ouvirmos uns aos outros, conforme o modelo cervantino? Proponho ser impossível ouvirmos uns aos outros como ouvimos um excelente livro. A poesia lírica, no que tem de mais forte, ensina-nos a falar conosco, e não com os outros. Talvez o leitor solitário seja uma raça em extinção, mas, caso isso ocorra, algo além do prazer da solidão haverá de desaparecer. A resposta final à pergunta — "por que ler?" — é que somente a leitura intensa, constante, é capaz de construir e desenvolver um eu autônomo. E enquanto não nos tornarmos nós mesmos, que benefício poderemos trazer aos outros? Lembro-me sempre da advertência do sábio Hillel, o mais humano dos antigos rabinos: "Se eu não for a favor de mim mesmo, quem o será? E se eu for apenas a favor de mim mesmo, então, o que serei eu? E se não for agora, quando?".

Como ler um romance em que o autor, ao modo de Shakespeare e, talvez, Jane Austen, parece ter-se apagado da obra? Cervantes fica no extremo oposto, assim como Stendhal e Thomas Mann, embora nenhum destes se iguale a Charlotte Brontë no maravilhoso *Jane Eyre*, onde, com freqüência, a autora bate forte no leitor, ao mesmo tempo em que o aconselha. Em George Eliot, valorizo as reflexões morais, feitas de modo direto, tanto quanto a força de sua narrativa, ou as sutis qualidades conferidas aos protagonistas. O romancista que se intromete na ação é mais do que bem-vindo, se vier acompanhado da sabedoria de Cervantes ou George Eliot. Romancistas como Flaubert, em *Madame Bovary*, ou James Joyce, em *Ulisses*, parecem ocultar-se, de modo enigmático, atrás dos personagens; porém, estranhamente, é possível que se identifiquem com suas criações ainda mais do que o faz Cervantes, quando, abertamente, congratula-se por ter criado Sancho e o Dom. Flaubert, notoriamente, confessou: "Madame Bovary sou eu", e Joyce, apesar da maestria artística observada no seu distanciamento de Leopold Bloom, em última análise, identifica-se com o indômito e humano Poldy.

Uma boa biografia de romancista, como no caso da obra *Proust*, de George Painter, pode constituir um considerável auxílio à leitura, desde que o leitor evite cometer o erro igualmente evitado pelas boas biografias: reconhecer, exageradamente, a vida de um autor dentro de sua obra. É mais vital buscar a obra dentro do autor, efeito do projeto ambicioso de Proust, com relação à sua própria vida.

Atualmente, muitos romances são demasiadamente elogiados por terem propósitos sociais, e o que deveria ser considerado, por assim dizer, ficção de aeroporto é elevado ao cânone pelas universidades. A contundente ironia social e moral de Jane Austen é uma defesa contra esse tipo de vulgarização de gosto e juízo, conforme já tentei demonstrar. Um grande romancista, mesmo quando sofisticado, como Austen e Henry James, compartilha, com Dickens, da capacidade de nos fazer ler como se pudéssemos voltar a ser crianças. Uma criança que gosta de ler, no primeiro encontro com *David Copperfield* ou *Grandes Esperanças*, lê por interesse na história e nos personagens, não para se livrar de culpa social ou reformar instituições corruptas.

Os grandes romances, entretanto, tendem a abordar enigmas cruciais, ou a repensar questões centrais. Será melhor hábito de leitura permitir que tais enigmas ou preocupações se auto-revelem, se exponham, em lugar de serem buscados tenazmente. Se, para o leitor, for vital decifrar o porquê de Isabel Archer haver escolhido o infame Osmond, ou o porquê da dificuldade de Raskolnikov em se arrepender, então, Henry James e Dostoiévski têm a responsabilidade de alertá-lo e guiá-lo, e, quanto a isso, o leitor pode neles confiar. Os romances do mais alto nível, como *Dom Quixote* e *Em Busca do Tempo Perdido*, investem, prodigamente, em exuberância, de maneira que o enigma se torna a própria obra. O mundo lúdico de *Dom Quixote* alcança o limite quando o Dom torna-se "lúcido", e morre pouco tempo depois. O passado capturado no épico visionário de Proust é o triunfo do romancista, e o prelúdio da sua queda.

Como ler um romance longo e maravilhoso? Mesmo voltando à obra, dia após dia, talvez tenhamos dificuldade em seguir a ação. Samuel Johnson, que (assim como eu) tanto admirava *Clarissa*, de Samuel Richardson, romance tão longo quanto o de Proust, registrou que se nos propusermos a ler *Clarissa* por causa da ação, morreremos frustrados. Ninguém lê *Dom Quixote* ou *Em Busca do Tempo Perdido* pela ação, mas pelo desenvolvimento progressivo dos personagens, e pela gradual manifestação, na verdade, revelação, da perspectiva do autor. Sancho Pança e Dom Quixote, Swann e Albertina tornam-se presenças íntimas e, ao mesmo tempo, enigmáticas, como o são os nossos melhores amigos.

Com respeito a Stendhal e Dickens, defendi a necessidade da releitura, prática que me parece ainda mais essencial quando se trata de Jane Austen e Cervantes (assim como no caso de Shakespeare). A primeira leitura de um grande romance é puro prazer, mas considero uma experiência diferente, superior, a releitura de *Grandes Esperanças* ou de *A Cartuxa de Parma*. Alcançamos perspectivas previamente indisponíveis, de modo que o prazer da releitura pode ser mais diversificado e elucidativo do que a primeira experiência propiciada pelo romance. O leitor já sabe o que vai acontecer, mas como e por que as coisas ocorrem podem configurar novas e surpreendentes percepções. Talvez, até certo ponto, em uma segunda leitura o leitor se torne aquilo que contempla.

Quando somos jovens, e lemos contínua e apaixonadamente, temos a tendência de nos identificar, talvez ingenuamente, com os nossos personagens favoritos de um dado romance. Conforme ressaltei com relação à *Montanha Mágica*, de Mann, o prazer da identificação é atributo legítimo da experiência da releitura, a despeito da idade do leitor, mesmo se, a partir da meia-idade, tal prazer deixe de ser ingênuo e passe a ser sentimental. O romance, como a vida, não pode existir sem encontros com o amor, por mais irônica que seja a representação de Eros e seus males, por parte de Mann e outros romancistas. Personagens encontram personagens como nós encontramos novas pessoas, suscetíveis à perturbação da descoberta; paralelamente, devemos nos abrir diante daquilo que lemos.

Quando encontramos uma nova pessoa, não convém iniciar a amizade nem com condescendência nem com receio. Quando lemos, pela primeira vez, até a mais imponente das obras literárias — seja *A Divina Comédia*, de Dante, ou *As Asas da Pomba*, de Henry James —, qualquer condescendência ou receio destruiria a compreensão e o prazer. Talvez seja aconselhável relaxar um pouco o senso crítico quando abrirmos um livro. Depois de nos deixarmos absorver pela obra, e de darmos ao autor a oportunidade de arrebatar a nossa atenção, podemos, então, retomar o senso crítico. Há muitas maneiras diferentes de ler bem, mas todas envolvem a receptividade da nossa atenção. Tenho parcos conhecimentos sobre budismo (sendo eu de temperamento impaciente), portanto, o conceito de Wordsworth — "passividade sábia" — seria, do meu ponto de vista, o melhor sinônimo do tipo de atenção exigida pela boa leitura.

IV

Peças Teatrais

Introdução

Selecionei três peças teatrais para analisar neste livro: *Hamlet*, tragédia shakespeariana; *Hedda Gabler*, tragicomédia de Henrik Ibsen; e *A Importância de Ser Prudente*, comédia de Oscar Wilde. Apesar de, necessariamente, arbitrária, a minha escolha ilumina a natureza e a história da literatura dramática ocidental desde os primórdios até o limiar do século que ora finda.

Nenhuma introdução a respeito de como ler uma peça de teatro poderia omitir William Shakespeare, supremo dramaturgo de todas as épocas. Entre as primeiras tragédias de Shakespeare, *Tito Andrônico* é uma farsa sangrenta, talvez até mesmo uma paródia. *Romeu e Julieta* é um triunfo lírico, mas é uma tragédia de natureza mais familiar do que individual. *Júlio César* é exemplo de peça bem construída, mas Samuel Johnson a considerava fria — eu também. *Hamlet* é a primeira grande tragédia depois do ciclo de Édipo, escrito por Sófocles, da trilogia de Agamêmnon, de Ésquilo, e do *pathos* humano introduzido por Eurípedes nos palcos atenienses.

Hamlet é a peça mais vasta de Shakespeare, e uma das mais difíceis. A peça é tão célebre, e hoje em dia tão conhecida, até dos que não a leram, ou jamais a viram encenada no palco (ou em versões cinematográficas), que fazer uma boa leitura da mesma é como remover o verniz que desfigura uma pintura antiga. Tento aqui remover um pouco de verniz.

Minha segunda escolha foi *Hedda Gabler* porque Ibsen (juntamente com Molière, mestre da comédia francesa do século XVII) é o dramaturgo europeu mais importante depois de Shakespeare. Molière, grande psicólogo, no entanto, ateve-se, firmemente, à comédia, exceto em *Dom Juan*. Embora, freqüentemente, pensemos em Ibsen como um autor realista dotado de preocupação social, um antepassado de Arthur Miller, tal noção é um equívoco. Shakespeare permeia Ibsen, seja na tragédia *Brand*, na comédia heróica *Peer Gynt*, ou no romance visionário *Quando Despertarmos de Entre os Mortos*. Hedda Gabler é uma extraordinária mescla de Cleópatra e Iago, de Shakespeare, e a tragicomédia de Hedda põe um devido ponto final ao século XIX, que perece constrangido ao som da gargalhada autodepreciativa de Gabler, assim concluindo a aventura estética de críticos como Walter Pater, poetas como Algernon Swinburne, e até mesmo do grande romancista Henry James. Para os estetas, a vida e a literatura eram uma questão de percepção, sensação e consciência. Esses três ingredientes são transformados em veneno por Hedda Gabler, cujo temperamento histérico prenuncia a sensibilidade exacerbada de mulheres e homens em toda a literatura dramática pós-Ibsen no século XX.

A deliciosa comédia de Oscar Wilde, *A Importância de Ser Prudente*, é um verdadeiro antídoto contra *Hedda Gabler*. No que talvez seja a melhor comédia teatral inglesa desde William Congreve, se não desde William Shakespeare, Wilde transporta-nos através do espelho de Lewis Carroll, e nos vemos no mundo adorável de sanduíches de pepino e Lady Bracknell, personagem que mescla os impulsos extravagantes de Sir John Falstaff e as tiradas grandiloqüentes de Samuel Johnson. Wilde, cuja índole era boa demais para ser satírica, parodia a classe alta ao ponto de seus integrantes se tornarem crianças em meio a folguedos. Espirituosidade, charme, prazer, calor e o *nonsense* maravilhoso dos livros protagonizados por Alice, de Carroll, misturam-se aos absurdos bem-comportados de Gilbert e Sullivan, propiciando-nos um teatro que é puro entretenimento, com nuanças sutis da iminente tragédia de Wilde.

William Shakespeare: *Hamlet*

1

Há escritores magníficos que têm as mais elevadas ambições espirituais: Dante, Milton, Blake. Shakespeare, tanto quanto Chaucer e Cervantes, tinha outros interesses: primeiramente, na representação do humano. Embora, talvez, a obra de Shakespeare não devesse ter se tornado para nós uma escritura secular, a meu ver, ela é a única rival possível da Bíblia, em força literária. Quando nos distanciamos um pouco da questão, nada pode parecer mais estranho ou fantástico do que o fato de o mais bem-sucedido dos profissionais do entretenimento oferecer uma visão alternativa (ainda que involuntariamente) para os relatos sobre natureza humana e destino apresentados na Bíblia Hebraica, no Novo Testamento e no Alcorão. Javé, Jesus e Alá falam com autoridade, e, embora em um sentido diferente, o mesmo ocorre com Hamlet, Iago, Lear e Cleópatra. A persuasão em Shakespeare é maior porque ele é mais fértil; os recursos da retórica e da imaginação de Shakespeare estão além dos de Javé, Jesus e Alá, afirmação que soa mais blasfema do que, na verdade, o é. A consciência de Hamlet, bem como a linguagem de que dispõe o personagem para desenvolver essa consciência, é mais vasta e mais ágil do que a consciência e a linguagem até hoje manifestadas por divindades.

Hamlet apresenta vários enigmas, que continuarão a ser elucidados, assim como teólogos e místicos prosseguem interpretando os mistérios de Deus. Existe sempre menos urgência em nossa meditação sobre Hamlet do que sobre Deus; no entanto, sou tentado a constatar, com relação a Hamlet, o que os antigos gnósticos afirmavam a respeito de Jesus: *primeiro* ressuscitou, *depois* morreu. O Hamlet do quinto ato ressuscitou do "eu" morto do Hamlet anterior. É o Hamlet ressuscitado que diz: "Seja tudo como for", em vez de "Ser ou não ser". Nas tragicomédias (ou chamados romances) do final da carreira do dramaturgo, as ressurreições são menos sutis; desconheço acontecimento mais sutil, em toda a literatura, do que a transformação e a aparente apoteose de Hamlet.

Hamlet tem cerca de mil e quinhentas falas, somando-se os trechos em verso e prosa, o que constitui um papel absurdamente longo, representando quase 40% do texto integral da peça. Sendo Hamlet um intelectual, e assíduo freqüentador de teatros (especialmente o Globe), seu modo de ser é ambivalente ao extremo. Se alguém, ou algo, deve ser estimado, da nossa própria avaliação há de nascer a estima. Do nosso ponto de vista, Horácio parece um homem correto e leal; na visão de Hamlet, é o melhor dos seres humanos. Chega-se a duvidar da validade do elogio de Hamlet a Horácio, mas sentimos que, de certo modo, Hamlet dirige o cumprimento a nós, platéia, e, portanto, relutamos diante da idéia de rejeitá-lo:

> Não penses que eu te quero bajular;
> Que pedirei a ti, que não desfrutas
> De rendas, a não ser teu bom espírito,
> Para roupa e alimento? Quem bajula
> O pobre espera o quê? Deixa que língua
> Açucarada lamba a absurda pompa
> E se curvem os joelhos diante dela,
> Com esperança de lucro. Estás ouvindo?
> Desde que est'alma foi capaz de escolha,
> E pode distinguir os homens, ela
> Marcou-te para si: pois sempre foste,
> Diante das dores, como quem não sofre;
> Um homem que recebe como idênticos
> Golpes ou recompensas da Fortuna,
> E igualmente agradece; abençoados
> Aqueles cujo sangue e o julgamento
> Tão bem comungam, pois não são brinquedos
> Nos dedos da Fortuna, tão volúveis,
> Dançando ao seu prazer. Dá-me esse homem
> Que não se torna escravo da paixão,
> E eu o trarei no fundo do meu peito,
> No coração do próprio coração,
> Como eu te tenho.[1]
>
> [III. ii.]

---

[1] *Hamlet.* Tradução de Anna Amélia Carneiro de Mendonça. Rio de Janeiro: Nova Fronteira, 1995, p. 95-96. [N.T.]

Decerto, Hamlet, ao menos aqui, não é irônico; normalmente, é tão inclinado à zombaria quanto Falstaff. O sucesso imediato de Hamlet, como o de Falstaff, muito deveu ao apelo inerente à ironia dramática. Ambos irônicos, Hamlet e Falstaff pensam demais no seu próprio bem-estar, mas é a platéia quem se beneficia. A ironia de Hamlet é trágica, a de Falstaff, cômica, mas a mordaz ironia de Hamlet pode ser hilariante e a hilaridade de Falstaff, em última análise, é trágica. No entanto, Hamlet é absolutamente sincero no elogio a Horácio, única pessoa na corte de Elsinore que não pode ser manipulada por Cláudio. Quando Hamlet diz que Horácio sempre foi "Diante das dores, como quem não sofre", está insinuando, claramente, que Horácio é um representante da platéia. Como público de Shakespeare, com efeito, sentimos as "dores" do que o dramaturgo nos oferece; contudo, sabendo que se trata de uma peça, nada sofremos. Ao elogiar Horácio por ser um homem "Que não se torna escravo da paixão", Shakespeare insta o público a ser, igualmente, mais estóico e sábio.

Fui repreendido em algumas resenhas por sugerir que Shakespeare tivesse "inventado o humano", conforme hoje compreendemos tal conceito. Samuel Johnson afirmava que a essência da poesia é a invenção, e não deveria surpreender ninguém a idéia de que o poeta dramático mais marcante de todos os tempos tenha levado a termo uma revisão tão intensa do humano, ao ponto de, praticamente, tê-lo reinventado. O distanciamento shakespeariano, seja nos *Sonetos* ou no Príncipe Hamlet, é dispositivo bastante original. Como tantas invenções shakespearianas, essa tem origens em Chaucer, mas chega a ultrapassar a ironia chauceriana. G. K. Chesterton, que, em termos de crítica literária, ainda é um dos meus heróis, assinala que o humor de Chaucer é astuto, mas que carece da "fantástica tempestuosidade" de Hamlet. A astúcia de Chaucer, comenta Chesterton, é uma espécie de prudência, bastante diversa da tempestuosidade de Shakespeare. A noção me parece útil; o intempestivo distanciamento de Hamlet é mais uma das buscas pela liberdade empreendidas pelo príncipe: liberdade com relação a Elsinore e ao mundo. Nem mesmo a Mulher de Bath, criada por Chaucer, destemida e idiossincrática, busca a liberdade intempestiva de Hamlet.

Hamlet recita sete solilóquios; estes têm duas platéias: nós e o próprio Hamlet, e, aos poucos, aprendemos a imitar o personagem, espreitando-o para ouvi-lo, além da escuta óbvia. Escondemo-nos para ouvi-lo, sem que ele perceba, talvez, contrariando-lhe as intenções. Não é impossível espreitar Javé, Jesus ou Alá, mas é um tanto difícil, pois não podemos nos tornar Deus. À espreita, ouvimos Hamlet quando nos tornamos Hamlet; eis a arte de Shakespeare, nessa que é a mais original de todas as suas peças. Recusar uma identificação com Hamlet é, hoje em dia, algo quase antinatural, especialmente aos que pendem para a intelectualidade. Várias atrizes já desempenharam o papel de Hamlet. Quisera outras tantas tentassem fazê-lo. Como representação, Hamlet transcende a masculinidade. Hamlet é o "espreitador" máximo, atributo que está além das questões de gênero.

Temos tendência a definir "gênio" como uma capacidade intelectual extraordinária. Às vezes, aduzimos a metáfora — capacidade "criativa" — a essa definição. Entre todos os personagens ficcionais, Hamlet é o que mais se destaca em genialidade. Shakespeare oferece inúmeras evidências da capacidade intelectual do Príncipe. Quanto à sua capacidade criativa, a maioria dos indícios que temos são ambíguos, exceto a extraordinária fala do Ator-Rei, e as loucas cantigas entoadas por Hamlet no cemitério.

Proponho que a peça *Hamlet* seja um estudo sobre a criatividade freada do protagonista, a frustrada notoriedade do Príncipe como poeta. Minha proposição nada tem de original; está implícita em William Hazlitt, e é central à interpretação que Harold Goddard faz da peça. Mas quero ser o mais claro possível: não estou dizendo que Hamlet seja um poeta fracassado, pois foi esse o Hamlet francês de T. S. Eliot. O Hamlet dos quatro primeiros atos é "freado" pelo fantasma do pai, isto é, pela internalização, facciosa e perturbadora, do espírito do pai. Quando chegamos ao quinto ato, o Fantasma já foi exorcizado, através de um extraordinário esforço criativo que é deixado, em grande parte, implícito por Shakespeare. O exorcismo ocorre no mar, no intervalo entre o quarto e o quinto atos. Shakespeare, que, de modo geral, parece o mais direto dos escritores, pode ser, também, o mais elíptico. Adora exagerar nos detalhes, mas, às vezes, com grande astúcia, educa-nos, por meio de omissões propositais. *Hamlet* é uma peça vastíssima; porém, constitui, igualmente, um gigantesco e inacabado torso, em que muito é, propositadamente, omitido. Como ler *Hamlet* é um desafio que culmina durante a transição entre o quarto e o quinto atos. Por que ler *Hamlet*? Porque, atualmente, a peça nos propicia uma oferta que não podemos recusar. Tornou-se a nossa tradição, e a palavra *nossa* é aqui imensamente inclusiva. O Príncipe Hamlet é o intelectual dos intelectuais, a nobreza e o desastre da consciência ocidental. Ademais, nos dias de hoje, Hamlet se tornou a representação da própria inteligência, e não apenas da inteligência ocidental ou oriental, masculina ou feminina, negra ou branca, mas da inteligência humana, no que ela tem de melhor, porque Shakespeare é o primeiro escritor verdadeiramente multicultural.

Aprendemos com Shakespeare que a auto-escuta é a função primordial do solilóquio. Hamlet, nos sete solilóquios, ensina-nos tudo o que a ficção literária *pode* nos ensinar, ou seja, como falar com nós mesmos, e não como falar com terceiros. Hamlet não tem interesse em ouvir quem quer que seja, à exceção do Fantasma, talvez. Shakespeare, por intermédio de Hamlet, demonstra que a poesia não tem qualquer função *social*, além do entretenimento — mas desempenha uma função crucial para o eu; Hamlet quase promove a própria cura, mas ocorre que ele atinge um limite além do qual nem mesmo o mais inteligente dos personagens literários é capaz de prosseguir.

Nunca é demais frisar que Hamlet não tem um credo, seja de caráter social ou religioso, e suponho que o próprio Shakespeare fosse igualmente cético, ou, pelo menos, evasivo. O que Hamlet tem é uma noção extremamente clara do seu eu interior, sempre crescente, e que ele suspeita ser profundo como um abismo. Tal suspeita me parece o verdadeiro tema dos sete solilóquios, nenhum dos quais é enunciado no quinto ato. O leitor, mais do que o espectador, poderá perceber que *Hamlet* é quase duas peças distintas, uma que vai do primeiro ao quarto ato, a outra constituindo-se no quinto ato, sendo que o Príncipe do quinto ato aparenta ser, pelo menos, dez anos mais velho do que o estudante gazeteiro dos quatro primeiros atos.

É difícil comparar *Hamlet* a qualquer outra obra literária, seja com relação a outras peças de Shakespeare ou, simplesmente, à grande literatura escrita por Dante e Chaucer, Cervantes e Molière, Göethe e Tolstoi, Tchekhov e Ibsen, Joyce e Proust. *Hamlet* não cabe em si mesma, e o Príncipe Hamlet, no final da peça, demonstra saber mais do que poderá nos revelar no exíguo tempo de que ainda dispõe para fazê-lo. Montaigne, que parece ter sido assimilado pelo Príncipe, é seu único análogo. Comparado a Montaigne, o Príncipe Hamlet é selvagem, tanto consigo mesmo quanto com terceiros. Não podemos afirmar que mesmo o Montaigne do grande ensaio "Experiência" seja mais sábio do que o Príncipe do quinto ato; no entanto, é mais pródigo, com relação à sua própria sabedoria, do que Hamlet deseja ser. No quinto ato, sentimos que a Bênção abandona Hamlet, por mais carismático que ele se mantenha.

Com o termo Bênção, no sentido bíblico, quero dizer: "Vida longa, em um tempo sem fim". Algo em Hamlet perece durante a viagem marítima; quando ele retorna à Dinamarca, está livre do fantasma do pai, mas, em certo sentido, é um homem morto. Ao longo do quinto ato, a perspectiva de Hamlet parece póstuma, fantasmagórica, o que pode explicar a obsessão, no momento final, de não deixar à posteridade um "manchado nome".[2] O leitor, ou espectador, de *Hamlet* pode sentir uma certa perplexidade quando o Príncipe impede o desgostoso amigo, Horácio, de suicidar-se, apenas para contar a história de Hamlet, limpando o seu "manchado nome". Na verdade, a reputação de Hamlet está bastante abalada, mesmo se aceitarmos a realidade passageira de sua tão ambígua loucura. Comporta-se com Ofélia de modo sádico e brutal, contribuindo para levá-la à loucura e ao suicídio. Mata Polônio, perpassando a espada através de uma cortina, sem saber, absolutamente, a quem estava ferindo e, depois, é capaz de expressar contentamento com o feito. Rosenkrantz e Guildenstern são oportunistas, amigos falsos, mas não merecem a execução que lhes reserva Hamlet, sem qualquer remorso. Sigmund Freud tinha convicção de que Gertrudes está para Jocasta assim como Hamlet está para Édipo; disso não estou convencido, especialmente quando a despedida que Hamlet dirige à mãe morta é um superficial "Adeus, pobre rainha!".[3] Hamlet não é flor que se cheire, mas seria um equívoco considerá-lo um dos heróis-vilões de Shakespeare, como Iago, Edmundo e Macbeth. Ele merece um "manchado nome", mas seu nome não fica manchado, e isso não ocorre apenas porque Horácio relata a história a partir da perspectiva da pessoa que mais apreço tinha por Hamlet.

---

[2] Op. cit., p. 171. [N.T.]

[3] Op. cit., p. 170. [N.T.]

2

Podemos deduzir que, se Hamlet não fosse um protagonista trágico, talvez tivesse se tornado poeta-dramaturgo, mais propenso a escrever comédias do que tragédias. Atualmente, essa dedução não estaria muito em voga, mas o modismo de hoje, no espaço de uma geração, no máximo, haverá de cair em desuso, enquanto a genialidade de Hamlet permanecerá. Tanto quanto o próprio Shakespeare, o Príncipe Hamlet é versado em análise de caráter; a personalidade de todos os que interagem com Hamlet na peça (à exceção do Fantasma) é-nos elucidada pelas indagações do Príncipe, mesmo quando o personagem em questão recusa-se à auto-elucidação. Por que ler *Hamlet*? Porque a peça nos elucida, se formos capazes de deixar que isso aconteça.

Imaginemo-nos como um desses "lordes camareiros", com os quais J. Alfred Prufrock, criação de T. S. Eliot, identifica-se: "Alguém a fazer número apenas, que sirva para abrir uma ou duas cenas". Como seria um confronto com Hamlet? Iago, que, facilmente, manipula todos na peça por *ele* comandada, seria desmascarado por Hamlet em dez versos, ou menos, e Edmundo, de *Rei Lear*, não se sairia muito melhor. Cláudio exaspera-se, ou se torna incoerente, a cada teste que Hamlet o submete, e Rosenkrantz e Guildenstern são de tal modo inferiores a Hamlet que mal conseguem assimilar o que o Príncipe lhes diz:

> *Hamlet*
> [...] Quais são as novidades?
> *Rosenkrantz*
> Nenhuma, senhor, a não ser a de que o mundo se tornou honesto.
> *Hamlet*
> Então é o fim do mundo: mas suas novas são falsas. Deixai-me interrogá-los mais detalhadamente: o que é que andastes fazendo, meus amigos, para merecerdes das mãos da Fortuna que vos mandasse aqui para a prisão?
> *Guildenstern*
> Prisão, senhor?
> *Hamlet*
> A Dinamarca é uma prisão.

Rosenkrantz
Então o mundo também é.
Hamlet
Uma grande prisão, onde há clausuras, celas e calabouços, sendo a Dinamarca uma das piores.
Rosenkrantz
Não julgamos assim, senhor.
Hamlet
Não será assim então para vós; pois não existe nada de bom ou de mau que não seja assim pelo nosso pensamento: para mim é uma prisão.
Rosenkrantz
Então, é a vossa ambição que assim a torna; ela é muito estreita para o vosso espírito.
Hamlet
Oh Deus, eu poderia viver preso numa casca de noz e me sentir rei de espaços infinitos, se não fossem os maus sonhos que tenho.[4]

[II.ii.]

No fim desse primeiro encontro de Hamlet com Rosenkrantz e Guildenstern, seus velhos amigos, a morte destes já está selada. É preciso sentir como é cruel a espirituosidade das palavras de Hamlet; é como se um príncipe contemporâneo, digamos, da Jordânia, se deparasse, em Amã, com os seus dois colegas mais próximos de Yale, onde os três cursam a graduação. O rei está morto, o príncipe quer regressar a Yale mas é detido na corte, e, inesperadamente, os dois companheiros de New Haven surgem em Amã, onde o príncipe *não* sucedeu ao trono. Horácio, que circula nos altos escalões de Yale, toma o lugar de Rosenkrantz e Guildenstern, passando a ser o amigo mais íntimo de Hamlet. Hamlet percebe, imediatamente, que a dupla foi subornada pelo Rei e pela Rainha, enquanto Horácio não foi, e nem pode ser. O mais sábio dos tolos, Hamlet é um príncipe extremamente perigoso, conforme ele próprio adverte Laertes,

---

[4] Op. cit., p. 73-74. [N.T.]

aluno de Harvard e velho conhecido da corte, onde, afinal de contas, durante algum tempo, fora potencial cunhado de Hamlet:

Hamlet (*Avançando*)
Quem é esse
Cuja mágoa é tão forte e tem tal ênfase,
Cujas palavras sobem às estrelas
E as enchem de estupor? Aqui estou eu,
Hamlet, o Dinamarquês.
(*Salta para dentro da cova*)
Laertes
Maldito sejas!
(*Lutam*)
Hamlet
Tu não sabes rezar. Afasta os dedos
Do meu pescoço, peço-te; porque
Se não sou rancoroso nem colérico,
Tenho contudo algo de perigoso
Que terás de temer. Tira essa mão![5]
[V.i.]

"Estupor" é palavra que bem se aplica à reação freqüente da platéia shakespeariana, e vibramos com o brio intrépido da fala "Aqui estou eu, / Hamlet, o Dinamarquês". Contudo, a controlada ameaça que se segue, e que não é de todo irônica, nos revela, mais uma vez, que esse é o mesmo indivíduo que, em carta a Horácio, avisando que havia regressado da viagem marítima, escreve, secamente: "Rosenkrantz e Guildenstern continuam a viagem para a Inglaterra". Hamlet os enviou para a morte, um tanto gratuitamente. Horácio reage, expressando surpresa: "Com isso Rosenkrantz e Guildenstern / Já seguem para a morte". É preciso lembrar que os dois eram, afinal, colegas do Príncipe em Yale, quando ouvimos Hamlet dar de ombros: "Eles buscaram / Esse desfecho; e a minha consciência / Não me pesa".[6] Não, nós não somos o Príncipe Hamlet, nem deveríamos ser.

---

[5] Op. cit., p. 156. [N.T.]
[6] Op. cit., p. 160. [N.T.]

Conforme, mais tarde, ocorrerá com Iago, Hamlet tem um certo talento para escrever, fazendo uso das vidas dos demais personagens. Por que, em Iago, tal característica nos assusta, enquanto, em Hamlet, nos fascina? Um dos vários mistérios dessa que é, em termos de intelecto, a mais complexa das criaturas ficcionais é a ascendência do seu carisma. Se o leitor não for ideólogo nem moralista puritano, provavelmente, ficará apaixonado por Hamlet, "enfermidade" que vem grassando há cerca de dois séculos. Hamlet não nos ama, nem precisa de nós, senão em seus últimos momentos de vida, quando expressa a preocupação em legar à posteridade o seu "manchado nome". A questão é verbalizada em um palco coberto de cadáveres — da mãe, de Cláudio, de Laertes —, enquanto o próprio Hamlet agoniza. Uma vez que ele matou Polônio, levou Ofélia, brutalmente, à loucura e ao suicídio, e, friamente, fez desaparecer os coitados Rosenkrantz e Guildenstern, o nome do Príncipe deve mesmo ficar manchado! Mas não creio que ele lamente qualquer dessas oito mortes, inclusive a dele próprio. É "Hamlet, o Dinamarquês", o filho, não o pai, cujo nome, receia ele, talvez já não nos cause estupor. Qual é a realização de Hamlet? Considerando-se os seus espantosos talentos, nenhum outro personagem ficcional foi tão perito ao pôr tudo a perder.

3

Convém descartar a noção de que o Príncipe adia a sua vingança, ou melhor, a vingança do pai. Que vingança perpetraria um ironista que abatesse a vítima a golpes de espada? Muito me agradou o filme *Shakespeare Apaixonado*, mas tomei um susto ao ver o Shakespeare da fita envolvido em uma luta de espadas. A percepção que tenho do dramaturgo me leva a crer que ele atravessasse a rua, às pressas, sempre que a violência lhe cruzava o caminho. Shakespeare não voltaria a escrever peças de vingança depois de *Hamlet*, e, provavelmente, desgostava desse subgênero. *Hamlet* versa sobre teatralidade, e não sobre vingança; desconheço qualquer peça de teatro ocidental, antes de *Hamlet*, que seja igualmente obcecada por teatralidade. Com *Hamlet*, a platéia do Globe assistia a quatro peças em uma. Temos o segmento que vai do primeiro ato à primeira cena do segundo ato, que encerra algo semelhante a uma Tragédia de Vingança.

A seguir, temos extraordinários interlúdios sobre teatralidade, no trecho que inicia na segunda cena do segundo ato, com a chegada dos atores, e vai até a segunda cena do terceiro ato, quando Cláudio foge da encenação de *A Ratoeira*, "assustado por um fogo de artifício". Uma terceira peça, desse ponto até o fim do quarto ato, constitui um trecho quase impossível de ser definido, pois se trata de um caleidoscópio, contendo algo que agrade a todo e qualquer tipo de gosto. Finalmente, no quinto ato, subitamente, Hamlet parece estar cerca de dez anos mais velho (decorridas apenas algumas semanas), o Fantasma sequer é uma memória, e paternidade é uma lembrança remota. Digamos que *Hamlet* começa como uma Tragédia de Vingança, em seguida, irrompe em uma intempestiva reflexão sobre peças e atores, submerge no turbilhão da mente criativa de Shakespeare, e emerge como tragédia transcendental, em que morre um novo tipo de grande homem, afligido por um autoconhecimento absoluto, que zomba da morte e que é pela morte zombado. *Hamlet* é a mais marcante das peças, e talvez continue a ser a mais desconcertante, especialmente porque poucos de nós conseguem deixá-la em paz.

Em outro livro de minha autoria (o extenso *Shakespeare: A Invenção do Humano*), defendo a hipótese de que o primeiro *Hamlet*, revisto por Shakespeare, resultou de um esforço inicial frustrado por parte do próprio dramaturgo. Mas essa hipótese não pode ser comprovada nem refutada, e acredito que a versão de *Hamlet* que conhecemos teria explodido a ilusão teatral, mesmo que o fantasma de uma peça anterior não a tivesse assombrado. Gostaria de explicitar o que quero dizer com destruição de ilusão teatral. Assim como o público que freqüentava o Globe, as platéias de qualquer encenação de *Hamlet* (sem cortes) hoje em dia não contemplam apenas uma peça dentro da peça, mas são expostas a uma enxurrada de intrigas teatrais, à gozação com respeito às técnicas de atuação e, na verdade, a duas peças dentro da peça, pois a afrontosa e inominada tragédia da morte de Príamo precede a igualmente afrontosa *O Assassinato de Gonzaga*, ambas acintosamente transformadas em *A Ratoeira*, de Hamlet. Isso é demais, como se Shakespeare desejasse afogar a platéia em teatralidade. No trecho que vai da segunda cena do segundo ato à segunda cena do terceiro, não temos como manter a ilusão de que assistimos à tragédia de *Hamlet, Príncipe da Dinamarca*. O que observamos é algo bastante diverso; Shakespeare, tendo atuado como Fantasma, sai de cena, e ao longo de quase mil versos, Richard Burbage, ator que primeiro fez o papel de Príncipe da Dinamarca, entra e sai do papel de Hamlet, e, em dados momentos, representa Will Shakespeare.

Isso bastaria para desintegrar a peça como um todo, mas nada pode destruir *Hamlet*, e a expressão "peça como um todo" não se aplica, conforme procurei demonstrar. Passados quatro séculos, *Hamlet* continua a ser o texto dramático mais experimental até hoje encenado, mesmo na era de Beckett, Pirandello e de todos os praticantes do Teatro do Absurdo. Não é líquido e certo, para mim, que *Hamlet* seja uma tragédia, certamente, não no sentido em que *Otelo*, *Rei Lear* e *Macbeth* são tragédias. Quanto a falhas ou virtudes trágicas, ora, Hamlet o Dinamarquês tem todas as imagináveis, e muitas, muitas outras. Emerson definiu liberdade como despojamento, e *Hamlet* é a mais despojada e a mais livre das peças teatrais. Shakespeare poderia ter tomado emprestado o subtítulo a *Noite de Reis*: *Hamlet ou o Que Quiseres.*

Acontece alguma coisa em *Hamlet*? A pergunta deveria ser ridícula, uma vez que a peça encena oito mortes, inclusive o clímax constituído pela morte do herói; no entanto, tudo é uma questão de perspectiva. Do ponto de vista do Fantasma, nada acontece antes do final, e, àquela altura, a sua sede de vingança contra os vivos já deve estar saciada. Mas a perspectiva do Fantasma não é a nossa, e é mais uma ironia de Shakespeare o fato de ele ter atuado no referido papel. Tudo o que interessa na peça é o inaudito e sempre crescente perímetro da consciência de Hamlet. Se uma única consciência possui uma abrangência infinita, que importância teriam os fatos? Em Hamlet, a auto-revisão jamais é interrompida; ele muda a cada fala. Será que *isso* pode ser devidamente representado no palco? A mente de Hamlet é um teatro em si, e, portanto, a peça tem dois enredos: um externo e um interno. O enredo externo, com toda a sua complexidade, é necessário, para que acreditemos que Hamlet é um ser humano, e não um deus, ou um monstro. Mas Shakespeare não podia, ou talvez não quisesse, diminuir o enredo interno, no qual um poeta fracassa na tentativa de ser sempre poeta.

Por que Hamlet regressa da viagem marítima? Ele poderia ter ido para Wittenberg, Paris ou Londres. Mas, sendo Hamlet o Dinamarquês, sem dúvida sente necessidade de estar entre os dinamarqueses, na Dinamarca, mesmo que a Dinamarca seja uma prisão. A minha pergunta, de algum modo, é fantástica, pois Hamlet não pode mais voltar a estudar em Wittenberg; o Príncipe do quinto ato já não tem o que aprender.

4

Todavia, como leitores, jamais sabemos ao certo como ler *Hamlet*. A cada nova leitura parece que confrontamos uma nova peça. Cláudio, "grande oposto" de Hamlet, é qualquer coisa menos isso; é mestre em artimanhas, e nada mais. Quando reza, em vão, Cláudio diz, referindo-se ao céu: "lá não há trapaças", mas isso não o impede de instigar Laertes, por meio de uma artimanha, a trocar de espada com Hamlet, de modo a desferir no Príncipe o golpe envenenado. O jogo de palavras feito em torno de *trapaça* é uma das indicações fornecidas por Shakespeare quanto à impossibilidade total de se comparar Cláudio a Hamlet.

E os demais personagens tampouco equiparam-se a Hamlet. Laertes — cabeça-oca, banal, manipulável — é igual a qualquer outro vingador, e Fortimbrás é apenas mais um militar truculento, a quem são atribuídas as últimas palavras da peça, entre elas, ironicamente, — "Atirem" —, quando este se apropria do corpo de Hamlet, destinando-o a um sepultamento com honras militares. O papel de Ofélia contém *pathos*, mas ela é apenas uma vítima, empurrada, em um vai-e-vem, entre o pai e o amante que pouco a ama. Polônio é um tolo; Rosenkrantz e Guildenstern são oportunistas de somenos importância, e o admirável Horácio carece de personalidade, sendo apenas alguém para contracenar com Hamlet. A Rainha Gertrudes é sexualmente atraente — e pouco mais do que isso. Só mesmo o coveiro-comediante tem uma espirituosidade que está à altura de Hamlet. A peça é sempre diferente porque Hamlet é tão extraordinariamente mutável, e não há outro centro de interesse possível senão ele, exceto (brevemente) o ambíguo Fantasma do guerreiro/amante/não-pai, Rei Hamlet.

Shakespeare, cuja ironia é tamanha que chega a escapar à nossa compreensão, oferece-nos uma peça que é toda Hamlet: sutil, volátil, dotada de suprema inteligência. Se lermos bem e plenamente a peça, não teremos escolha: tornamo-nos Hamlet, o que, às vezes, deixa-nos atônitos. O que mais interessa a respeito de Hamlet não é a situação difícil em que ele se encontra, mas o seu dom natural: ele expande-nos a mente e o espírito, pois não há outro meio de apreendê-lo. Mas tudo tem um preço, e Hamlet acaba por nos atrair ao abismo que é a sua consciência, e que contém elementos niilistas que superam o niilismo de Iago, de Edmundo (em *Rei Lear*), ou de Leontes (em *Conto do Inverno*).

Claro está, Shakespeare é mais abrangente e versátil do que Hamlet, mas se pudermos personificar o poeta niilista da obra shakespeariana, identificando-o com um único personagem, tal figura haverá de ser Hamlet, uma vez que Iago "escreve" utilizando-se das vidas dos demais personagens, enquanto Hamlet escreve novas falas para atores e improvisa cantiguinhas fantásticas. Mas Hamlet é um poeta niilista em dois sentidos: em termos de conteúdo e atitude. Em uma peça que versa sobre peças teatrais, com uma linguagem que versa sobre si mesma, Hamlet não crê em coisa alguma, nem mesmo na linguagem e no ser. Os críticos de orientação cristã deveriam ficar mais apreensivos com Hamlet do que de costume; Hamlet continua à frente de grande parte do seu público no pós-cristianismo. Não se trata de atribuir a Hamlet um mero ceticismo; como, nessa peça, podemos saber quando ele é ator e quando é Príncipe? Hamlet demonstra, em dados momentos, o desconcertante distanciamento manifestado pelo próprio Shakespeare nos *Sonetos*. Ambos expressam apenas o que já está morto em seus corações, embora somente Hamlet demonstre uma espécie de desprezo pelo ato da fala. Ainda assim, ele professa, com sinceridade, a sua admiração pela boa atuação cênica, por atores que falam exatamente aquilo que Shakespeare escreveu. E ele é o melhor dos atores. Precisa de uma platéia e a conquista, para sempre. Mas será Hamlet mais ator ou mais poeta?

Entendemos que Shakespeare tenha sido o que atualmente chamaríamos "ator que constrói personagens", perito em representar velhos e reis ingleses. Heróis, vilões e comediantes não eram papéis que lhe coubessem. Assusta-me (embora isso não devesse ocorrer) pensar em Shakespeare, no palco, no papel do Fantasma, dirigindo-se ao filho, Hamlet. O pobre Shakespeare estaria envergando uma armadura, e armadura (mesmo quando figurino de teatro) é coisa pesada. Não gostaríamos de ver Hamlet com uma armadura — e não vemos. O Príncipe já é suficientemente teatral sem armadura, e como ironista ou poeta niilista ele até zombaria da mesma. Muito estranharíamos ouvir Hamlet bradar: "Mais uma vez à luta, companheiros, / Ou ergamos a trincheira com nossos ingleses mortos!". O Príncipe Hal, especialmente em *A Primeira Parte de Henrique IV*, tem um toque de Hamlet; porém, depois que se torna Henrique V, mais parece Fortimbrás, embora um incrível Fortimbrás, pupilo de Sir John Falstaff, o Sócrates de Eastcheap.

Shakespeare, com grande brilho, faz de Hamlet mais ator do que poeta, o que, no entanto, não deixa de ser lamentável, pois, afinal, a peça é uma tragédia. Ou melhor, o leitor, embora deslumbrado com a poesia de Hamlet, necessariamente, sente-se mais tentado a descobrir quando Hamlet está atuando, e quando não está. Ao ler *Hamlet*, é preciso sempre ter em mente tanto o ator quanto o poeta. E, portanto, volto-me agora para o solilóquio dos solilóquios.

Estamos na primeira cena do terceiro ato, aproximando-nos do final do longo hiato que Shakespeare introduz, em uma ilusão dramática minimamente plausível, uma peça centrada em Hamlet. Adiante, temos as instruções de Hamlet aos atores, e temos a produção de *A Ratoeira*. Não pode haver em *Hamlet* um trecho central; a peça é por demais variada, e os protagonistas demasiadamente voláteis. Todavia, há mais de dois séculos, o solilóquio "Ser ou não ser" tem gozado de tamanha popularidade que, hoje em dia, parece batido, de tanta repetição. Tenho profunda admiração pelo crítico romântico, Charles Lamb, meu precursor na valorização da leitura de Shakespeare acima de produções teatrais sofríveis, mas não gostaria que os leitores se deixassem contagiar pela frustração de Lamb, no tocante à impossibilidade de se confrontar, com renovado vigor, esse belíssimo solilóquio:

> Confesso-me inteiramente incapaz de apreciar o célebre solilóquio [...] ou de discernir se o mesmo é bom, ruim ou indiferente; as palavras têm sido a tal ponto manuseadas e maltratadas, em declamação, por meninos e homens, e arrancadas, de modo tão desumano, de seu hábitat e momento dentro da peça, que se tornaram, para mim, um membro paralisado.

Esse solilóquio, terceiro em uma série de sete na peça, aborda a relação negativa entre conhecimento e ação, sendo, portanto, o germe do grande poema que Hamlet escreverá para o Ator-Rei, e que culmina nos versos:

> Mas, para terminar como o começo,
> Cada fato é à idéia tão avesso,
> Que os planos ficam sempre insatisfeitos;
> As idéias são nossas, não os feitos.[7]
> [III.ii.]

O início do grande solilóquio é tão conhecido (do leitor, hoje em dia) que convém ouvir, atentamente, o que Hamlet está dizendo, para si mesmo e para nós:

> Ser ou não ser, essa é que é a questão:
> Será mais nobre suportar na mente
> As flechadas da trágica fortuna
> Ou tomar armas contra um mar de escolhos
> E enfrentando-os, vencer?[8]

Até nesse momento, Hamlet é irônico, se atentarmos para a metáfora expressa na luta contra o mar, elemento invencível, a despeito de qualquer perícia militar. O mar haverá de pôr um fim aos nossos problemas — e a nós —, conforme insinua Hamlet. O leitor deve ser cauteloso, ao supor que a questão ser ou não ser refere-se apenas ao suicídio; Hamlet, na verdade, não contempla o suicídio. Sua fina ironia, como a de Shakespeare nos *Sonetos*, sempre sugere um grau de distanciamento que costuma nos escapar. Antes de mais nada, Hamlet está refletindo sobre a vontade, conforme o faz Shakespeare, freqüentemente, nos *Sonetos*. Teremos, de fato, vontade bastante para agir, ou será que somos levados pelo tédio à ação, e quais seriam os limites da vontade? Como pode uma consciência, mesmo vasta como a de Hamlet, estar ciente de todas as contingências relevantes para aspirar por um fim, quando não pode ter conhecimento dos fins do próprio pensamento?

---

[7] Op. cit., p. 101. [N.T.]
[8] Op. cit., p. 89. [N.T.]

O mal de Hamlet, conforme reconheceu Nietzsche, não é o fato de pensar demais, mas de pensar bem demais. Hamlet perece em decorrência da verdade, a menos que se volte para a arte, mas ele pertence à realeza e à nobreza, e é perseguido por um sentimento de nostalgia pela ação, embora seu intelecto seja profundamente cético com respeito à ação:

> Assim nossa consciência se acovarda
> E o instinto que inspira as decisões
> Desmaia no indeciso pensamento;
> E as empresas supremas e oportunas
> Desviam-se do fio da corrente
> E não são mais ação.[9]
>
> [III.i.]

Examinemos esses versos com minúcia. A metáfora do mar de escolhos ainda reverbera em "corrente", assimilando a empresa da vingança à complexa realidade de "escolhos", e ironizando — "supremas e oportunas" —, de modo que ouvimos o movimento do mar imitado na linguagem. Hamlet, tanto quanto os discípulos de Shakespeare — Milton e os Românticos —, pretende afirmar o poder da mente sobre o universo da morte, ou mar de escolhos, mas não pode fazê-lo, pois seu pensamento é lúcido demais. O Príncipe prenuncia os nossos limites, quatro séculos mais tarde, quando qualquer um de nós se dá conta de que mesmo um profundo conhecimento do consciente pouco nos vale para decifrarmos o inconsciente, mistério que confunde a vontade.

5

Antes da matança que encerra a peça, Hamlet diz a Horácio: "[...] eu vencerei, com a vantagem que me oferecem. Mas não podes imaginar a angústia que sinto no coração".[10] Trata-se de um presságio, mas, além disso, reflete o temor de legar à posteridade um nome manchado. No desfecho da trama, o que Hamlet deseja é a nossa boa opinião a seu respeito:

---

[9] Op. cit., p. 89-90. [N.T.]

[10] Op. cit., p. 165. [N.T.]

> Se tiver que ser agora, não está para vir; se não estiver para vir, será agora; e se não for agora, mesmo assim virá. O estar pronto é tudo.[11]

Seu espírito está pronto (disposto) e sua carne não é fraca. A morte de Hamlet é extraordinária, ao som das próprias palavras do personagem: "Seja tudo como for". Morte alguma na literatura secular nos persegue mais do que essa. Por quê? As derradeiras palavras de Hamlet — "O mais, tudo é silêncio" — são ambíguas, do ponto de vista espiritual, mas as leio como um prenúncio de aniquilamento, e não de ressurreição. Aí talvez esteja a melhor resposta à pergunta "Por que ler *Hamlet*?". O Príncipe não morre com o intuito de nos salvar, mas com a preocupação única de não deixar para trás um nome manchado. Quanto a nós, a despeito de vislumbrarmos aniquilamento ou ressurreição, provavelmente, preocupamo-nos com nosso nome. Hamlet, a mais carismática e inteligente de todas as figuras ficcionais, prenuncia as nossas esperanças de coragem diante do fim comum.

Henrik Ibsen: *Hedda Gabler*

> Deve haver gigante e duende no que escrevo.
>
> Ibsen

> Devo negar a honra de ter trabalhado conscientemente em favor dos direitos da mulher. Sequer sei ao certo quais são os direitos da mulher.
>
> Ibsen

> Se Ibsen era feminista, eu sou Bispo.
>
> James Joyce

Hedda Gabler (1890) é uma grande tragicomédia, obra-prima da era do Esteticismo. Situo-a aqui entre *Hamlet* (1600) e *A Importância de Ser Pru-*

[11] Ibid. [N.T.]

dente (1895), em parte, porque a peça ocupa uma posição mediana, entre a tragédia irônica de Hamlet e a sublime comédia *nonsense* de Lady Bracknell e demais tresloucados de Wilde. Mas, sendo *Hedda Gabler*, de modo sutil e profundo, uma peça shakespeariana, elegi-a, também, para demonstrar até que ponto mesmo um Ibsen, extremamente original, é pós-shakespeariano, em todos os seus estilos. Ademais, como ler *Hedda Gabler* é treinamento para a leitura da maioria da literatura dramática pós-Ibsen.

Oscar Wilde, após assistir a uma encenação de *Hedda Gabler*, escreveu: "Senti terror e compaixão, como se a peça fosse grega". Wilde, em 1891, não confessa que o terror e a compaixão dizem respeito a ele próprio, mas era astuto demais para deixar de reconhecer na autodestruição de Hedda algo semelhante ao seu próprio instinto de condenação. Contudo, Wilde não era Iago; não destruiu ninguém. Hedda Gabler é uma maravilhosa mescla de Iago e da Cleópatra shakespeariana, a um só tempo, genial na avaliação que faz da vida de terceiros, e mulher heroicamente fatal.

Em parte devido à marcante influência de Ibsen em Arthur Miller, muitos leitores e espectadores pensam que o autor de *Brand* e *Peer Gynt* é um dramaturgo com interesse estritamente social. Ibsen apresenta algumas preocupações sociais, mas estas são periféricas, comparadas à sua obsessão demoníaca com personagem e personalidade, o que eu qualificaria como a sua inclinação por gigantes e duendes. Figura mitológica limítrofe, como Peer Gynt, criado pelo próprio Ibsen, o autor, essencialmente, representa a si mesmo na mitológica (ou, mais precisamente, *Huldre*) Hedda Gabler. Na mitologia norueguesa, *Huldre* é filha de Lilith, primeira mulher de Adão, que, segundo a Cabala, abandona-o depois de uma discussão a respeito da posição correta a ser adotada na relação sexual. As figuras mitológicas norueguesas encarnam versões mais bárbaras dos nossos instintos eróticos e destrutivos, e, embora sejam demônios ou fadas, têm o poder de se fazer passar por humanos.

O folclore norueguês está repleto de lendas de homens que se casam com *Huldres*, a mais enganosa e sedutora das figuras mitológicas femininas. Beldades frias, as *Huldres*, em sua natureza perversa, transformam-se em um rabo de vaca, que pende da parede externa da igreja onde desposaram seus maridos humanos. Claro está, Hedda, filha do falecido General

Gabler, não é, literalmente, uma *Huldre*, mas essa é, sem dúvida, uma faceta de sua identidade simbólica na peça. Assim como Cleópatra é, para Antônio, a "serpente do Nilo", Hedda também possui algo de serpente. Cleópatra é uma das criaturas mais magníficas criadas por Shakespeare, e a extraordinária Hedda reúne a espirituosidade e o fascínio de Cleópatra e a esplêndida capacidade de manipulação de Iago.

O que Hedda não tem de semelhante à Rainha do Egito é a audácia social, nem a sua alegre sensualidade. Como o próprio Ibsen, que não se realizou no casamento, Hedda deseja e, ao mesmo tempo, teme o sexo, e, novamente, como Ibsen, tem pavor de perder o respeito da sociedade. Esse pavor, em Hedda, está relacionado ao medo de ser reconhecida como uma *Huldre*, e, no caso de Ibsen, de tornar pública a sua mitológica luxúria.

Hedda, mulher de vinte e nove anos de idade, casou-se com um homem que lhe é socialmente inferior, vive uma gravidez não desejada, e sente um tédio terrível ao lado do marido, Jorge Tesman, um típico pesquisador acadêmico, bonzinho e bobo. Mas nem mesmo um marido fascinante, como o antigo admirador, o dionisíaco poeta Eilert Loevborg (sátira a Strindberg), seria capaz de salvar Hedda do mal que a aflige. Tampouco uma carreira militar, como a do pai, General Gabler, haveria de salvá-la dela mesma, alternativa que, na verdade, não lhe estava disponível na Noruega em 1890. De nada adiantaria lamentar que Hedda esteja "presa em um corpo de mulher", ou em um casamento absurdo, ou que ela não possa chefiar a indústria bélica norueguesa. Já na primeira entrada em cena, Hedda define o seu estado de alma; a criada deixara as janelas abertas, e a sala está inundada de luz: "Meu caro Tesman, baixe a cortina. Assim a luz ficará suavizada".[12]

William Hazlitt observou que Iago "trama a ruína de amigos como um exercício mental, e apunhala indivíduos em um beco escuro para acabar com o tédio". Ibsen inspira-se em Iago, com a diferença que Hedda trama a ruína de Loevborg, queimando-lhe o manuscrito, entregando-lhe, friamente, uma das pistolas usadas em duelos pelo General, e pressionan-

[12] *Hedda Gabler*. Tradução de Luiz Leite Vidal. *Suplemento de Dyonisos* 1. Teatro Universal. Ministério da Educação e Cultura, s.d., p. 13. [N.T.]

do o poeta: "Faça-o bem feito". Loevborg deve matar-se em grande estilo, satisfazendo assim o esteticismo autêntico de Hedda (aspecto em que, mais uma vez, Iago é o precursor). Em notas para a montagem da peça, Ibsen registra, "Hedda representa o tédio", e acrescenta: "Para Hedda, a vida é uma farsa que não vale a pena ser assistida até o final". A protagonista corre em direção a esse final, escrevendo a sua própria farsa, tendo em Loevborg a primeira vítima, e em si mesma a última, que se autodestrói.

No entanto, se Hedda é Iago de saias, detentora de um brilho comparável ao do alferes, é também Cleópatra, exibindo até mais do que poderíamos esperar, em termos da atração fatal típica de Cleópatra, embora Hedda não tenha a "infinita variedade" da Rainha do Egito. Se o eu interior de Hedda é o de Ibsen, fica explicada a tangível satisfação do dramaturgo quando ela aniquila Loevborg, poeta alcoólatra, retrato malicioso do dramaturgo Strindberg, que, cego de inveja, odiava Ibsen, sendo, em contrapartida (e de bom grado), por Ibsen odiado. Por enquanto, estamos apenas na periferia dessa peça extraordinária, mas já é hora de nos aprofundarmos na leitura dessa cruel obra-prima de Ibsen.

Embora, antes do casamento, Hedda houvesse flertado intensamente com Loevborg, para ela, o poeta era apenas uma experiência vicária, uma vez que ela servia de confidente para as escapadas dionisíacas do jovem. Na verdade, o desejo de Hedda, conforme insinuado ao longo de toda a peça, é caracterizado pelo sadismo homossexual reprimido, tendo por objeto a bela Thea Elvsted, colega de escola, mais jovem do que a protagonista. Fica muito claro que, no mínimo, Hedda deseja arrancar os belíssimos cabelos de Thea, e com eles fazer uma fogueira. Trata-se de um desejo que remonta aos tempos de escola das duas. A piromania de Hedda, mais uma vez, advém da de Iago; ambos seriam capazes de atear fogo à humanidade.

Em *Hedda Gabler* há apenas sete personagens, sendo dois de pouca importância, a tia de Tesman e a criada de Hedda. Além de Hedda e seu marido, Tesman, e Loevborg e sua "musa", Thea, temos o vilão da peça, o Assessor Brack, que deseja Hedda, e que a leva ao suicídio, no desfecho da ação. É vital que o leitor perceba que Hedda é uma heroína-vilã, digamos, um pouco Cleópatra, um pouco Iago. Do ponto de vista *dramático*, jamais deixamos de sentir simpatia por Hedda (ou por Cleópatra, ou Iago), por mais que tentemos resistir ao seu fascínio de *Huldre*, sempre presente. O maior receio de Hedda, além do escândalo público, é morrer de tédio; mas ela própria é de uma perversidade tão sublime que jamais entediaria quem quer que seja. Quanto ao Assessor Brack, este não passa de um manipulador; em pouco tempo aprendemos a detestá-lo, e compreendemos por que Hedda decide se suicidar, quando se vê sob seu poder. Brack descobre que Hedda instigou o suicídio "acidental" de Loevborg, dando-lhe de presente uma pistola que pertencera ao General, e oferece a ela duas opções: ser exposta à execração pública ou se tornar sua amante; as opções são para Hedda inaceitáveis.

Brack transaciona com e pelo poder; até mesmo o desejo que sente por Hedda mais parece uma afirmação da vontade do que da carne. O que pretende Hedda Gabler? Cleópatra quer governar o mundo, ao lado de Antônio, enquanto Iago pretende desintegrar Otelo, e, brilhantemente, causa-lhe a ruína. Inquieta, vibrante e abnegada, em tudo ambígua, Hedda pretende levar a cabo uma vingança de *Huldre* contra a realidade humana. Mesmo a paixão por Thea, que Hedda mal consegue reprimir, é destrutiva ao ponto de ser assustadora; qualquer avanço sexual de Hedda sobre Thea seria seguido da tentativa de queimá-la viva. Uma vez que Thea "salvou" Loevborg da dissipação, e o inspirou a escrever um manuscrito supostamente extraordinário sobre o futuro da civilização, torna-se necessário para Hedda queimar a única cópia do que seria o livro de Loevborg gerado por Thea, em outras palavras, um filho dos dois:

> *Hedda* (*Lançando um dos cadernos ao fogo e murmurando baixinho*)
> Agora, queimo teu filho. Thea, Thea, a bela de cabelos crespos!
> (*Atira ao fogo vários outros cadernos*)
> Queimo o filho que tiveste com Eylert Loevborg. Agora queimo, queimo a criança![13]

Essa atitude e essas palavras encerram o terceiro dos quatro atos da peça. O leitor deve se lembrar que a própria Hedda está grávida; talvez o

---

[13] Op. cit., p. 55. [N.T.]

manuscrito seja um substituto dos cabelos de Thea, ou mesmo da criança da própria Hedda, que jamais nascerá. Por mais sombria que seja, a cena contém uma malevolência histérica e apresenta um forte elemento do que Henry James, assistindo, em 1891, a uma montagem londrina da peça, definiu como "brincadeira irônica". O humor irônico de Ibsen cumula no momento em que Hedda se mostra decepcionada porque a auto-imolação de Loevborg não foi dionisíaca, em grande estilo, mas acidental, em um bordel elegante:

> *Hedda*
> [...] Foi pois ali que o encontraram!
> *Brack*
> Sim. Tinha na mão uma pistola descarregada. O tiro foi mortal.
> *Hedda*
> Um tiro no peito!
> *Brack*
> Não. No baixo-ventre.
> *Hedda* (*Erguendo-se e olha para ele com uma expressão de nojo*)
> É o cúmulo! O ridículo e a baixeza, como uma maldição, atingem a tudo aquilo que toco.[14]

Com uma grande atriz, como Peggy Ashcroft ou Maggie Smith, fazendo o papel de Hedda, esse momento é, igualmente, terrível e maravilhoso. Na verdade, ninguém ama ninguém na peça; são todos solipsistas, Hedda a mais sublime. Com satisfação, Thea e Tesman logo se dispõem a reunir anotações com base nas quais poderão reconstituir a obra-prima de Loevborg sobre o futuro da civilização, que, decerto, será tão ridícula quanto o fim do pobre Loevborg, visto que, evidentemente, durante uma briga no bordel, ele alvejara seus próprios órgãos genitais. A fúria de Strindberg é compreensível, embora o travesso Ibsen devesse estar rindo, mordazmente. Flaubert confessou: "Madame Bovary sou eu"; Ibsen não precisa confessar coisa alguma. Mais do que o pilantra Peer Gynt, Hedda é Ibsen, e

[14] Op. cit., p. 63. [N.T.]

até Ibsen deve ter ficado um pouco abalado diante do fim por ele próprio reservado a ela:

> *Hedda* (*do quarto do fundo*)
> Ouço tudo o que dizes, Tesman, mas nesse ínterim, que farei das minhas noites?
> *Tesman* (*folheando as notas*)
> Oh! O Assessor Brack terá a bondade de te fazer companhia.
> *Brack* (*exclama alegremente, do fundo da poltrona*)
> Todas as noites, se isso lhe agrada, senhora Tesman. Encontraremos um meio de nos divertir.
> *Hedda* (*com voz clara e distinta*)
> Não é, Assessor? É o que esperava. O único galo no terreiro!
> (*Ouve-se um tiro*)[15]

Uma coisa é certa: Hedda Gabler fez tudo em grande estilo, embora, dificilmente, tenha procedido com a elegância de Cleópatra, no suicídio apoteótico. Apesar de não ser, exatamente, mártir feminista, e de estar restrita a um palco menos vasto do que o teatro-do-mundo de Cleópatra, Hedda faz o melhor possível, na sofismada moralidade burguesa da Noruega de Ibsen. Hedda não nos chega a estontear, como o faz Iago, mas há que se reconhecer que Loevborg tampouco é Otelo. Com ironia escabrosa, Ibsen cerca a *Huldre* Hedda, exclusivamente, de personagens de segunda categoria, que mal conseguem atingi-la, com provocações à altura do pleno potencial de sua bela perversidade.

No entanto, às vezes, me pergunto: haverá na literatura dramática dos últimos cem anos algum personagem que mais me agrade do que Hedda? Temos Lady Bracknell, em *A Importância de Ser Prudente*, de Wilde, mas tal personagem é egressa do mundo *nonsense* de Lewis Carroll, W. S. Gilbert e Edward Lear. As heroínas de Tchekhov são adoráveis, e eu as aprecio tremendamente — mas à distância. A perturbada e perturbadora Hedda Gabler me está bem próxima. Ibsen mantinha sobre a escrivaninha em que trabalhava um escorpião dentro de um vidro, e se divertia alimen-

[15] Op. cit., p. 65. [N.T.]

tando o inseto com pedaços de melão. Hedda Gabler, mortal e fascinante, é filha dessa sensibilidade.

Oscar Wilde: *A Importância de Ser Prudente*

1

Depois de Shakespeare, a maioria das melhores comédias teatrais em língua inglesa foi escrita por autores anglo-irlandeses. *The Way of the World*, de William Congreve, *She Stoops to Conquer*, de Oliver Goldsmith, *The School for Scandal*, de Richard Brinsley Sheridan, foram, mais tarde, acompanhadas de *A Importância de Ser Prudente*, de Oscar Wilde, *Pigmalião*, de George Bernard Shaw, *O Prodígio do Mundo Ocidental*, de John Millington Synge, e *Esperando Godot*, de Samuel Beckett. A deliciosa peça de Wilde, *Prudente* (que assim passo a chamar, em abreviação), talvez seja a melhor comédia britânica desde *Noite de Reis*, de Shakespeare, superando as obras rivais listadas acima. *Prudente* é um verdadeiro milagre, sempre nova e, portanto, sempre revigorante, obra-prima de Wilde, tão maravilhosa quanto dois dos seus ensaios críticos: "A Alma do Homem sob o Socialismo" e o diálogo "A Decadência da Mentira".

As reais afinidades de *Prudente* são com Lewis Carroll e Gilbert e Sullivan; Wilde não escreveu comédias leves em *An Ideal Husband*, *Lady Windemere's Fan* e *A Woman of No Importance*. Essas comédias ainda funcionam muito bem no palco, mas, em termos de gênero, não poderiam ser comparadas a *Patience*, *Iolanthe* e *Alice Através do Espelho*, tampouco aos *Nonsense Books*, de Edward Lear. *Prudente* faz parte do cosmo da Literatura *Nonsense*, juntamente com os contos de Saki (H. H. Munro) e os romances de Ronald Firbank. A Literatura *Nonsense*, no que tem de melhor, resgata-nos do *nonsense* banal, transportando-nos a uma região estranhamente leve e, em última análise, perturbadora. As obras-primas do *Nonsense* em língua inglesa são os livros de Alice, escritos por Carroll, mas *Prudente* merece toda a nossa atenção.

Na versão original de *Prudente*, em quatro atos (a versão condensada, em três atos, é bem superior), Algernon, personagem que fala por Wilde, afirma a lei do autor:

> A minha experiência de vida diz que sempre que falamos uma mentira somos amplamente corroborados. Quando dizemos a verdade, ficamos em uma posição isolada e dolorosa, e ninguém acredita em uma só palavra do que dizemos.

Em “A Decadência da Mentira”, o porta-voz de Wilde, Vivian, despreza as mentirinhas dos políticos:

> Jamais chegam a ir além da mera distorção, e se prestam à humilhação da prova, da discussão, da argumentação. Como diferem do temperamento do verdadeiro mentiroso, com suas afirmações francas, destemidas, sua esplêndida irresponsabilidade, seu saudável desdém quanto a todo e qualquer tipo de prova! Afinal, o que é uma bela mentira? Simplesmente, aquilo que é prova de si mesmo. Se um indivíduo é desprovido de imaginação ao ponto de produzir evidências que sustentem uma mentira, é melhor que fale logo a verdade.

Para Wilde, mentir é dar origem, pôr em movimento. Quando Alice, em *Através do Espelho*, diz seu nome, em resposta à pergunta mal-humorada de Humpty-Dumpty, este a interrompe e indaga: “O que significa?”. “Será que um nome *tem* de significar alguma coisa?”, pergunta Alice, em dúvida, e Humpty-Dumpty responde: “É claro que sim [...] *meu* nome traduz a minha forma”. A importância de ser Ernest (nome que Gwendolen e Cecília desejam para seus futuros maridos),[16] conforme Wilde bem o sabe embora não nos revele, é que a palavra *earnest* (ou Ernest) remete ao radical indo-europeu *er*, que quer dizer “originar”. Ser “*earnest*” é ser original, formulação *nonsense* que Wilde, astutamente, tanto aprecia, pois originalidade, de modo geral, está ausente à sua genialidade. Personagem algum em *Prudente* é original; são todos sublimes e afrontosos, mas sempre tradicionais, e, ainda assim, a peça é marcada por uma originalidade vivaz.

[16] Em língua inglesa, o nome próprio masculino Ernest e o adjetivo *earnest* (que consta do título original da peça de Wilde, e que significa “sério”, “prudente”) formam jogo de palavras; em português, Prudente e prudente expressam jogo de palavras aproximado. [N.T.]

A grande figura em *Prudente* é Lady Bracknell, talvez a mais extraordinária personagem cômica desde Sir John Falstaff, estrela das peças *Henrique IV*, de Shakespeare, e a única criação do dramaturgo inglês capaz de competir com Hamlet, em termos de popularidade (desde os tempos de Shakespeare até o presente). Eis Lady Bracknell, imperiosa, conduzindo uma conversa com João Worthing, depois que este propõe casamento a Gwendolen. Ao ser informada, pelo próprio João, a respeito da perda do pai e da mãe deste, Lady Bracknell observa: "[perder os dois] Isso já parece descuido da sua parte".[17] Nesse momento, assim como no final da referida conversa, detectamos o estilo de Samuel Johnson, que se mistura à zombaria que Falstaff faz do pedantismo, ensejando as tiradas grandiloqüentes de Lady Bracknell:

> *Lady Bracknell*
> Em que lugar encontrou esse tal James ou Thomas Cardew essa maleta vulgar?
> *João*
> No vestiário da Estação Vitória. Levou-a por engano, em lugar da sua.
> *Lady Bracknell*
> Na Estação Vitória?
> *João*
> Sim, na Linha de Brighton.
> *Lady Bracknell*
> A linha é coisa secundária. Confesso, Sr. Worthing, que me sinto um tanto desnorteada pelo que me acaba de dizer. Ter nascido, ou, pelo menos, ter sido criado numa maleta, com alças ou sem alças, parece revelar tal desprezo pelas ordinárias decências da vida familiar, que nos lembra os piores excessos da Revolução Francesa. E presumo que o senhor não ignora o fim que teve esse desgraçado movimento. Quanto ao local em que foi encontrada a maleta — um vestiário de estação ferroviária —, podia muito bem

---

[17] *A Importância de Ser Prudente.* Tradução de Guilherme de Almeida e Werner J. Loewenberg. Rio de Janeiro: Civilização Brasileira, 1998, p. 38. [N.T.]

servir para ocultar uma inconveniência social. E não teria sido a primeira vez que esse local foi utilizado para tal fim. Mas dificilmente isso poderia justificar uma invejável posição social.

João

Permita-me que lhe pergunte, então, o que me aconselharia fazer? Não preciso dizer que farei tudo para assegurar a felicidade de Gwendolen.

Lady Bracknell

Seriamente, Sr. Worthing, eu lhe aconselharia tratar, quanto antes, de adquirir alguns parentes, e envidar todos os esforços para, de qualquer modo, apresentar um pai ou pelo menos uma mãe, antes do fim da temporada.

João

Não vejo como conseguir isso. Posso, em qualquer momento, apresentar a mala, que tenho em casa. Parece-me que isso devia bastar, não, Lady Bracknell?

Lady Bracknell

Bastar-me? Que tenho eu com isso? Então o senhor pensa que eu e Lord Bracknell vamos consentir que nossa única filha — uma menina educada com todo o carinho e cuidado — acabe casando-se com uma peça de bagagem numa estação ferroviária? Passe muito bem, Sr. Worthing!

(*Lady Bracknell sai pela porta com majestosa indignação*)[18]

Os apartes gratuitos de Lady Bracknell são triunfos de Wilde, beirando o *nonsense*: "A linha é coisa secundária"; "com alças ou sem alças"; "um pai ou pelo menos uma mãe"; "uma menina educada com todo o carinho e cuidado"; "casando-se com uma peça de bagagem". Como ler os grandes pronunciamentos de Lady Bracknell? Outra maneira de formular essa pergunta seria: "Por que Lady Bracknell tanto nos diverte?".

De certo modo, Lady Bracknell é engraçada, justamente, por ser desprovida de humor, em contraste gritante com Falstaff. Mas como Wilde

[18] Op. cit., p. 39-40. [N.T.]

está escrevendo uma farsa que beira o *nonsense*, Lady Bracknell não é, absolutamente, a representação de um ser humano real. A comédia shakespeariana não é o forte de Wilde. Em 1881, Wilde fora satirizado como Bunthorne, o "embuste estético", na opereta *Patience*, de Gilbert e Sullivan. A partir de então, Gilbert pairou na mente criativa de Wilde, embora sem grande efeito, até o advento de *Prudente*, que deve muito mais a *Iolanthe* e *Os Piratas de Penzance* do que a *Patience*. Algernon, João, Gwendolen, Cecília, Miss Prism e o Reverendo Chasuble não são fantásticos e imponentes como Lady Bracknell, mas não são mais sintonizados com o Princípio da Realidade do que ela. Os almofadinhas estetas de Wilde, bem como os grotescos por ele criados, sempre nos remetem ao próprio Wilde, um mestre da linguagem, da fantasia e dos paradoxos da arte. W. S. Gilbert foi muito menos do que isso, mas Wilde (assim como Shakespeare), de bom grado, apropriava-se da obra de qualquer um, e *Prudente* circunscreve Gilbert e Sullivan, mas em nome de uma visão estética alheia à dupla.

De modo bastante sutil, *Prudente* está mais próxima ao *ethos* de Falstaff e de Sancho Pança do que de qualquer outra peça literária. A "Comédia Banal para Gente Séria" (subtítulo enganoso) escrita por Wilde transporta-nos ao mundo dos folguedos infantis, onde a presença ou a falta de sanduíches de pepino é uma crise como outra qualquer, com graves conseqüências. Com efeito, quando penso em *Prudente*, lembro-me, em primeiro lugar, de Lady Bracknell e, na seqüência, dos sanduíches de pepino, item culinário hoje, e para sempre, associado ao sublime Oscar. Em parte, ler *Prudente* é saborear sanduíches de pepino, acompanhados de chá ou champanha, bem no espírito da peça. Tendo devorado *todos* os sanduíches de pepino, enquanto os nega a João, Algernon envolve o criado, Lane, em um diálogo extraordinário:

> *Lady Bracknell*
> [...] Pois é. Agora vou tomar uma xícara de chá, e um dos tais sanduíches de pepino que você prometeu.
> *Algernon*
> Pois não, tia Augusta.
> (*Dirige-se para a mesa*)
> *Lady Bracknell*
> Não quer sentar-se aqui, Gwendolen?

Gwendolen
Obrigada, mamãe, estou muito bem aqui.
Algernon (*Tomando, horrorizado, o prato vazio*)
Que é isto, Lane! Que é dos sanduíches de pepino que mandei fazer?
Lane (*Gravemente*)
Não havia pepinos na feira, esta manhã. Fui lá duas vezes.
Algernon
Não havia pepinos?
Lane
Não, senhor. Nem sequer comprando a dinheiro.
Algernon
Está bem, Lane, obrigado.
Lane
Obrigado.
(*Sai*)
Algernon
Estou desolado, tia Augusta. Mas não havia pepinos, nem mesmo comprando a dinheiro.[19]

O interesse permanente de Algernon por comida é uma obsessão desse jovem almofadinha, sendo observada ao longo de toda a peça. Haverá de causar espécie a comparação entre Algernon a Falstaff, que mantém com o mundo sofisticado apenas uma relação negativa, mas Wilde (que tanto apreciava Falstaff) parece ter dividido Sir John entre Lady Bracknell (linguagem) e Algernon (apetite). "Tudo na arte tem importância, exceto o assunto", dizia Wilde, em um de seus aforismos especialmente válidos nesta era ideológica.

2

Wilde poderia ter intitulado esse que é o seu melhor texto teatral *A Importância de Ser Despreocupado*, não fosse o fato de que o significado oculto de *earnest*, para Wilde, conforme vimos, era "originar". Ser original implica-

[19] Op. cit., p. 31. [N.T.]

va mentir, mas mentir despreocupadamente, em nome da arte. A filosofia da peça, disse Oscar a um amigo, era "que devemos levar muito a sério tudo o que existe de banal, e tratar com uma banalidade sincera e estudada tudo o que existe de sério na vida". Vêm-nos, mais uma vez, à mente o interesse de Algernon em comida: "Detesto as pessoas que não levam a sério as refeições. Mostram-se com isso superficiais".[20]

Será que devemos ler *Prudente* como farsa, como *nonsense*, ou como a grande Moralidade de Wilde? Como as três alternativas, eu responderia, pois Wilde, definitivamente, manifesta aqui, e talvez, somente aqui, a sua bela genialidade. Todos na peça são admiravelmente egocêntricos, virtude maior nessa esfera absurda. Os personagens de Wilde, conforme Gwendolen, com orgulho, observa, jamais se modificam, a não ser em seus afetos, e são sempre legítimos mentirosos. No comando do grupo está Lady Bracknell, que, tal qual um poeta do Alto Romantismo, faz prevalecer a sua própria visão da realidade, embora essa visão seja uma paródia do egocentrismo simplório.

Não há pecado nem culpa na subestrutura de *Prudente*, onde o paradoxo da mentira legítima é que todos na peça falam a verdade, seja como reflexão tardia, ou por meio de afrontas e hipérboles. Isso se dá porque a mentira estética é visionária, e não se antepõe à verdade, nem à realidade, mas ao tempo, e à natureza — vassala do tempo. Lady Bracknell é figura portentosa porque triunfa sobre o tempo, como a deusa da "banalidade sincera e estudada".

Jorge Luis Borges observou que Oscar estava sempre certo, ou quase sempre. Como dramaturgo, Wilde é um crítico excepcional, "sempre original em suas citações", conforme comenta Arthur Symons; ademais, como autobiógrafo, é civilizado, nisso residindo, para Wilde, a essência da atividade crítica. Wilde adverte o crítico contra a cilada do "desleixado hábito da acuidade", visto que a crítica mais elevada deve apreender o objeto "como ele, em si mesmo, não é". Isso quer dizer que *Prudente* rejeita tanto a natureza quanto a sociedade, e despreza a imitação de ambas. O "ardente celibato" a que Lady Bracknell (por um momento) condena Gwendolen e João, Cecília e Algernon, é uma sábia piada, e

[20] Op. cit., p. 30. [N.T.]

não a requintada perversão que, talvez, sejamos levados a vislumbrar, pois os personagens de Wilde não são seres humanos; são paradoxos que brincam à solta pelos campos da visão mais feliz de Wilde. Conforme a sátira de Wilde, sempre benévola em *Prudente*, o espalhafato da peça é mantido sob cuidadoso controle.

Falei do triunfo de Lady Bracknell sobre o tempo. Na verdade, a peça é concluída como o triunfo de Lady Bracknell: suas virtudes egocêntricas dominam o maravilhoso desfecho da ação, em que todos estão prestes a se casar, todos recebendo a bênção da dama. Será que não deveríamos ler a peça a partir da noção de que Lady Bracknell, e não João ou Algernon, é o verdadeiro porta-voz de Wilde? Se Ibsen era Hedda Gabler, então, Oscar era Lady Bracknell, cujo atrevimento é maior do que o de qualquer outro personagem da peça:

> *Lady Bracknell*
> (*Puxa o relógio*)
> [...] Vamos, querida.
> (*Gwendolen levanta-se*)
> Já perdemos cinco ou seis trens. [Perder outros poderia provocar comentários a nosso respeito aqui na plataforma].[21]

Cheguei a aventar a possibilidade de usar a fala acima como epígrafe do meu livro *O Cânone Ocidental* (que não tem epígrafe), mas fui dissuadido por meus editores. O trecho me parece fundamental para o leitor no ano 2000, e para toda a literatura ficcional verdadeiramente canônica. Como ler *A Importância de Ser Prudente*? Devemos partir da constatação de algo que Lady Bracknell, de modo sublime, não é capaz de perceber: ninguém na plataforma, ao ver Gwendolen e sua mãe tão imponente, teria como saber que elas haviam perdido um trem, muito menos cinco, ou seis! Lady Bracknell é tão egomaníaca que, para ela, o mundo não é apenas platéia, mas, na verdade, o empresário que cuida de sua agenda. Contudo, nisso está a tresloucada grandeza da dama — e da peça —, e por isso devemos continuar a reler *A Importância de Ser Prudente*.

[21] Op. cit., p. 87. O trecho entre colchetes foi suplementado pelo presente tradutor. [N.T.]

Resumindo

Shakespeare, cuja arte é tão diversificada, é o mestre da elipse, da arte da omissão. Em *Antônio e Cleópatra* jamais chegamos a ver os amantes imperiais a sós; temos de imaginar como seria a vida dos dois, na ausência do "público" formado de seguidores e criados que sempre os cercam no palco. *Rei Lear* é uma peça em que o grande vilão, Edmundo, e o protagonista, Lear, jamais se falam. Shakespeare nos permite conjeturar por que seria inviável a comunicação entre os dois. Em *Hamlet*, conforme salientei, existe uma diferença extraordinária entre o Príncipe do primeiro ao quarto ato, com a idade, talvez, de dezessete ou dezoito anos, e a figura amadurecida que surge no quinto ato, embora o tempo decorrido não pareça exceder a três ou quatro meses.

Lendo as peças de Shakespeare, aprendemos a refletir sobre aquilo que é omitido. Essa é uma das várias vantagens de que dispõe o leitor, com relação ao espectador de uma peça shakespeariana. A situação ideal é ler a peça, assistir a uma boa montagem da mesma, e, então, proceder à releitura. O próprio Shakespeare, ao dirigir suas peças no Globe, deve ter sentido um certo constrangimento diante dos aspectos do texto negligenciados nas encenações, embora disso não tenhamos provas. Ainda que dirigidos por Shakespeare, é difícil imaginar o ator Richard Burbage captando e expressando toda a ironia de Hamlet, ou o comediante Will Kemp abarcando todo o gama da espirituosidade de Falstaff, nas peças *Henrique IV*.

Provavelmente, nem mesmo o mais avisado dos leitores poderá absorver toda a teatralidade de Hamlet e da peça por ele protagonizada, o "poema ilimitado", inesgotável. Aí reside a glória de *Hamlet*, o aspecto que explica a centralidade dessa obra para a experiência literária. Ibsen, sutil e veladamente influenciado por Shakespeare, mistura Cleópatra e Iago, conforme vimos, em Hedda Gabler, desvairadamente sedutora, a autêntica mulher fatal. Em Hedda, a teatralidade não é infinita como em Hamlet, mas, ainda assim, é bem marcante. Tanto Shakespeare quanto Ibsen desenvolvem a teatralidade (a percepção da peça quanto ao fato de que se trata de uma peça de teatro), em parte, para sugerir um contexto niilista que, em Dostoiévski, é representado pela atmosfera amarelada de Petersburgo. Uma vez que, no teatro, aprendemos o que temos de aprender através dos solilóquios ou diálogos, a voz do romancista é substituída pela própria teatralidade. A imensa influência de Shakespeare sobre a maioria dos romances analisados neste livro atesta o sucesso extraordinário de *Hamlet*, passado e presente, na expansão dos horizontes da arte literária.

Defendi aqui a noção de que Ibsen deve ser lido como lemos Shakespeare, e não como lemos Arthur Miller (ou assistimos a montagens de seus textos). *Prudente*, a grande comédia de Oscar Wilde, decerto, requer um outro tipo de leitura, mais adequado à Literatura *Nonsense*, à arte de Lewis Carroll, Edward Lear e Gilbert e Sullivan. *Nonsense* é uma variação da fantasia literária, e se dirige ao adulto que existe na criança e à criança que se esconde no adulto. Embora Lady Bracknell tenha momentos falstaffianos, conforme já apontei, sua personagem seria mais esclarecedora se tivesse de confrontar Humpty-Dumpty. *A Importância de Ser Prudente* deve ser lida paralelamente aos livros de Alice. Às vezes, convém imaginar Shakespeare vivendo em tempos posteriores, para vivenciar a literatura produzida séculos depois do seu triunfo. Se existe vida após a vida, e se existe leitura em outras vidas (o que seria preferível a assistir aos programas da televisão celestial), eu gostaria de ouvir Shakespeare lendo *Alice Através do Espelho*, em voz alta.

V

Romances, Segunda Parte

Herman Melville: *Moby Dick*

Moby Dick, de Herman Melville, é o inquestionável ancestral dos seis romances norte-americanos por mim analisados neste capítulo, em duas seqüências. A primeira é constituída por *Enquanto Agonizo*, de William Faulkner; *Miss Corações Solitários*, de Nathanael West; *O Leilão do Lote 49*, de Thomas Pynchon; e *Meridiano de Sangue*, de Cormac McCarthy. A segunda inclui apenas dois romances: *O Homem Invisível*, de Ralph Waldo Ellison; e *A Canção de Solomon*, de Toni Morrison. Uma vez que, na verdade, o elo entre as duas seqüências é *Moby Dick*, quero iniciar apresentando uma rápida visão sobre essa que é a mais negativa das perspectivas norte-americanas, ao menos antes do surgimento de *Meridiano de Sangue*, de McCarthy.

Ler *Moby Dick* é uma empreitada grandiosa, como convém a um dos poucos concorrentes ao título de "épico nacional" norte-americano. Mas sendo o Capitão Ahab o protagonista do romance, limitar-me-ei a oferecer uma breve reflexão sobre alguns dos problemas atinentes à leitura de Ahab. Figura claramente shakespeariana, revelando afinidades com Rei Lear e Macbeth, Ahab é (como Macbeth), a rigor, um herói-vilão. Embora venha relendo *Moby Dick* há mais de sessenta anos, não me desviei da experiência que tive como leitor aos nove anos de idade; para mim, Ahab é, primeiramente, um herói, assim como seus rivais norte-americanos, a *persona* "Walt Whitman" e Huckleberry Finn. Por certo, Ahab é responsável pela morte de toda a tripulação do navio, inclusive pela sua própria morte, restando um único sobrevivente, uma figura de Jó, o narrador que nos pede que o chamemos de Ismael. Contudo, quando solicita o apoio da tripulação, na vingativa caça e extermínio de Moby Dick, a baleia cachalote branca como a neve, um leviatã, nitidamente imortal, Ahab consegue arregimentar a tripulação inteira, até mesmo Starbuck, o relutante imediato. A despeito de sua culpa (vale lembrar que os tripulantes tinham livre escolha, embora somente uma recusa por parte do grupo inteiro pudesse deter Ahab), convém pensar o capitão do *Pequod* como um protagonista trágico, bastante similar a Macbeth e ao Satã, de Milton. Em sua obsessão visionária, Ahab apresenta um quê de Quixote, embora a aspereza do Capitão nada tenha em comum com o espírito lúdico do Dom.

William Faulkner dizia que *Moby Dick* era o livro que gostaria de ter escrito; a versão faulkneriana mais próxima do romance de Melville é *Absalão, Absalão!*, em que o obcecado protagonista, Thomas Sutpen, pode ser considerado o Ahab de Faulkner. Com inflamada retórica, Faulkner afirmou que Ahab era "uma espécie de Gólgota do coração, tornado imutável na sonoridade da própria e vertiginosa ruína". "Ruína" aqui não encerra qualquer censura, visto que Faulkner acrescenta: "Eis, agora, uma morte digna do homem".

Moby Dick é o paradigma ficcional do Sublime norte-americano, correspondente a grandes feitos, tanto positivos quanto negativos, desde que profundos. Apesar da considerável dívida de Melville com Shakespeare, *Moby Dick* é obra extraordinariamente original, uma versão norte-americana dos Livros de Jonas e de Jó. Ambos os textos bíblicos são citados, explicitamente, por Melville; o Padre Mapple prega um maravilhoso sermão com base no texto de Jonas, e o "Epílogo" de Ismael tem por epígrafe a fórmula utilizada pelos quatro mensageiros que relatam a

Jó a destruição de sua família e de seus bens: "E só eu escapei para vos dar a notícia".[1]

Uma originalidade deveras radical pode ser constatada no romance de Faulkner *Enquanto Agonizo*, a meu ver, a obra-prima do autor, superando até mesmo *Luz em Agosto*, *Santuário*, *O Som e a Fúria* e *Absalão, Absalão!*. Originalidade em grau comparável existe no breve romance de Nathanael West intitulado *Miss Corações Solitários* e na obra *O Leilão do Lote 49*, de Thomas Pynchon. Uma originalidade assustadora caracteriza *Meridiano de Sangue*, de Cormac McCarthy, que me parece, às vésperas do século XXI, a obra ficcional mais contundente escrita por um autor norte-americano vivo. A originalidade verdadeiramente autêntica, sempre difícil de ser alcançada depois de Shakespeare e Cervantes, é especialmente rara na literatura norte-americana dos séculos XIX e XX. Quanto ao século XXI, não farei profecias, mas sendo os Estados Unidos desde já a Terra Noturna da alta cultura ocidental, seremos, provavelmente, surpreendidos pelo cair da noite.

Starbuck diz a Ahab que a caçada a Moby Dick é contrária aos desígnios de Deus, mas quem será o Deus de Melville, ou daqueles que vêm depois dele: Faulkner, West, Pynchon, Cormac McCarthy? Assim como Prometeu, nas literaturas antiga e romântica, e o Satã de Milton, Ahab opõe-se ao deus celestial, mesmo que chamemos esse deus de Javé ou Jeová. Ao que parece, Ahab teria se convertido de um quaquerismo cristão a uma versão parse do maniqueísmo, na qual o cosmo está sendo disputado por duas divindades rivais. O demoníaco capitão do *Pequod* traz, clandestinamente, a bordo da sua baleeira particular uma tripulação de parses (persas zoroastristas estabelecidos na Índia), tendo Fedallah como arpoador. Fedallah é o sombrio duplo de Ahab; ao final do extraordinário capítulo 132, "A Sinfonia", Ahab contempla o oceano e observa "outros dois olhos fixos, refletidos na água":[2] os olhos eram de Fedallah, e, também, de Ahab.

Melville não era cristão, sendo inclinado a aceitar a antiga heresia gnóstica segundo a qual o Deus criador do mundo em que vivemos é um impos-

---

[1] Apud *Moby Dick*. Tradução de Berenice Xavier. Clássicos de Bolso. Rio de Janeiro: Tecnoprint, 1967, p. 555. [N.T.]

[2] Op. cit., p. 527. [N.T.]

tor desastrado, enquanto o Deus verdadeiro, chamado de Estranho ou Deus Estrangeiro, encontra-se exilado em alguma remota região do cosmo. De início, o "major" Faulkner é uma espécie de gnóstico inocente; West, Pynchon e McCarthy, cada um ao seu modo, nada têm de inocentes. Mas o meu assunto é como e por que ler o que há de melhor na ficção desses autores, e não a instrução dos meus leitores sobre antigas heterodoxias (pelo menos, não neste livro!). No entanto, a primeira seqüência de quatro romances por mim selecionados, na esteira de Melville, atinge o esplendor negativo em termos paralelos às visões gnósticas, conforme veremos.

No Livro de Jó, Javé alardeia a Jó o poder de Leviatã sobre a humanidade; para Melville, Leviatã é a Baleia Branca, ou Moby Dick. Mutilado por Moby Dick, Ahab afirma o seu orgulho e determinação de vingança, a fagulha ou chama por ele invocada no capítulo 119, "As Velas":

> — Ó tu, espírito do claro fogo, a quem eu, como persa, adorei em outros tempos, até ficar tão queimado, no ato sacramental, que ainda hoje conservo a cicatriz. Agora te conheço, espírito claro, e sei que o melhor modo de adorar-te consiste em desafiar-te. Nem o amor nem a reverência conquistarão a tua generosidade, e mesmo pelo ódio não podes senão matar... e matas a todos. Agora nenhum louco intrépido te enfrenta. Reconheço o teu poder mudo e sem discernimento mas até o último momento da minha vida vacilante hei de disputar o teu domínio incondicional, não integral, sobre mim. No meio do impessoal personificado uma personalidade se ergue aqui. Ainda que somente um ponto, quando muito, de onde quer que venha, aonde quer que vá, enquanto eu viver neste mundo, a personalidade real viverá em mim e sentirá os seus direitos reais. Mas a guerra é dor e o ódio é pesar. Apresenta-te na tua mais baixa forma de amor e ajoelhar-me-ei e te beijarei. Porém na mais elevada forma apresenta-te como mero poder supremo e ainda que lances à água frotas de mundos totalmente carregados, há aqui algo que ainda permanece indiferente. Ó tu, espírito claro, com o teu fogo me fizeste e, como verdadeiro filho do fogo, eu o exalo e to devolvo.[3]

De acordo com Ahab, a maneira correta de uma pessoa adorar o fogo é valer-se da sagrada individualidade para desafiá-lo. "Eu atacaria o sol, se fosse

[3] Op. cit., p. 495. [N.T.]

por ele insultado!", brada um Ahab prometeico, estabelecendo um nível de desafio que jamais seria alcançado por personagem algum depois dele.

Limitei a minha leitura de *Moby Dick* a uma breve análise do Capitão Ahab, sendo ele o antepassado de todos os norte-americanos que estão sempre em busca de algo, alguns dos quais serão analisados no presente capítulo. Mas não posso deixar para trás o épico de Melville, livro que venero desde a infância, sem antes elogiar-lhe a extraordinária energia narrativa. Somos arrebatados por Ahab, ao mesmo tempo em que lhe rechaçamos a monomania. Ahab é norte-americano até os ossos, obstinado em seu desejo de vingança, mas sempre — estranhamente — livre, talvez, porque nenhum norte-americano assim se considere, de fato, a não ser que se sinta interiormente só.

William Faulkner:
Enquanto Agonizo

De todos os romances norte-americanos do século XX, o melhor início é o que William Faulkner escreveu para a sua obra-prima, *Enquanto Agonizo* (1930). O livro consiste em cinqüenta e nove monólogos interiores, cinqüenta e três dos quais enunciados por integrantes da família Bundren, orgulhoso clã de brancos pobres, que persistem em uma jornada, em meio ao fogo e à inundação, transportando o caixão que contém os restos mortais da matriarca, Addie, de volta a Jefferson, cidade do Mississippi onde a mulher desejara ser sepultada, ao lado do pai. Dezenove dos capítulos, inclusive o primeiro, são "falados" pelo extraordinário Darl Bundren, um visionário que, ao final, ultrapassa o limite da loucura. A voz de Darl inicia o romance, no momento em que é seguido por Jewel, irmão e inimigo, em direção à casa onde Addie agoniza:

> Jewel e eu saímos da plantação, pela vereda, um atrás do outro. Embora eu esteja uns quinze passos à sua frente, quem nos observasse do depósito de algodão veria o chapéu de palha de Jewel, roto e esfiapado, ultrapassando o meu por uma cabeça.[4]

[4] *Enquanto Agonizo*. Tradução de Hélio Pólvora. 2. ed. Rio de Janeiro: Exped, 1978, p. 15. [N.T.]

À medida que Darl e Jewel sobem a vereda, Darl ouve a serra manejada pelo irmão carpinteiro, Dash, confeccionando o caixão da mãe, e nós ouvimos a fria reflexão de Darl:

> Um bom carpinteiro. Addie Bundren não podia desejar um melhor que ele, nem um caixão melhor em que descansar. O caixão lhe dará confiança e conforto.[5]

Jamais tendo contado com o amor de Addie, o desagregado Darl insiste em não ter mãe, e a sua extraordinária consciência reflete essa convicção. Forte, simples, dignificante, sugestiva — a abertura de *Enquanto Agonizo* prenuncia a excepcional originalidade desse que é o romance mais surpreendente de William Faulkner. Os principais rivais de Faulkner nada têm que se compare; *O Grande Gatsby*, de F. Scott Fitzgerald, inicia com o pai de Nick Carraway lhe dizendo: "Lembre-se de que nem todas as pessoas do mundo tiveram as oportunidades que você teve", o que constitui saudável advertência contra a censura gratuita, mas que fica a milhas de distância do Sublime faulkneriano. *O Sol Também se Levanta*, de Hemingway, inicia com a observação irônica de que "Robert Cohn fora campeão de boxe em Princeton, na categoria meio-pesado". Mais uma vez, Faulkner vai muito além disso. O único possível concorrente de Faulkner, no que tange à abertura de um romance, seria o início de *Meridiano de Sangue* (1985), notável obra de Cormac McCarthy, quando o narrador nos apresenta Kid, protagonista trágico que, no final da trama, é destruído pelo incrível Juiz Holden, figura que faz lembrar Iago:

> Veja o menino. É pálido e magro, e veste uma camisa de linho roto. Alimenta o fogo da cozinha. Do lado de fora, estende-se a terra arada, com resquícios de neve e bosques escuros, onde alguns lobos remanescentes ainda se abrigam. A família é conhecida por rachar lenha e carregar água, mas, na verdade, seu pai fora diretor de escola. Ele bebe e mente, e cita a obra de poetas cujos nomes já não significam coisa alguma. O menino agacha-se próximo ao fogo e o observa.

Cadências de Herman Melville e Faulkner fundem-se nessa prosa extraordinária. Mas a análise de *Meridiano de Sangue* virá ao final deste

---

[5] Ibid., p. 16. [N.T.]

capítulo, e, portanto, voltemos a *Enquanto Agonizo*. Desde sempre um *tour de force*, o livro, em seu título, refere-se a Addie Bundren, que morre logo após o início da narrativa; Faulkner cita, de memória, a fala amargurada do fantasma de Agamêmnon a Ulisses (*Odisséia*, Livro XI, "A Descida ao Inferno"):

> [... enquanto agonizo]
> [...] aparta-se a imprudente,
> Nem quis, no instante que eu baixava a Dite,
> Cerrar-me os olhos e compor-me os lábios.[6]

Assassinado pela esposa e pelo amante desta, Agamêmnon e o seu destino pouco têm a ver com o romance de Faulkner. Faulkner queria a frase, não o contexto, e dela se apropriou, embora talvez desejasse insinuar que a falta de amor entre Addie Bundren e o filho Darl apresente elementos comparáveis ao relacionamento de Clitemnestra com Orestes e Electra. Clitemnestra é a mulher que se aparta, sequer cerrando os olhos de Agamêmnon, no momento em que este "baixava a Dite", e Addie, sem dúvida, chega a ser mais antipática do que Clitemnestra.

Embora Faulkner não tenha enumerado os capítulos, ou os cinqüenta e nove monólogos interiores que compõem o livro, sugiro que o leitor, em seu exemplar de *Enquanto Agonizo*, assim proceda, para facilitar a localização de certos trechos (a melhor edição em língua inglesa é a atual reimpressão Vintage, feita com base no texto corrigido da série Library of America). Apenas um capítulo, o quadragésimo, é narrado na voz de Addie; o trecho, porém, é mais do que suficiente para provocar a antipatia de qualquer leitor:

> Eu só me lembrava, então, de como meu pai costumava dizer que a verdadeira razão de se viver era preparar-se para ficar morto durante muito tempo. E quando eu descobria que tinha de olhar para eles, dia após dia, cada um, homem e mulher, com seus segredos e egoísmos, o sangue de um alheio ao sangue de outro e diferente do meu; e pensava

---

6 *Odisséia*. Tradução de Manuel Odorico Mendes. São Paulo: Edusp, 1992, p. 215-16. [N.T.]

> que aquela seria a única maneira de eu me preparar para morrer, eu odiava, então, meu pai por me haver concebido. Eu fazia tudo para apanhá-los em falta e chicoteá-los. Quando o chicote tombava, eu o sentia em minha carne; quando fazia vergões e inchava a pele, era meu sangue que corria, e eu pensava, a cada golpe do chicote: "Agora vocês têm consciência de minha pessoa! Agora eu sou alguma coisa em suas vidas secretas e egoístas, eu que marquei seus sangues com o meu, para todo o sempre."[7]

Não é difícil perceber por que essa mulher sádica e desequilibrada quis ser enterrada ao lado do pai. Morta, Addie é maldição pior do que em vida, conforme constatamos ao ler a saga grotesca, heróica, às vezes hilariante, sempre afrontosa, em que seus cinco filhos e o marido sobrevivem à inundação e ao fogo, para transportar-lhe os restos mortais até o local em que ela desejara ser sepultada. *Enquanto Agonizo* é uma farsa trágica, mas possui imensa dignidade estética, sendo um longo pesadelo sobre o que Freud, soturnamente, chamou de "romance familiar". Críticos carolas tentam interpretar *Enquanto Agonizo* como uma afirmação de valores familiares cristãos, mas o leitor haverá de ficar perplexo diante de tal juízo. Conforme observado em outras obras escritas durante a grande década do romance faulkneriano (1929-39), a visão do romancista está fundamentada no horror à família e à comunidade, e o único valor proposto é a resistência estóica, que não basta para salvar do manicômio o talentoso Darl Bundren.

As reverberações dos monólogos interiores de Faulkner são de tal sorte irônicas, especialmente no caso dos dezenove solilóquios de Darl, que, de início, o leitor pode até achar que Faulkner pouco se empenha em guiar as nossas reações. Não há gênero literário ao qual possamos recorrer, para melhor compreendermos a narrativa épica desse grupo de brancos pobres do Mississippi, que realizam o último desejo da mãe terrível. Honra familiar é praticamente o único princípio que mantém os Bundren unidos, visto que o pai, Anse, ao seu modo, é tão destrutivo quanto Addie. A Anse são atribuídos três monólogos — os de números nove, vinte e seis e vinte e oito (caso o leitor os tenha enumerado) —, que o caracterizam

[7] Op. cit., p. 141. [N.T.]

como um homem ardiloso, indolente, trapaceiro e manipulador, tão egoísta quanto o fora Addie.

Dewey Dell, a única filha dos Bundren, tem dignidade, mas não é capaz de reunir forças para chorar a morte da mãe, pois, na qualidade de jovem solteira, pobre e grávida, é obrigada a tentar um aborto, às escondidas e em vão. O pequeno Vardaman, simplesmente, recusa-se a aceitar a morte da mãe, e faz furos no caixão, para que ela possa respirar; ao final, identifica-a com um peixe por ele pescado enquanto ela agoniza: "Minha mãe é um peixe".[8] Faulkner centra o romance na consciência de Darl Bundren, e nos atos heróicos dos outros filhos, Cash, que é carpinteiro, e Jewel, exímio cavaleiro, fruto de uma relação adúltera de Addie com o Reverendo Whitfield.

Jewel é impetuoso, intrépido, capaz de se expressar somente através de ações intensas. O monólogo de Jewel (de número quatro), um protesto contra a confecção do caixão por parte de Cash, é concluído com uma intensa visão em que ele se vê protegendo a mãe agonizante contra a família e o mundo:

> [...] nenhum filho-da-mãe dessas redondezas viria olhar para ela, porque, se Deus existe, então para que diabo Ele existe? Ficaríamos sozinhos, eu e ela, no alto de uma colina, e eu rolaria pedras, pela colina, contra essas mesmas caras, e pegaria as caras, dentes e o resto e atiraria também pela colina, Deus me perdoe, até que ela estivesse tranqüila.[9]

Jewel e Darl odeiam-se com todas as forças, e entre Darl e Dewey Dell existe uma hostilidade sombria, implicitamente incestuosa. Cash, que tem um bom relacionamento com todos os irmãos, é simples, franco, heróico e trabalhador, e, tanto quanto Jewel, é homem de muita coragem. Mas a alma, e a grandeza, de *Enquanto Agonizo* é Darl, nitidamente, o narrador que fala por Faulkner.

O fim de Darl assemelha-se ao que chamaríamos de esquizofrenia, mas a sua excepcionalidade e o seu poder visionário não podem ser reduzidos à loucura. Todos os dezenove monólogos interiores a ele atribuídos

---

[8] Op. cit., p. 75. [N.T.]

[9] Op. cit., p. 24. [N.T.]

são notáveis, como podemos constatar na conclusão do monólogo de número 17:

> [...] E já que o sono é o não-ser e a chuva e o vento são *o que foram*, a carroça não é. Contudo, a carroça *é*, porque, quando a carroça *era*, Addie Bundren não seria. E Jewel *é*, portanto Addie Bundren tem de ser. E, nesse caso, eu devo ser, ou não poderia esvaziar-me para dormir em quarto estranho. E se ainda não estou vazio, então eu *sou*.
>
> Quantas vezes já dormi embaixo da chuva, em teto estranho, pensando na minha casa.[10]

Duvidando da própria identidade, Darl reúne a consciência shakespeariana do nada, uma versão do niilismo do próprio Faulkner (novamente, na fase áurea, 1929-39), e as experiências de Faulkner à época da Guerra, quando participou de treinamento militar junto à Força Aérea Real Britânica, embora não chegasse a decolar em uma missão sequer. Darl também esteve na Primeira Guerra Mundial, mas a experiência deixou poucas marcas em seu consciente. Abominando a terrível odisséia da carroça, em que o corpo de Addie é devolvido ao local de nascimento, Darl quase consegue sabotar a empreitada, ateando fogo a um celeiro, mas o incidente serve apenas para inspirar novas bravatas, da parte de Jewel.

Darl é um *sabedor*, conforme Faulkner está sempre a enfatizar. Darl sabe que a irmã está grávida, que Jewel não é filho de Anse, que sua mãe não é, na verdade, *sua* mãe, e que as dificuldades da condição humana são uma espécie de desastre aborígene. E sabe que até a paisagem é um vazio, uma perda com relação a uma realidade anterior, conforme constatamos no capítulo 34:

> [...] Sobre a superfície incessante, eles surgem — árvores, caniços, rebentos — desenraizados, arrancados da terra, espectrais na cena de imensa conquanto circunscrita desolação tomada pela voz da água excessiva e lastimosa.[11]

---

[10] Op. cit., p. 74. [N.T.]

[11] Op. cit., p. 118. [N.T.]

Metafísico e poeta intuitivo, Darl encontra-se à beira de um abismo no qual, necessariamente, haverá de cair. Os danos psíquicos que traz consigo são os legados da frieza de Addie e do egoísmo de Anse; seu destino é a alienação. Para Darl não existe saída; seu único objeto de desejo sexual é a própria irmã, e a família é a sua ruína.

No último monólogo de Darl (o de número 57), ele se encontra a tal ponto desassociado de si mesmo que as suas percepções, mais inauditas do que nunca, observam-no na terceira pessoa. Durante a viagem de trem, a caminho do manicômio estadual, dois guardas o escoltam, e ouvimos a voz de Darl, no que ela tem de mais comovente:

> [...] Um deles sentou-se ao seu lado, o outro no banco fronteiro, de costas para a locomotiva. Um dos dois tinha de viajar assim, porque o dinheiro do Estado tem uma cara para cada lado e um lado para cada cara, e eles viajavam no dinheiro do Estado, o que é incestuoso. Um níquel tem uma mulher de um lado e um búfalo no outro; dois rostos sem reverso. Não entendo. Darl tinha um binóculo que trouxe da França na guerra. Nele havia uma mulher e um porco, com duas costas e sem cara.[12]

Dividido ao meio, Darl chega a falar sozinho, mas é sempre um visionário: "dinheiro do Estado, o que é incestuoso". O trecho é "assombrado" pela piada de Iago (originária em Rabelais) em que o alferes se refere ao ato sexual entre um homem e uma mulher como um monstro de duas costas, mas temos aqui um aspecto shakespeariano ainda mais profundo, pois o dinheiro do Estado é visto como incesto: estamos próximos a *Medida por Medida*.

O leitor há de achar *Enquanto Agonizo* uma obra difícil; de fato, *é* difícil, mas de uma maneira legítima. Faulkner, que tinha tanta necessidade de ser pai dele mesmo, exaspera determinadas feministas ao identificar, obsessiva e implicitamente, morte e sexualidade feminina. A sanidade de Darl perece junto com Addie, sua mãe, mas, em certo sentido, o seu desequilíbrio torna explícito o que fica amordaçado em seus irmãos. A própria natureza, em *Enquanto Agonizo*, é um dano. Estranhamente, André Gide

---

[12] Op. cit., p. 207-08. [N.T.]

observou que os personagens de Faulkner carecem de alma; Gide queria dizer que os Bundren, como os Compson, em *O Som e a Fúria*, não têm esperança, não crêem que a sua ruína possa ser evitada. Deus não fará qualquer aliança com os Bundren, nem com os Compson, talvez porque estes tenham saído de um abismo e para o abismo devam retornar. Talvez por isso Dewey Dell afirme, em desespero, a sua crença em Deus. *Enquanto Agonizo* retrata a condição humana como algo catastrófico, colocando a família como a mais terrível das catástrofes.

Nathanael West: *Miss Corações Solitários*

Flannery O'Connor associava *Enquanto Agonizo*, em espírito, a *Miss Corações Solitários*, de Nathanael West, e dizia que as duas obras eram os romances modernos de que mais gostava. A percepção é digna de Flannery; com efeito, não em sua superfície, mas no que têm de mais profundo, esses dois livros apocalípticos apresentam afinidades. Assim como *Enquanto Agonizo*, *Miss Corações Solitários* é farsa trágica e não sátira. West, parodista dotado de uma genialidade azeda, constrói em *Miss Corações Solitários* a sua obra-prima. Publicado quando o autor acabara de completar trinta anos, *Miss Corações Solitários* poderia ter vivido menos que West, morto em um acidente de carro aos trinta e sete anos. Mas o livro é de um negativismo tão sublime, tão perfeito em seu desespero farsesco, que leitor algum poderia desejá-lo diferente ou melhor.

Em um primeiro encontro com *Miss Corações Solitários*, o leitor sente-se um tanto atordoado, mas o livro não é difícil, como, por exemplo, *Enquanto Agonizo*. West, nascido Nathan Weinstein, é, sem dúvida, o maior romancista norte-americano de origem judaica, antes de Philip Roth, em sua fase mais recente, com a publicação de *Teatro de Sabbath* e *Pastoral Americana*. Uma espécie de judeu anti-semita, desinteressado e ignorante com relação à tradição esotérica judaica (a Cabala), ironicamente, West tornou-se uma importante figura literária na história do gnosticismo judaico. O leitor que pesquisa o contexto adequado de *Miss Corações Solitá-*

rios deve ler o grande ensaio "A Redenção Através do Pecado", que consta do livro de Gershom Scholem, *A Idéia Messiânica no Judaísmo*.

West arrisca-se, ao incluir nesse extraordinário romance dois protagonistas insensíveis: Miss Corações Solitários, que assina a "coluna da agonia" no diário nova-iorquino *Post-Dispatch*, e o editor, Shrike. Jamais somos informados sobre o nome verdadeiro de Miss Corações Solitários, um suposto Cristo, humanamente inadequado, mas o nome de Shrike não poderia ser mais pertinente. *Shrikes* são pássaros pequenos ou de meio porte, com bicos extremamente curvados e horrendas máscaras faciais. O nome científico, em latim, é *Lanius*, que significa "açougueiro", e tais pássaros são muitas vezes conhecidos como "açougueiros", pois costumam empalar insetos em espinhos de arbustos para, em seguida, devorá-los. Isso sugere crucificação, e Shrike é uma espécie de Satã norte-americano que atormenta Miss Corações Solitários, e que o crucificaria, se pudesse fazê-lo.

Predomina no romance um tom de desespero, uma selvageria quase histérica, de tão intensa. Tal estilo condiz com a natureza e a situação precária de Miss Corações Solitários, um Adão norte-americano depois da queda, um suposto Walt Whitman, a proclamar o amor universal, embora seja frio por dentro. Shrike, tanto quanto Miss Corações Solitários, é consumido pela histeria religiosa, por um desespero que emana de um sentimento de nostalgia por Deus, uma ânsia por Cristo.

West põe em evidência certos aspectos do romance, ao fazer com que o leitor perceba que, muito antes do início da ação, a interminável (e eloqüente) linguagem lancinante de Shrike já provocara a destruição de Miss Corações Solitários. Ao atravessar um parque, Miss Corações Solitários "cruzou a sombra de um poste de luz que lhe atravessava o caminho como uma lança. A sombra perfurou-a como uma lança".[13] West considerava a obra um "romance lírico"; quase não podemos prescindir de uma sentença sequer, dentro de uma surpreendente parcimônia verbal. O leitor pode se assustar, como eu me assusto, diante de certas missivas recebidas para serem publicadas na coluna de Miss Corações Solitários, especialmente a carta escrita por uma jovem de dezesseis anos que nascera sem nariz:

[13] *Miss Corações Solitários e o Dia do Gafanhoto*. Tradução de Paulo Henriques Britto. São Paulo: Editora Brasiliense, 1985, p. 11. [N.T.]

> Eu passo o dia inteiro me olhando no espelho e chorando. Tem um buraco enorme bem no meio do meu rosto que assusta todo mundo, até eu às vezes, por isso eu entendo que os garotos não querem sair comigo. Mamãe gosta de mim mas chora muito quando ela olha para mim.
>
> O que foi que eu fiz para merecer um destino tão cruel?[14]

Nosso riso nesse momento é defensivo, assim como rimos apreensivamente diante da violência grotesca que impera na ficção de West, e que, literalmente, destrói Miss Corações Solitários na última frase do romance. Os quinze quadros, cada qual com seu título, transbordam de violência, reprimida ou não. Até uma reflexão sobre uma primavera tardia enseja palavras como: "Só mesmo a brutalidade do verão conseguira arrancar à força alguns espetos verdes do solo exausto".[15]

Shrike e Miss Corações Solitários são duplos invertidos, ambos representando o próprio West, dividido entre a inteligência satânica de Shrike e a incapacidade de crer observada em Miss Corações. A convicção deste último de que o mundo inteiro está morto é tamanha, que "ele se perguntava se a histeria era mesmo um preço alto demais para fazê-lo [o mundo] viver".[16] A dimensão demoníaca de Shrike alcança uma epifania negativa no oitavo capítulo, intitulado "Miss Corações Solitários no Pântano Tenebroso", em que ao leitor é oferecida uma rasgada paródia das possíveis "saídas" que lhe estão disponíveis. Podemos ouvir o próprio West, na mordaz gozação de Shrike, partindo do vitalismo sexual de D. H. Lawrence:

> [...] E é a esse ritmo que você semeia e chora e toca seu gado por entre plantações de milho e batata, e com passos pesados e sexuais, como um índio no frenesi da dança, você pisoteia as sementes, fazendo-as penetrar na terra feminina.[17]

A paródia do primitivismo do início da carreira de Herman Melville, em *Typee* e *Omoo*, parece-me ainda mais cômica:

---

[14] Op. cit., p. 9. [N.T.]
[15] Op. cit., p. 12. [N.T.]
[16] Op. cit., p. 17. [N.T.]
[17] Op. cit., p. 49. [N.T.]

> Você tem a pele bronzeada como a dela, e os turistas só descobrem quem você é quando o missionário o aponta, com um gesto indignado [...]. E assim você passa os dias a sonhar, pescando, caçando, dançando, nadando, beijando, colhendo flores para pôr nos cabelos...[18]

Chegamos quase a sentir certa simpatia por Shrike, por esse narcisismo amável que fala em colher flores para pôr nos cabelos, não da amada, mas nos nossos próprios. E as grandes paródias prosseguem, sendo que a melhor de todas é a última palavra sobre o Esteticismo, credo do sublime Walter Pater e do divino Oscar Wilde:

> E daí que seus sapatos estão gastos, seu rosto está coberto de espinhas, [sim,] você é dentuço e tem pé torto? Você está se lixando para isso, porque amanhã vão tocar os últimos quartetos de Beethoven no Carnegie Hall, e você tem em casa a obra completa de Shakespeare em um volume.[19]

A colocação desse "sim" é maravilhosa, e o estético é dispensado como mais uma entediante fuga, semelhante à droga, ao álcool e ao suicídio. Subindo aos píncaros da sua eloqüência, Shrike exclama: "Tudo é desolação e sofrimento. Minha vida é um inferno".[20] Shrike *é* o inferno, e Miss Corações Solitários está no inferno: a segunda metade do romance retrata a descida do Cristo norte-americano fracassado ao abismo de Fay Doyle, esposa frustrada de Peter Doyle (nome do amado de Walt Whitman). No desalmado capítulo final, soturnamente intitulado "Miss Corações Solitários Tem uma Experiência Religiosa", o aleijado Doyle surge de arma em punho. Miss Corações Solitários, transformado em Cristo, espera por Doyle, estaticamente:

> A arma que havia no embrulho detonou, e Miss Corações Solitários caiu, arrastando o aleijado consigo. Os dois rolaram escada abaixo.[21]

São essas as palavras finais de *Miss Corações Solitários*, e encerram o epítome da visão de Nathanael West. Como ler *Miss Corações Solitários*?

---

[18] Ibid. [N.T.]

[19] Op. cit., p. 52. [N.T.]

[20] Ibid. [N.T.]

[21] Op. cit., p. 82. [N.T.]

Com uma atenção nervosa, como convém a um "romance lírico" que é, ao mesmo tempo, paródia da religiosidade norte-americana e grande exemplo da força suprema dessa mesma religiosidade. Nação alguma, conforme profetizou West, é hoje tão religiosa ou irrestritamente violenta como a nossa. Apenas um punhado de norte-americanos não crêem em Deus, e só um punhado dos que crêem não percebem que Deus ama cada um deles individualmente. Baruch Spinoza, o grande filósofo judeu-holandês, mestre em ética, notoriamente, observou ser essencial aprendermos a amar a Deus sem jamais esperar que ele nos ame. Não posso imaginar asserção menos norte-americana do que essa. Por que ler *Miss Corações Solitários*? Para melhor compreendermos a nossa obsessão por armas e violência, a fanática necessidade de sermos amados por Deus, as nossas raízes gnósticas (veementemente negadas), que nos ensinam a redenção pelo pecado, e, acima de tudo, para vivenciarmos os prazeres proporcionados pelo nosso maior parodista desde Mark Twain.

Jamais voltaremos a ter escritores como Nathanael West; a paródia literária expirou com ele, embora o gênero tenha tido uma breve sobrevida com o cunhado de West, S. J. Perelman. O ressurgimento da paródia literária na obra do falecido Terry Southern e do metamórfico Gore Vidal foram efêmeros. Há que se registrar as autoparódias de Hemingway, no final da carreira, e as paródias subseqüentes de Norman Mailer, tendo por alvos Hemingway e o próprio Mailer. Todos esses extraordinários talentos foram engolidos pela realidade da mídia norte-americana; quem pode competir com o telejornalismo e apresentadores de TV, ou mesmo com o *New York Times*, em termos de autoparódia? A realidade nos Estados Unidos é grotesca e hilária demais para ser dominada por qualquer parodista que seja. Hoje em dia, *Miss Corações Solitários* tem algo de curiosamente melancólico, opinião minha que teria enfurecido Nathanael West. Mas West não foi um satirista que, no fundo, desejasse melhorar o ser humano, mas um parodista demoníaco, compositor de melodias que celebram a nossa descida ao inferno. Devemos ler a sua obra por ser profética, e pelo riso perturbador que ela nos provoca, à medida que nos aproximamos do abismo preparado para a alma norte-americana pela religião norte-americana.

Thomas Pynchon: *O Leilão do Lote 49*

Édipa Maas, a heroína de *O Leilão do Lote 49*, de certo modo, faz lembrar o leitor ideal de *Como e Por Que Ler*. Édipa pretende descobrir como e por que ler a história em que ela própria se encontra. A Édipa criada por Pynchon nem sempre é uma boa leitora, mas merece seu primeiro nome: tanto quanto o Édipo de Sófocles, ela busca a verdade, incessantemente. Jamais ficamos sabendo se está na pista certa, ou se é vítima de uma brincadeira paranóica, da parte de seu ex-amante, o falecido Inverarity, nome cuja relação com a verdade é ambígua. *O Leilão do Lote 49* está sempre a nos ensinar como devemos lê-lo, mas visto que o ensinamento é ambivalente, o leitor fica em dúvida sobre esse "como". Já o porquê de se ler esse romance é mais evidente: de modo contundente, a obra dá seguimento a *Enquanto Agonizo* e *Miss Corações Solitários*, e é mais um passo na compreensão apocalíptica dos Estados Unidos.

O melhor conselho ao leitor de *O Leilão do Lote 49* é ignorar as dicas por demais óbvias, como as referências pentecostais que surgem ao longo do livro. Pynchon cumula o leitor de informações redundantes, como uma espécie de estática sonora. O autor é um cabalista brincalhão, daqueles que lêem cartas de tarô, de maneira que qualquer detalhe do romance pode significar ou tudo ou nada. Talvez a melhor via de acesso ao significado de *O Leilão do Lote 49* seja o prazer que o romance, de início, propicia: é extremamente engraçado, mas não com o humor cruel de *Miss Corações Solitários*. Pynchon é mais um parodista, mas não é selvagem, e o leitor (a menos que seja parcial) haverá de simpatizar com Édipa Maas, sempre bem-intencionada, mesmo quando desconhece o significado das coisas. A universal boa vontade de Édipa estabelece maldoso contraste com a conspiração paranóica do Tristero, por ela descoberta ou, em parte, inventada. Até os paranóicos têm inimigos, mas Édipa não os tem, a não ser que, do além-túmulo, o falecido Inverarity esteja desempenhando tal papel. Édipa, no universo Tristero, não pode ter conhecimento de todos os fatos, porque estes se proliferam infinitamente, por todos os lados.

O melhor crítico do livro, Sir Frank Kermode, registra que Édipa perde todos os amigos — seja por morte, loucura ou amor — e se encontra totalmente isolada no final da trama. Em mais esse aspecto, ela se assemelha ao leitor, a despeito de todo o comentário crítico, e de todos os manuais publicados sobre *O Leilão do Lote 49*. Contudo, Édipa não é louca, tampouco a maioria dos leitores, e, portanto, sendo eu um cabalista, voto pela realidade de Tristero, assim, transgredindo as supostas intenções de Pynchon. Mas é preciso questionar tais intenções — não quanto à existência das mesmas, mas quanto à sua real importância, uma vez que Pynchon, um pouco ao modo de Kafka, mantém-se imune à interpretação, a não ser a partir das escolhas pessoais, e talvez arbitrárias, do leitor. Sendo assim, apaixonado que sou pelo romance de Cormac McCarthy — *Meridiano de Sangue* (1985) —, publicado menos de duas décadas depois de *O Leilão do Lote 49*, pergunto-me se o 49 de Pynchon não seria uma referência à corrida do ouro, em 1849, na Califórnia. Pynchon deixa entender que o Tristero chegou aos Estados Unidos em 1849-50, época em que ocorre a carnificina retratada no romance de McCarthy. Um dos propósitos da força-tarefa Glanton-Juiz Holden é escalpelar o maior número possível de índios norte-americanos que habitavam o sudoeste dos Estados Unidos, de modo a abrir caminho para as regiões de garimpo de ouro. As hordas de Glanton tornam-se o governo anárquico de si mesmas, bem como o seu próprio sistema de comunicação. McCarthy, mais para Faulkner do que para Pynchon, está relacionado a Tristero na minha própria paranóia de leitor.

O Tristero é, ao mesmo tempo, a invenção mais surpreendente de Pynchon (no romance em questão) e, talvez, uma realidade histórica, na medida em que surgiu como um inimigo do serviço postal privado europeu, dirigido pela nobre firma Thurn e Taxis, no início da era moderna. Nos Estados Unidos do século XIX, o Tristero assalta tanto o Pony Express quanto o Wells Fargo. Às vezes grafada "Trystero", essa soturna organização é anarquista, quanto à sua suposta ideologia, e semelhante ao movimento *underground* londrino retratado em *O Agente Secreto*, de Joseph Conrad, em *A Princesa Casamássima*, de Henry James, e (em tom mais cômico) na obra *The Man Who Was Thursday*, de G. K. Chesterton. Tristero tem ainda um toque de Borges, isto é, um pouco da *stigmata* das conspirações que reorganizam a realidade, como Tlön, do autor argentino. Como deve o leitor encarar Tristero? Sem dúvida, dependendo da perspectiva, Tristero será positivo ou negativo.

Na minha experiência como leitor, *Enquanto Agonizo*, de Faulkner, conquistou-me à primeira vista, ainda que somente através da releitura eu tenha sido capaz de absorver o romance como um todo. Do mesmo modo, fui prontamente cativado por *Miss Corações Solitários*, de West, pelo irresistível azedume da obra, e, mais uma vez, a releitura fez somar compreensão à admiração. Mas a minha primeira leitura de *O Leilão do Lote 49* foi algo exasperador; em uma segunda leitura, no entanto, subitamente, o livro me arrebatou, e desde então sou seu apreciador. Portanto, exorto os leitores que não conhecem o livro a *começar* lendo-o duas vezes. Aspectos que talvez causem uma irritação inicial, em breve, tornam-se fascinantes, como por exemplo o Tristero, mito ambíguo, porém, sublime. A um só tempo sugerindo "encontro de amor"[22] e melancolia, a palavra Tristero significará o que o leitor quiser. Será que Tristero traduz "terror"? Um temor sagrado? Talvez, como tantas organizações clandestinas, o Tristero seja, no mínimo, moralmente ambíguo. É plausível a noção de que em *O Arco-Íris da Gravidade* Pynchon advogue o que ele mesmo chama de "sadoanarquismo", e talvez seja essa a ideologia mais pertinente ao Tristero. Mas tudo isso é, às vezes, extremamente engraçado, como na grande paródia da peça de vingança jacobiana, *The Courier's Tragedy*, de Richard Wharfinger, companheiro digno de Cyril Tourneur, John Ford e John Webster. O resumo do enredo e os incríveis excertos de *The Courier's Tragedy* (Harper Perennial Library, p. 65-75) provocam, simultaneamente, riso e horror, ainda que mais riso do que horror.

O Leilão do Lote 49, embora pareça uma alegoria aberta, no sentido em que a alegoria sempre expressa algo diferente do que está sendo dito, a rigor, não pode ser alegoria alguma, visto que Pynchon não tem qualquer doutrina a preconizar, seja de natureza religiosa, política, filosófica ou psicológica. Sadoanarquismo não é uma política, e a paranóia, a despeito de qualquer estrutura, não pode se tornar, em si, uma ideologia. O que sustenta o leitor de *O Leilão do Lote 49*, e o que o mantém interessado, é a

[22] Em inglês, "*tryst*". [N.T.]

vida local do romance, as surpresas humanas que não pertencem nem ao Tristero nem à paranóia norte-americana (supondo-se, como eu o faço, ser possível manter esse dueto separado). Quando penso em *O Leilão do Lote 49*, sempre me recordo, primeiro, do surgimento de Édipa na vida noturna de São Francisco, com a recorrente imagem da trompa postal com a surdina, símbolo do Tristero, que deveras parece ser a organização subterrânea que Dostoiévski atribuíra aos "insultados e injuriados". Édipa cai na noite de São Francisco com o intuito de se curar da obsessão pelo Tristero: "Bastava vagar à toa aquela noite e ver que nada acontecia para convencer-se de que era simples nervoso, alguma bobagenzinha que seu analista trataria de consertar".[23] Levada de roldão por um grupo de turistas barulhentos a um bar *gay*, Édipa, imediatamente, supõe que um distintivo espetado em um paletó é o emblema do Tristero. A imagem reaparece na vitrine de uma loja de ervas, em Chinatown, em um desenho a giz na calçada, nas palavras rimadas de umas crianças que brincam de pular corda, até que, finalmente, Édipa encontra Jesús Arrabal, anarquista mexicano que define milagre como "a interpenetração de outro mundo neste nosso mundo".[24] Tudo isso tem a ver com o nome secreto do Tristero, M.O.I.T.A: Movidos Pelo Ódio o Império de Tristero Aguardaremos.[25] Surgindo em toda parte, numerosos demais para serem contados, os sinais enigmáticos da conspiração sadoanarquista confrontam Édipa e o leitor. Quando chega a manhã, Édipa está convencida de que os desprovidos se retiraram do governo dos Estados Unidos e do sistema postal. Em seguida a esse momento de autopersuasão, mostra-se uma perplexidade pungente, ainda que, penso eu, nada em Pynchon devesse causar perplexidade ao leitor.

Édipa encontra um velho todo curvado, trêmulo de dor, em cuja mão esquerda se vê tatuada uma trompa postal com a surdina. Mal sabendo o que faz, ela o conforta, apertando-o contra o seio, embalando-o, como se fora um bebê (Édipa não tem filhos). Mais tarde, depois de remeter uma

---

[23] *O Leilão do Lote 49*. Tradução de Jorio Dauster. São Paulo: Companhia das Letras, 1993, p. 99. [N.T.]

[24] Op. cit., p. 108. [N.T.]

[25] Op. cit., p. 152. [N.T.]

carta ao velho, via Tristero, ela tenta desvendar o sistema postal clandestino, mas fracassa. Tal fracasso, bem como todas as subseqüentes (e prévias) aventuras de Édipa, pode significar, para ela, menos do que o ato de embalar nos braços o pobre velho. Como Shrike e Miss Corações Solitários, de West, Édipa é mais caricatura do que personagem faulkneriana ou shakespeariana — *até esse momento.* Acho que ela aqui escapa a Pynchon, como nenhum outro personagem na obra do autor é capaz de fazê-lo, antes da grande alteração observada em sua arte, com o advento de *Mason & Dixon*, em que os dois personagens do título são figuras inteiramente humanizadas. Como devemos ler esse inesperado surto de compaixão da parte de Édipa? Outros momentos de realidade irrompem através das estruturas fantásticas de *O Leilão do Lote 49*, mas este é o mais extraordinário. Nas páginas de qualquer outro autor, isso poderia sugerir sentimentalismo, mas não em Pynchon.

Na cena final do livro, Édipa participa do leilão da valiosíssima coleção de selos de Inverarity, incluindo as "cópias" de Tristero, a ser arrematada como o lote de número 49. No momento final, o leiloeiro limpa a garganta e Édipa acomoda-se na cadeira, "para esperar o leilão do lote 49".[26] Voltamos ao ponto de partida, o título, e temos mais indícios sobre o que poderá ocorrer do que precisamos para interpretar a obra. *Talvez* quarenta e nove dias tenham se passado desde o Domingo de Páscoa, talvez não. Não o creio. Não estamos prestes a ouvir uma Édipa pentecostal, desatando a falar em diversas línguas, tampouco nos parece que um anjo ou uma pomba está para surgir. E não creio que a própria Édipa ofereça um lance pelo lote 49. Presumivelmente, um representante do Tristero fará o lance decisivo, mas se Édipa o seguir, ele escapará, e ela ficará no limbo, exatamente onde Pynchon a deixa, juntamente com os leitores. Há lugares piores para se ficar.

Cormac McCarthy: *Meridiano de Sangue*

Meridiano de Sangue (1985) é, no meu entendimento, o autêntico romance apocalíptico norte-americano, mais relevante no ano 2000 do que há

[26] Op. cit., p. 166. [N.T.]

quinze anos. A merecida notoriedade de *Moby Dick* e *Enquanto Agonizo* é levada adiante por *Meridiano de Sangue*, pois Cormac McCarthy é discípulo de Melville e Faulkner. Eu diria que nenhum romancista norte-americano vivo, nem mesmo Pynchon, oferece-nos um livro tão marcante e memorável quanto *Meridiano de Sangue*, por mais que eu goste de *Submundo*, de Don DeLillo, *Zuckerman Bound*, *Teatro de Sabbath* e *Pastoral Americana*, de Philip Roth, e de *O Arco-Íris do Desejo* e *Mason & Dixon*, de Pynchon. Nem o próprio McCarthy, na recente Trilogia da Fronteira, que inicia com o esplêndido *Todos os Belos Cavalos*, consegue igualar *Meridiano de Sangue*, ponto culminante do Western, e que jamais será superado.

Sendo o leitor o foco da minha atenção, inicialmente, devo confessar que as minhas duas primeiras tentativas de ler *Meridiano de Sangue* fracassaram, pois a aviltante carnificina retratada por McCarthy causou-me ojeriza. A violência começa já na segunda página do romance, quando, aos quinze anos de idade, Kid é baleado nas costas, um pouco abaixo do coração, e prossegue, quase sem descanso, até o fim, trinta anos mais tarde, quando o Juiz Holden, a figura mais assustadora de toda a literatura norte-americana, executa Kid em um vaso sanitário ao ar livre. Os contínuos massacres e mutilações de *Meridiano de Sangue* são tão chocantes que temos a impressão de estar lendo um relatório das Nações Unidas sobre os horrores de Kosovo, em 1999.

Não obstante, insisto que o leitor deve perseverar, pois *Meridiano de Sangue* é uma obra que há de permanecer canônica, marcante tragédia, ao mesmo tempo, norte-americana e universal. O Juiz Holden é um vilão digno de Shakespeare, demoníaco como Iago, um teórico da guerra eterna. E a grandeza do livro — a linguagem, a paisagem, os personagens, as concepções —, em última análise, transcende a violência, e transforma sangue em arte, uma arte comparável à de Melville e Faulkner. Quando analiso o livro em sala de aula, muitos dos meus alunos apresentam uma resistência inicial (assim como se deu comigo, e se dá com alguns amigos meus). A televisão satura-nos de violência real e ficcional, e eu desvio o olhar da tela, chocado ou enojado. Mas não desvio o olhar de *Meridiano de Sangue*, agora que sei como ler o romance, e por que ele deve ser lido. Nada nos massacres relatados é gratuito ou redundante; estamos em 1849-50, na fronteira entre o México e o Texas, tempo e local em que se passa a maior parte da ação. Suponho que *Meridiano de Sangue* possa ser classificado como "romance histórico", pois narra a expedição da gangue Glanton, uma força paramilitar assassina, enviada por autoridades mexicanas e texanas para exterminar e escalpelar o maior número possível de índios. Contudo, o livro não tem aura de ficção histórica, pois o que ele mostra ainda ocorre nos Estados Unidos e, praticamente, em toda parte, no momento em que entramos no terceiro milênio. O Juiz Holden, profeta da guerra, dificilmente será desonrado nos anos vindouros.

À medida que aprendemos a suportar o massacre descrito por McCarthy, acostumamo-nos ao estilo elevado do livro, novamente, tão shakespeariano quanto faulkneriano. Em *O Leilão do Lote 49*, e outras obras de Pynchon, encontramos trechos de uma riqueza e intensidade barrocas que fazem lembrar Melville e Faulkner; no entanto, jamais sabemos se tais passagens seriam ou não paródicas. Em *Meridiano de Sangue*, a prosa é das mais elevadas, mas apresenta uma parcimônia toda sua, e diálogos sempre convincentes, especialmente quando o incrível Juiz Holden fala (Capítulo 14):

> O Juiz apoiou as mãos no solo e olhou para o inquisidor. Essa propriedade é minha, ele disse. Mas todos os que nela se encontram são focos de vida autônoma. Autônoma. Para que seja minha, nada pode nela acontecer senão com a minha autorização.
>
> Toadvine sentava-se com as botas cruzadas em frente ao fogo. Homem algum pode saber de tudo o que se passa nessa terra, ele disse.
>
> O Juiz inclinou a cabeçorra. O homem que acredita que os segredos do mundo permanecem ocultos para sempre vive em mistério e medo. A superstição o derruba. A chuva vai corroer os atos que ele realizou na vida. Mas o homem que se propõe a encontrar o fio condutor da tapeçaria, só com a decisão, em si, assumirá o comando do mundo, e só por meio desse comando ele descobrirá a maneira de ditar os termos do seu próprio destino.

O Juiz Holden é o guru dos flibusteiros de Glanton, e McCarthy, de modo convincente, confere ao pretenso Juiz uma dimensão mítica, digna de um Maquiavel cujo "fio condutor" remete-nos à teia enfeitiçada de Iago, na qual Otelo, Desdêmona e Cássio são pegos. Embora os facínoras — Glanton (a máquina mortífera) e os demais — sejam caracterizados com extrema vividez, o romance está sempre centrado nas duas figuras principais, Juiz Holden e Kid. Nosso primeiro encontro com o Juiz ocorre na página seis: trata-se de um homem gigantesco, calvo como uma bola de bilhar, totalmente imberbe, e sem sobrancelhas ou cílios. Um albino de dois metros de altura, que parece ser egresso de algum outro mundo, e ficamos perplexos diante desse Juiz que jamais dorme, que dança e toca rabeca com extrema arte e energia, que estupra e mata crianças de ambos os sexos, e que afirma que jamais morrerá. Quando chego ao final do romance, creio que o Juiz seja mesmo imortal. Contudo, o personagem, esteja ele acima ou abaixo do humano, é tão individualizado quanto Iago ou Macbeth, e está bem à vontade na fronteira entre o México e o Texas, onde assistimos aos seus feitos, em 1849-50; mais tarde, em 1878, deparamo-nos, novamente, com ele, nem um dia mais velho, passados vinte e oito anos, enquanto Kid, jovem de dezesseis anos quando os ataques de Glanton iniciaram, está com quarenta e cinco anos na ocasião em que é morto pelo Juiz, no desfecho do livro.

Com sutileza, McCarthy mostra-nos o longo e gradual desenvolvimento de Kid, que, inicialmente, não passando de mais um colecionador de escalpos de índios, se transforma em corajoso oponente do Juiz, no confronto final entre os dois em um bar. No entanto, ainda que o amadurecimento moral de Kid seja alentador, a sua personalidade permanece, predominantemente, nula, tão anônima quanto ele próprio. As três glórias do livro são o Juiz, a paisagem e (é terrível ter de dizer isso) os massacres, esteticamente distanciados por McCarthy, por meios diversos e complexos.

Como deve o leitor interpretar o Juiz? Ele é imortal como um princípio, por exemplo, a Guerra Eterna, mas será ele um ser humano, ou algo diferente? Isso McCarthy não nos revela; tanto melhor, pois a ambigüidade é por demais empolgante. Embora um semideus, o Capitão Ahab, de Melville, é, necessariamente, mortal, e perece com o *Pequod* e a tripulação, exceto Ismael. Após ter matado Kid, Juiz Holden, o Ismael de *Meridiano de Sangue*, é o último sobrevivente da cruzada de Glanton à cata de escalpos de índios. Dizimar as nações indígenas do sudoeste americano não é façanha análoga à caça de Moby Dick, mas McCarthy oferece-nos alguns paralelos instigantes entre as duas buscas. O paralelo mais marcante associa o capítulo dezenove, de Melville, onde um profeta maltrapilho, que se diz chamar Elias, adverte Ismael e Queequeg sobre os perigos de embarcar no *Pequod*, ao capítulo quatro, de McCarthy, onde "um velho menonita desequilibrado" adverte Kid e seus companheiros a não apoiarem o obstrucionismo do Capitão Worth, desastre que pressagia a grande catástrofe que viria a ser a campanha de Glanton.

A invocação de McCarthy a *Moby Dick*, embora impressionante e sugestiva, por si só, pouco contribui para o nosso entendimento do Juiz Holden. Ahab tem seus aspectos sobrenaturais, incluindo seu arpoador Fedallah, a tripulação parse da baleeira, e a sua própria conversão ao zoroastrismo, filosofia do grupo. Elias anuncia a Ismael alguns dos mistérios de Ahab: um transe de três dias à altura do Cabo Horn, a morte de um espanhol diante de um altar católico em Santa, e um mais do que enigmático hábito de cuspir em uma "cabaça de prata". Todavia, esses mistérios chegam a ser transparentes, comparados aos enigmas do Juiz Holden, que parece julgar a terra inteira, e cujo nome sugere *holding*, ou seja, controle sobre tudo que lhe cruza o caminho. Entretanto, o Juiz, ao contrário de Ahab, não é personagem estritamente ficcional; como Glanton, ele é a figura histórica do flibusteiro, ou trapaceiro. McCarthy revela muita coisa nos sonhos visionários de Kid envolvendo o Juiz, próximo à conclusão do romance (Capítulo 22):

> Naquele sonho e em sonhos que seguiram o Juiz apareceu. Que mais poderia aparecer? Um grande mutante, trôpego, calado e sereno. Quaisquer que fossem os seus antepassados, ele era algo inteiramente diverso do mero resultado destes, tampouco qualquer sistema seria capaz de fazê-lo voltar às origens, pois a isso ele se negava. Quem quisesse pesquisar-lhe o passado, desenredando ascendentes e livros de registro, haveria de se ver no escuro, atônito à beira de um penhasco sem fim ou começo, e ciência alguma a que se recorresse para analisar o pó primordial que sopra dos milênios descobriria qualquer vestígio do primeiro ovo atávico, capaz de apontar a origem do Juiz.

Acho que McCarthy aqui adverte o leitor de que o Juiz é Moby Dick, e não Ahab. Mais um enigma branco: o Juiz albino, como a baleia albina, não pode ser morto. Melville, gnóstico confesso, para quem "a mão anárquica, ou um erro cósmico" dividiu-nos em dois sexos em pecado, oferece-nos, em Ahab, um maniqueísta sempre em busca. McCarthy confere ao Juiz Holden os poderes e os desígnios dos anjos do mal, ou demiurgos, a quem os gnósticos chamavam arcontes, mas pede que não façamos a referida identificação (como o crítico Leo Daugherty o faz, com tanta eloqüência). Sistema algum, inclusive o gnóstico, será capaz de fazer o Juiz voltar às origens. O "primeiro ovo atávico" jamais será encontrado. O que pode o leitor fazer com o indômito e terrível Juiz?

Digamos, de início, que o Juiz Holden, em que pese o universalismo da sua alegre profecia de guerra eterna, é, acima de tudo, um norte-americano do Oeste, por mais cosmopolita que seja (fala todos os idiomas, é conhecedor de todas as artes e ciências, e sabe executar passes mágicos, xamanistas). A fronteira entre o México e o Texas é local perfeito para um deus da guerra, como o Juiz. Ele porta um rifle, de prata, em cuja parte inferior aparece gravado o codinome da própria arma: *Et In Arcadia Ego*. Na Arcádia americana, a morte também está sempre presente, encarnada na arma do Juiz, que jamais erra o alvo. Se a tradição pastoral norte-americana é, essencialmente, o filme de faroeste, então, o epítome dessa tradição é o Juiz, embora para retratá-lo seria preciso um diretor de cinema séculos à frente do falecido Sam Peckinpah, cujo filme *Meu Ódio Será Sua Herança* chega a ser leve, comparado à ação dos paramilitares de Glanton. Mais uma vez, recorro a Iago, pois só mesmo Iago pode ser posto lado a lado com o Juiz Holden. Iago, que transfere a guerra, do campo de batalha, a todo e qualquer local, é um piromaníaco que ateia o fogo da batalha a tudo e a todos. O Juiz poderia ser um Iago antes do início de *Otelo*, quando o deus da guerra, Otelo, ainda era idolatrado por seu "honesto" alferes, ou porta-bandeira. O Juiz fala com uma autoridade que me faz gelar por dentro, tanto quanto Iago me deixa aterrorizado:

> Eis a natureza da guerra, arriscar, ao mesmo tempo, no jogo, na autoridade e na justificativa. Vista assim, a guerra é a forma mais verdadeira de profetizar. É a prova da vontade de uma pessoa e da vontade do outro, dentro de uma vontade maior que, por mantê-los unidos, é forçada a escolher. A guerra é o jogo máximo porque, em última análise, abala a unidade da existência.

Mesmo que McCarthy não queira que vejamos o Juiz como um arconte gnóstico, ou como um ser sobrenatural, o leitor pode entender que não basta definir Holden como um Iago inserido no faroeste norte-americano do século XIX. Sendo *Meridiano de Sangue*, tanto quanto *Moby Dick*, mais épico em prosa do que romance, os ataques de Glanton podem parecer uma busca pós-homérica, em que os vários heróis (ou assassinos) têm em seu meio um deus disfarçado, o que parece ser o papel hercúleo do Juiz. A gangue de Glanton alcança sinistra glória estética no final do capítulo treze, quando deixa de escalpelar índios e passa a exterminar os mexicanos que a contrataram:

> Entraram na cidade exaustos, imundos e fedendo do sangue derramado da gente cuja proteção fora a eles confiada. Os escalpos dos aldeões executados pendiam das janelas da residência do governador, o pagamento dos comparsas saiu dos minguados cofres públicos, a Sociedade foi desbaratada e as benesses suspensas. Uma semana depois de terem deixado a cidade, um prêmio de oito mil pesos fora oferecido pela cabeça de Glanton.

Refiro-me a esse trecho, até certo ponto, para registrar que, a partir desse momento, os flibusteiros prosseguem no encalço de uma conclusão apocalíptica, mas também para instar o leitor a ouvir, e admirar, a sublime sentença que se segue, pois estamos no cerne visionário de *Meridiano de Sangue*:

> Eles tomaram a estrada do norte, como se rumassem para El Paso, mas antes mesmo de saírem do campo de visão da cidade, desviaram suas trágicas montarias para o oeste e cavalgaram enfeitiçados e obcecados pela morte vermelha do dia, em direção às terras noturnas e ao distante pandemônio do sol.

Uma vez que a linguagem de Cormac McCarthy, como a de Melville e Faulkner, é, muitas vezes, propositadamente, arcaica, tudo leva a crer que o *meridiano* do título signifique o zênite, isto é, a posição do sol no firmamento ao meio-dia. Glanton, o Juiz, Kid e seus asseclas não são descritos como "trágicos" — seus sofridos cavalos sim —, e estão "enfeitiçados e obcecados" porque romperam com qualquer aparência de ordem. McCarthy sabe, tanto quanto o leitor, que uma "ordem" que incite o aniquilamento de toda a população nativa do Sudoeste norte-americano é indecente, mas o autor deseja que o leitor também saiba que a gangue Glanton está ciente de que pode dar vazão total à sua fúria assassina. A sentença que acabo de citar tem uma grandeza moralmente ambígua, mas *aí* está a grandeza de *Meridiano de Sangue*, e, na verdade, de Homero e Shakespeare. McCarthy contextualiza tão bem a sentença, que o impressionante contraste entre seus tons elevados e os facínoras que evocam o esplendor não é irônico, mas trágico. A tragédia é nossa, como leitores, e não da gangue Glanton, pois não vamos lamentar o fim dos integrantes da mesma, exceto no caso de Kid, e mesmo no caso dele a nossa reação é equívoca.

A paixão que sinto por *Meridiano de Sangue* é tão intensa que minha vontade é continuar a expressá-la, mas, a esta altura (espero), o leitor obstinado e corajoso já deve estar imerso na trama central do livro. Limitar-me-ei, então, ao encontro derradeiro entre o sobrenatural Juiz Holden e Kid, que se apartara da cruzada insana vinte e oito anos antes, e que, agora na meia-idade, tem de confrontar o Juiz que não envelhece. O diálogo dos dois é a maior realização desse livro maravilhoso, sendo mais capaz de comover o leitor do que qualquer outro aspecto de *Meridiano de Sangue*. Estou sempre relendo o trecho em questão, e não consigo me convencer de tê-lo esgotado.

O Juiz e Kid bebem juntos, depois de o Juiz dizer a Kid que, naquela mesma noite, a alma deste seria chamada a prestar contas. Mesmo sabendo não ser oponente à altura do Juiz, Kid o desafia, com respostas lacônicas, em contraste com a grandiloqüência de Holden. Depois de exigir ser informado onde estão os companheiros mortos, o Juiz pergunta: "E onde está o tocador? E onde é a dança?".

> — Acho que você pode me dizer.
>
> — Eu lhe digo o seguinte: quando a guerra é considerada desonra e a nobreza da guerra é questionada, os homens honrados que reconhecem a santidade do sangue serão excluídos da dança, que é direito do guerreiro, e, por conseguinte, a dança tornar-se-á falsa, e os dançarinos, falsos dançarinos. Todavia, um deles será sempre verdadeiro; você pode me dizer quem seria esse dançarino?
>
> — Você não é nada.

Ter conhecido o Juiz Holden, tê-lo visto em ação, e dizer-lhe que ele não é nada, é algo heróico. "As suas palavras são mais verídicas do que você imagina", o Juiz responde, e duas páginas adiante mata Kid, com requintes de perversidade. *Meridiano de Sangue*, à exceção do epílogo de um parágrafo, chega ao final com o Juiz em triunfo, dançando e tocando rabeca ao mesmo tempo, e proclamando que jamais dorme e que jamais morrerá. Mas McCarthy não deixa para Holden a palavra final.

O trecho mais estranho do livro, o epílogo, ocorre ao alvorecer, quando um homem anônimo desloca-se através de uma planície, de buraco em buraco, por ele abertos no solo pedregoso. Utilizando uma ferramenta de dois cabos, o sujeito arranca "o fogo que Deus pôs dentro das pedras". Ao redor do homem, há andarilhos à procura de ossos; o sujeito continua a arrancar fogo de dentro dos buracos e, então, todos seguem em frente. E isso é tudo.

O subtítulo de *Meridiano de Sangue* é *A Vermelhidão da Noite no Oeste*, elemento que pertence ao Juiz, o último sobrevivente da gangue Glanton. Talvez tudo o que o leitor possa deduzir, com um mínimo de certeza, seja que o homem que arranca fogo das pedras ao alvorecer é uma figura que se antepõe à vermelhidão da noite no Oeste. O Juiz nunca dorme, e talvez jamais morrerá, mas é possível ver aqui um novo Prometeu que contra ele se levanta.

Ralph Ellison: *O Homem Invisível*

É plausível concluir que a maior realização artística dos norte-americanos de origem africana seja a obra dos grandes mestres do jazz: Louis Armstrong, Charlie Parker, Bud Powell e outros. Além do mais, o jazz é a única arte norte-americana inata. Os escritores negros norte-americanos, apesar da algazarra crítica produzida por alguns dos politizados "torcedores" destes no meio acadêmico, não tinham condições de estabelecer uma arte literária original. *O Homem Invisível* (1952), de autoria do falecido Ralph Ellison, continua a ser o romance mais marcante escrito por um negro norte-americano, e seu débito palpável (e admitido por Ellison) é com Melville, Mark Twain, Faulkner, Dostoiévski e com a linguagem poética de T. S. Eliot. Toni Morrison também é filha de Faulkner, tanto quanto de Virginia Woolf, embora o negue, com veemência. Ellison foi um autor dotado de imensa sensibilidade, além de mordaz, e o orgulho que sentia por ter escrito *O Homem Invisível* foi o principal motivo que o levou a se recusar a publicar, em vida, um segundo romance. Insisto que o leitor leia *O Homem Invisível*, e não *Juneteenth*, obra póstuma, organizada a partir dos manuscritos de Ellison. Não creio que ele sancionasse a publicação desse livro; mais de uma vez, ele me perguntou se algum romancista norte-americano, à exceção de Henry James, havia, de fato, escrito uma segunda obra-prima.

Suponho que Ellison se referisse a Melville, Twain, Hemingway, Fitzgerald — entre outros —, e teria sido falta de tato, da minha parte, sugerir candidatos; portanto, jamais o fiz. Contudo, Ellison tinha plena consciência de Faulkner, que, em sua grande fase inicial, escrevera *O Som e A Fúria*, *Enquanto Agonizo*, *Luz em Agosto* e *Absalão, Absalão!*. Faulkner, homem branco nascido no sul dos Estados Unidos, enfrentou muitas pressões culturais, embora nada que se comparasse às que perturbaram Ellison nos últimos vinte e cinco anos de vida. Feministas, marxistas e nacionalistas afro-americanos queixam-se da insistência de Ellison em situar a arte acima da ideologia. Recusando-se a polemizar, o romancista, até certo ponto, recolheu-se à sua imensa dignidade. Inúmeros ensaios críticos (Ellison comentou comigo alguns desses ensaios, descartando-os com ironia) repreendem Ellison e seu narrador-protagonista, o Homem Invisível, por não abraçar o verdadeiro credo "político". Embora Ellison, como o leitor poderá constatar, chegue ao final com uma ambigüidade pincelada de esperança, a queixa mais freqüente da crítica é que o Homem Invisível jamais emerge do submundo, pois carece da mãe negra, da Musa negra, ou da astúcia marxista capaz de empurrá-lo de volta à sociedade. Ellison escreveu o romance dele mesmo, e o melhor que temos a fazer é aprender como e por que ler a obra. Um outro tempo virá, com outra política cultural, mas *O Homem Invisível* há de preservar a vitalidade criativa norte-americana, universal, que Ralph Waldo Ellison lhe conferiu.

No desenlace de *O Homem Invisível*, o narrador volta a invocar Louis Armstrong, desde sempre escolhido como seu precursor, na verdade, seu guia espiritual, como Virgílio para Dante:

> E ainda resta um conflito no meu interior: quanto a Louis Armstrong, metade de mim diz: "Abre a janela e deixa sair o ar viciado", enquanto a outra metade diz: "Era milho verde, do bom, antes da colheita."

No prólogo, o Homem Invisível ouve Armstrong tocar e cantar "What Did I Do to Be So Black and Blue", e reflete: "Talvez eu goste de Louis Armstrong porque ele fez da invisibilidade poesia". Ellison, estudante aplicado da obra de Armstrong, sabia que o jazz passara de música popular a arte erudita, inovadora, por causa de Armstrong. De certo modo, Ellison transforma Charles Chestnutt e Richard Wright, assim como Armstrong transcendera os seus precursores no jazz, impulso que saíra do folclore e chegara ao Alto Modernismo.

O Homem Invisível é um romance histórico porque a maior parte da ação se passa nas décadas de 1920 e 1930, quando a sociedade norte-americana era pouco menos racista do que o fora em 1870 e 1880. Embora não possamos nos congratular pelo fato de muitos dos acontecimentos relatados no romance de Ellison não poderem ocorrer hoje em dia (podem ocorrer, e ocorrem), as atitudes públicas mudaram (até certo ponto), e ao menos a lei é hoje diferente. A Irmandade mencionada no livro (o Partido Comunista) tem frágil existência, e o notável Ras, o Exortador, foi substituído pelo Reverendo Al Sharpton, figura banal. O ainda mais notável Rinehart, reverendo e traficante de drogas, tem uma multidão de pares, mas aqui a natureza fica aquém da arte de Ellison, pois a dimensão do exuberante Rinehart transcende o natural.

O Homem Invisível, tão melvilliano e faulkneriano quanto *Miss Corações Solitários*, *O Leilão do Lote 49* e *Meridiano de Sangue*, contém a mesma sublimidade negativa encontrada nos demais romances que analiso neste capítulo, e contém, ainda, grandeza similar. Kenneth Burke, o mais admirável dos críticos norte-americanos do século XX, em diversas conversas que tivemos, instava-me a considerar Ellison o mestre do romance de aprendizado norte-americano, o gênero do *Bildungsroman* alemão, da *Montanha Mágica*, de Thomas Mann, e de *Wilhelm Meister*, de Göethe. O romance de Mann, como vimos, é uma paródia afável e irônica do referido gênero, mas o de Ellison me parece uma paródia demoníaca, ou trágica. O Homem Invisível, em determinados aspectos, está mais próximo do Homem do Subsolo de Dostoiévski do que do herói que amadurece, conforme observado em Göethe e Mann.

O próprio Ellison citava Malraux, T. S. Eliot, Hemingway, Faulkner e Dostoiévski como seus "ancestrais" literários. É interessante que tenha excluído *Moby Dick*, obra que empresta a *O Homem Invisível* o crucial componente "Jonas". A meu ver, a proximidade de Melville, assim como a de Faulkner, era um tanto ou quanto excessiva, ao passo que Dostoiévski ficava a uma distância razoável, em termos de tempo e lugar. O herói de *Memórias do Subsolo*, de Dostoiévski, sofre humilhações, e narra a sua subseqüente rejeição do mundo, após recolher-se. Esse recolhimento simbólico é, até certo ponto, uma rejeição de valores e idéias ocidentais, embora o Homem do Subsolo tenha pleno conhecimento de que o racionalismo europeu ocupa uma posição central em sua consciência. A questão é que ele se revolta contra esse racionalismo, acreditando, piamente, que o mesmo violenta a sua integridade. O Homem Invisível de Ellison é bem mais talentoso do que o irritado protagonista de Dostoiévski, e, na qualidade de afro-americano, vê-se diante de uma situação ainda mais complexa. Dostoiévski queria rejeitar a Europa; Ellison, com grande fervor, recusa-se a rejeitar os Estados Unidos, ainda que o Homem Invisível não aceite a hipocrisia da nação.

Moby Dick é perseguido pelo Livro de Jonas, e o mesmo se dá com *O Homem Invisível*. Não sei se Melville teria conhecimento do fato de que o Livro de Jonas é lido, em voz alta, diante da congregação, no Dia do Perdão no calendário judaico; Ellison, porém, certamente sabia disso. O Livro de Jonas não trata de apocalipse, mas de sobrevivência; Jonas, o profeta evasivo, é ressuscitado do estômago de uma baleia, após arrepender-se de ter fugido de Javé, apenas por uma questão de ressentimento. O texto hebraico é, nitidamente, dominado pelo humor, pois o constrangimento de Jonas com Javé decorre do fato de a profecia ter se concretizado, e o povo de Níneve ter se livrado do mal, evitando, assim, a destruição da cidade.

O Homem Invisível, como Jonas, encontra-se em estado de repressão, ao que Freud atribui a metáfora da fuga. Falsos pais — Bledsoe, Lucas

Brockway, Jack da Irmandade — continuamente traem o protagonista, assim como Jonas sente-se traído por Deus Pai, que declina da idéia de destruir Níneve. Encurralado pelos brancos em um buraco no subsolo, o Homem Invisível se vê na barriga da baleia, e inicia a sua existência embaixo da terra, de onde (na minha leitura) ele está prestes a emergir, na conclusão do romance. O prólogo do livro, com toda a sua força lírica, mergulha o leitor em uma visão dantesca, em que o Homem Invisível, ouvindo Armstrong tocar e cantar "What Did I Do to Be So Black and Blue", desce vários níveis em um Inferno afro-americano. Em meio à fantasmagoria, ele ouve um pregador, cujo texto, a "Negritude do Negro", atinge o ponto mais profundo no *motif* "Jonas", i.e., a barriga da baleia: "[...] *Isso vai levar vocês, glória, glória, Oh! Senhor, para dentro da* BARRIGA DA BALEIA".

Indiretamente, Ellison alude ao grande sermão do Padre Mapple sobre Jonas, em *Moby Dick*, em que cada um de nós é instado a ter sentimento "patriota apenas com relação ao céu". Todavia, Ellison enfatiza as diferenças afro-americanas. A negritude leva a pessoa para dentro da barriga da baleia, e, sozinha, a negritude não consegue fazer ressuscitar indivíduo algum (embora nada que a sociedade norte-americana possa oferecer será capaz de ressuscitar quem quer que seja). A autoconfiança (mesmo para alguém cujo nome homenageia Emerson) não expele quem quer que seja da barriga da baleia, mas pode alterar a natureza da jornada de uma pessoa. *O Homem Invisível* apresenta textura tão complexa e sofisticada quanto *Moby Dick* e *Enquanto Agonizo*, e o leitor deve absorver o livro aos poucos, com perseverança, lendo-o em voz alta, para si (e terceiros), sempre que a prosa exceder. Eis um romance que está além da política e da ideologia, sem jamais escamotear a obrigação do Homem Invisível: profetizar a destruição da nova Níneve, os Estados Unidos da América do Norte, a menos que se desvie, imediatamente, do ódio gerado pelas conseqüências da escravidão afro-americana.

Sendo a função simbólica do Homem Invisível extremamente importante, o leitor pode ser levado a menosprezar a personalidade e o caráter do personagem — mas isso seria uma perda. No romance em questão, Ellison, talvez mantendo em vista *Ulisses*, de James Joyce, funde, magistralmente, naturalismo e simbolismo, assim como Faulkner (igualmente influenciado por Joyce) o fizera em *Enquanto Agonizo*. Embora, necessariamente, anônimo, o Homem Invisível tem uma personalidade que dispensa nomes. Ouvimos, incessantemente, a voz do personagem: irônica, eloqüente, influenciada pelo jazz, às vezes cega de ódio, mas sempre aberta à noção de que outros talvez correspondam à sensibilidade humana do protagonista. Talvez o Homem Invisível seja um Ulisses negro, forjado, implicitamente, segundo o modelo criado por Joyce na figura de Poldy, que abomina a violência e o ódio. Muito mais marginalizado do que Poldy, o Homem Invisível, para sobreviver, responde à violência com violência, e ao ódio com devastadora ironia. Falando por Ellison, o Homem Invisível tem no jazz a sua estética cultural. Ellison, profundo conhecedor de jazz, definia-o como uma perpétua competição, um desafio em que cada improvisador supera os que o antecederam, ao mesmo tempo em que os absorve, ironicamente. Aí está o segredo da linguagem do Homem Invisível, e a base do perene esplendor estilístico do romance de Ellison. As técnicas de narrativa e os diferentes estilos presentes em *O Homem Invisível* estabeleceram um padrão de algo que deveria ser chamado "romance jazzista", que autor algum seria capaz de igualar.

A fusão de uma estética jazzista em um estilo essencialmente faulkneriano faz de *O Homem Invisível* um livro absolutamente singular, ainda que Toni Morrison se aproxime da síntese alcançada por Ellison. O romance é permeado de sutil polifonia: a linha da narrativa é clara, mas, a todo momento, alguma coisa a desestabiliza, como se vê na grande epifania de Rinehart — homem santo, cafetão, traficante de drogas —, que surge à frente da congregação em trajes de cardeal, sob uma rubrica em letras douradas: FAÇA-SE A LUZ!. Retraindo-se diante da apoteose de Rinehart, o Homem Invisível, que já passou por tudo que possa ser imaginado, é compelido a constatar que Rinehart é a verdade:

> Foi demais para mim. Tirei os óculos, coloquei o chapéu branco embaixo do braço e me retirei. Será possível, eu pensei, será mesmo possível? Eu bem sabia que era. Eu já ouvira falar daquilo, mas nunca havia chegado perto. Mas, será que ele podia ser tudo: Rine o traficante, Rine o jogador, Rine o chantagista, Rine o amante e Rine o

> Reverendo? Será que ele podia ser, a um tempo, casca e polpa?[27] Seria real? Mas como duvidar de uma coisa dessas? Ele era um homem versátil, talentoso, experiente. Rinehart, o experiente. Era verdade, tanto quanto eu era verdadeiro. O mundo dele era possível, e ele sabia disso. Ele estava muitos anos à minha frente, e eu era um tolo. Eu devia estar louco ou cego. O mundo em que vivíamos não tinha fronteiras. Um mundo vasto, de uma fluidez quente, fervilhante, onde o safado do Rine sentia-se em casa. Talvez *somente* Rine, o safado, se sentisse em casa no mundo. Era inacreditável, mas talvez só o inacreditável pudesse ser crível. Talvez a verdade fosse sempre uma mentira.

O trecho acima é o paradigma da realização de Ellison, no que tange à construção de um complexo jazz verbal. Levemente fora de ritmo, temos as variações do refrão "Será que ele podia ser, a um tempo, casca e polpa?", "Rinehart, o experiente" e "Rine, o safado" repetidas de modo triunfal. Ras, o Exortador, retratado por Ellison com vividez e simpatia, não seria para o Homem Invisível uma tentação, mas o metamórfico Rinehart, de modo pungente (e hilariante), o é. Embora o herói picaresco de Ellison, em última análise, identifique com o caos, e não com a imaginação, a liberdade de Rinehart, mais uma vez devemos confiar na narrativa e não no narrador. Ras, o Destruidor, é figura dotada de um *pathos* sinistro, mas, ainda assim, comovemo-nos porque, ao fundo, ouvimos o jazz de Ras, o Exortador. O que ouvimos na grande música de Rinehart?

Seria difícil separar Rinehart dos contextos em que o jazz se originou. Podemos até mesmo ir além, e enumerar os companheiros literários de Rinehart: Villon, Marlowe, Rimbaud — grandes poetas que também eram assassinos, ladrões, espiões, traficantes. O Homem Invisível aceita Rinehart como contexto, mas não como precursor. Como precursor ele aponta Louis Armstrong, que extrapolou o contexto. Ellison, não querendo afirmar o mesmo a respeito de si mesmo, notoriamente, termina o romance envolvendo o leitor na idéia de invisibilidade: "Quem sabe, nas freqüências mais baixas, eu não falo por você?".

---

[27] Ellison faz trocadilho com o nome do Reverendo (Rinehart) e as palavras *rind* e *heart* (casca e polpa). [N.T.]

Toni Morrison: *A Canção de Solomon*

Toni Morrison, nascida em 1931, tornou-se uma celebridade em conseqüência do romance *Amada* (1987), fantasia lírica, mas continuo a achar *A Canção de Solomon* (1977) a obra mais perene de Morrison (pelo menos, entre as que a autora escreveu até o presente). Embora ainda não tenha superado *A Canção de Solomon*, Morrison é extremamente prolífica, de maneira que me abstenho de fazer profecias definitivas quanto à sua contribuição maior. De momento, quero apenas comentar, brevemente, *A Canção de Solomon*, tanto pelos méritos inerentes ao romance quanto pelo fato de o mesmo ensaiar, de modo brilhante, uma crítica sutil à tradição de Melville, Faulkner e Ellison, na qual o próprio romance se encaixa, ainda que com cautela e sob protesto, como condiz à obra de uma autora afro-americana que se apresenta como marxista e feminista. No entanto, freqüentemente, é a tradição literária que aponta o escritor autêntico, e não o oposto. É possível constatar, também, no estilo e na visão de Morrison, um pouco do esteticismo de Virginia Woolf, do que (a meu ver) Morrison muito se beneficia.

Milkman Dead, protagonista de *A Canção de Solomon*, busca visibilidade, em flagrante inversão ao herói de Ellison, e conta com uma mescla de perdas e ganhos pelo fato de surgir um quarto de século depois de *O Homem Invisível*. Morrison é romancista de imensa ambição, capaz de correr grandes riscos, em termos artísticos, o que é louvável. Milkman, que quase chega a falar pela autora, é de uma audácia extraordinária, e se torna de tal modo obstinado na procura da família que, para todos os efeitos, deve ser considerado um indivíduo em busca do próprio fim.

Não será por acaso que somente dois dos seis protagonistas analisados até agora neste capítulo têm sobrenomes autênticos, Darl Bundren e Édipa Maas, e, em ambos os casos, os nomes são quase ideogramas: o sobrenome do visionário Darl representa, na verdade, um grande peso,[28] e o Édipo de saias busca a verdade, não importa aonde seja levada pelo Tris-

[28] Bundren remete a "*burden*", em língua inglesa, "peso", "fardo". [N.T.]

tero. Chamai-o Ismael, ou Miss Corações Solitários, ou Kid, ou Homem Invisível. Dead não é o verdadeiro sobrenome de Milkman; na verdade, seu sobrenome é Shalimar, pronunciando-se *Shalemone*, ou seja, Solomon. Morrison, dotada de uma ironia visionária, de modo singular, oferece-nos um herói que resgata seu nome verdadeiro, embora isso lhe custe tudo, inclusive a vida. Como parábola, a narrativa é contundente; como podemos ser nós mesmos, enquanto não corrigirmos o modo equivocado como somos chamados? Nascida Chloe Anthony Wofford, a romancista mudou o próprio nome, enquanto cursava a graduação, passando a se chamar Toni, abreviação de Anthony. O melhor amigo de Milkman, ou "irmão inimigo", chama-se Guitar, e o livro termina com os dois em um embate mortal. Entretanto, Milkman, ao contrário de Guitar, é salvo espiritualmente. Milkman resgata a história familiar, uma verdade pessoal e um mito heróico — do antepassado Solomon/Shalimar, que voara de volta à África (sem utilizar-se de um avião), para fugir do cativeiro.

Morrison tem um incrível talento para a fantasia; a meu ver, em *Amada* a fantasia é um tanto excessiva; já em *A Canção de Solomon*, é mantida dentro de limites estéticos. O leitor jamais sabe ao certo (e nisso está a maestria de Morrison) onde realidade e fantasia entram em colisão na narrativa de Milkman, que inicia a partir da tentativa de suicídio (e vôo) de um agente de seguros de cor negra, à véspera do nascimento de Milkman (que mamou no seio materno até a idade de quatro anos).[29] Justamente, aos quatro anos, o menino descobre que "só pássaros e aviões podem voar [e perde] todo o interesse por si mesmo".[30] Após o desmame, em meio a um tédio desesperador, Milkman padece na companhia dos pais infames: Macon Dead, senhorio de um bairro pobre, e Ruth, desequilibrada mental.

É justo afirmar que o jovem Milkman Dead traz consigo a voracidade do pai e o solipsismo da mãe. Ele segue o exemplo de Hamlet, ao incitar à loucura a sua Ofélia, Hagar, rejeitando-a friamente, e como Hagar é incapaz de matar Milkman, ela própria perece. Após uma tentativa frus-

---

[29] *Milkman*, em inglês, quer dizer "leiteiro". [N.T.]

[30] *A Canção de Solomon*. Tradução de Evelyn Kay Massaro. São Paulo: Editora Best Seller, s.d., p. 20. [N.T.]

trada de superar o pai em termos de ambição financeira, Milkman inicia uma nova busca, que se torna a força motriz de *A Canção de Solomon*. Ele vai para o Sul, ao encontro do ancestral Shalimar, onde uma anciã, Circe, conta-lhe a verdadeira história de sua família.

A volta a Shalimar ocasiona uma metamorfose circeana, às avessas, na medida em que, lenta e dolorosamente, Milkman desenvolve uma forma interior. De modo brilhante, Morrison faz aqui uma paródia da célebre saga faulkneriana, "O Urso", em que Ike McCaslin é iniciado em caçadas. Milkman é submetido a um ritual idêntico, com uma "diferença negra", quando toma nas mãos o coração, ainda palpitante, de um lince abatido. Transformado, o herói de Morrison resgata o nome verdadeiro, salomônico, e avança, corajosamente, para o duelo mortal com Guitar.

É extraordinário o fato de Morrison ser capaz de suster a parábola simbólica, com tamanha riqueza de realismo social, que faz o fantástico parecer apenas uma outra versão do cotidiano. Recusando-se a continuar sendo um Homem Invisível, o Solomon redescoberto aprende a entregar-se ao ar, como o fizera seu pai. O que torna a apoteose de Milkman tão convincente é o brio de Morrison, e a sólida percepção que tem a autora das tradições que a cercam.

Comentando *A Canção de Solomon* com o fervor polêmico de ideologias convergentes, Morrison insiste que o leitor há de formular perguntas atinentes à comunidade, e não ao indivíduo:

> As perguntas do leitor-narrador serão as mesmas que a comunidade formulará, e tanto o leitor quanto a "voz" estão na multidão, no meio da multidão, com intimidade e proximidade privilegiadas, mas sem estar de posse de informações privilegiadas, com respeito a essa mesma multidão. O igualitarianismo que nos coloca a todos (leitor, personagens do romance, voz do narrador) no mesmo nível reflete, para mim, a força do vôo e da misericórdia, bem como o precioso olhar, a um só tempo, criativo e realista dos negros, que (ao menos, em certa época) não mitologizava aquilo, ou aquele, que mitologizava. A própria "canção" contém essa corajosa avaliação do vôo milagroso do lendário Solomon...

Morrison, sem dúvida, apresenta-nos aqui o porquê da leitura de *A Canção de Solomon*, mas como poderá o leitor ser sincero consigo mesmo se não formular perguntas pessoais, em lugar das perguntas da comunidade? Podemos argumentar (se assim o desejarmos) que devemos ler para nos socializarmos, mas, nesse caso, quem decidirá se aquilo, ou aquele, que é mitologizado deveria ou não tê-lo sido? O argumento de Morrison leva a crer que, em certa época, o olhar do negro era capaz de mitologizar sem mitologizar, simultaneamente. Nessa asserção mais que racional, detecto uma ideologia totalizante, e retomo o argumento com o qual iniciei este livro: ler a serviço de qualquer ideologia não é ler. Felizmente, no início de sua carreira, Morrison ainda não havia encarnado o Espírito da Época, e *A Canção de Solomon* continua a ser um estímulo à busca do como e por que ler.

Resumindo

Chamo o conjunto dos sete romances norte-americanos analisados neste capítulo de Escola de Melville porque *Moby Dick* é o verdadeiro ponto de partida dessas obras. Conforme certa vez observou D. H. Lawrence, *Moby Dick* é o apocalipse norte-americano, uma visão catastrófica dos Estados Unidos e do destino da nação norte-americana. Faulkner, West, Pynchon, McCarthy, Ellison e Morrison são todos filhos de Melville, ainda que Pynchon negue tal origem e Morrison afirme que um tema oculto em *Moby Dick* diz respeito não apenas à brancura da baleia, mas à loucura branca que exclui os afro-americanos da visão de Melville.

O leitor pode indagar: que satisfação, que engrandecimento pessoal, pode advir da leitura de *Enquanto Agonizo* ou de *Meridiano de Sangue*, ou mesmo de todos esses apocalipses pós-melvillianos? Será que romances tão complexos e tão negativos, em termos de visão, ainda podem nos convencer de que, de certo modo, haveremos de triunfar? Essa mesma pergunta se aplica ao que há de melhor na ficção norte-americana contemporânea, além de Pynchon e Morrison. Será que os desastres do brilhante *Teatro de Sabbath* e do comovente *Pastoral Americana*, de Philip Roth, ou o turbilhão de *Submundo*, de Don DeLillo, de certa maneira, ensinam-nos a viver, a agir? Que utilidade terá para o leitor a ficção apocalíptica?

A negatividade purifica, embora o preço pago por essa purificação — o niilismo — seja alto. No desfecho de *Moby Dick* resta-nos "a grande mortalha do mar", e o Ismael flutuante é "apenas mais um órfão". Não creio haver, entre escritores norte-americanos do século XX, realização estética maior do que *Enquanto Agonizo*, obra dotada de uma originalidade arrasadora, e "arrasador" é o adjetivo mais preciso para qualificar o efeito que esse romance exerce sobre mim. Darl Bundren fala em nome de Faulkner, sendo a figura com a qual o leitor sensível há de se identificar, mas Darl, gênio intuitivo, não mergulha na sabedoria, e sim na loucura, vítima de pai tremendamente egoísta e mãe desalmada. A determinação dos Bundrens, no sentido de sepultar a mãe segundo a vontade desta, pode até ser heróica, mas a saga se torna um apocalipse do Mississippi, um pesadelo de fogo e inundação.

Miss Corações Solitários é uma excelente paródia, e como tal deve ser celebrada; no entanto, essa obra é de um ranço niilista sem paralelos, desde o advento de *Medida por Medida* e *Tróilo e Créssida*, de Shakespeare. Muito pouco dos Estados Unidos sobrevive ao romance *O Leilão do Lote 49*, que nos apresenta, como opções, cultivar a paranóia ou praticar o sadoanarquismo. O Homem Invisível de Ellison, sobrevivente da hipocrisia branca e do apocalipse negro, insinua que vai retomar a vida cotidiana, mas, a última vez que o vemos no romance, ainda é um Homem do Subsolo. E Milkman Dead, o herói mais convincente criado por Toni Morrison, acaba em um duelo mortal com o seu "irmão inimigo", o terrorista Guitar. Que tipo de pessoa pode ser ajudada, ou engrandecida, vivenciando negações terríveis de algo que ainda deveria ser a América de Walt Whitman?

Propositadamente, passei por cima do apocalipse dos apocalipses — *Meridiano de Sangue* —, cujo frêmito incessante de violência descreve com tanta acuidade nosso passado, representa tão bem nosso presente obcecado por armas, e, sem dúvida, pressagia nosso futuro sangrento. Os Estados Unidos, já faz dois séculos, estão obcecados por Deus e por armas, e esse fascínio não parece decrescer. Vemos à nossa volta os descendentes diretos dos piratas de Glanton: milícias arianas, fortemente armadas, atiradores que atacam jardins de infância e escolas primárias, que explodem repartições públicas. A relevância de Cormac McCarthy é total; ele é o Homero do nosso épico trágico, que fala de matança e religiosidade. O Juiz Holden, conforme ele mesmo prometera, jamais morrerá, e, neste momento, está dançando e tocando rabeca em algum lugar no Oeste norte-americano.

Não cabe à leitura nos alegrar, nem, antecipadamente, nos consolar. Mas quero concluir afirmando que todas essas visões norte-americanas do Final dos Tempos nos oferecem mais, muito mais, do que uma negatividade purificadora. Se o leitor reler o que vale a pena ser relido, haverá de guardar na memória aquilo que lhe fortaleceu o espírito. Quando me lembro de *Moby Dick*, penso, antes de mais nada, no amor fraternal entre Ismael e Queequeg, e, em seguida, comovo-me diante de Ahab, o Prometeu americano. Em última análise, o efeito causado pelos seis romances melvillianos aqui discutidos não é niilista, mas ambíguo, e essa ambigüidade reserva extraordinária gratificação à pessoa do leitor. Ahab, Addie Bundren, Shrike, os anônimos agentes de Tristero, o malévolo Juiz Holden, Ras, o Exortador/Destruidor, Rinehart, o Traficante/Reverendo e Guitar constituem um grande pesadelo, mas não obstruem, para o leitor, as buscas (por mais frustrantes que sejam) de Ismael, Darl Bundren, Miss Corações Solitários, Édipa Maas, Kid, o Homem Invisível e Milkman Dead. Entre estes últimos há sobreviventes: Ismael, Édipa e o Homem Invisível. Por que ler? Para ser assombrado por grandes visões: de Ismael, o sobrevivente que escapa para poder nos contar a história; de Édipa Maas, embalando nos braços o velho indigente; do Homem Invisível, preparando-se para emergir, como Jonas, do interior da barriga da baleia. Todos eles, nas freqüências mais altas, falam ao leitor, e pelo leitor.

EPÍLOGO

Concluindo o Trabalho

O Rabino Tarphon disse:

> O dia é curto, a labuta é intensa, os trabalhadores são lentos, a paga é boa, e o senhor da casa é exigente.

O Rabino Tarphon também costumava dizer:

> Não é necessário concluir o trabalho, mas tampouco tem-se a liberdade de desistir do mesmo.

A primeira vez que li *As Falas dos Patriarcas* (*Pirke Abot*) ainda era menino, e, embora certos aforismos de Hillel e Akiba muito me impressionassem, foram as máximas do menos celebrado Tarphon que causaram em mim marcas indeléveis. *As Falas dos Patriarcas* constituem um epílogo para "mitigar" o Mishnah, o grande código oral de leis editado pelo Rabino Judá, Patriarca que viveu por volta do ano 200 da nossa era. Aproximadamente, cinqüenta anos mais tarde, o tratado das máximas da Sabedoria dos Patriarcas foi aduzido ao Mishnah, e, desde então até os dias de hoje, o referido tratado tem sido o trecho mais conhecido do grande código de Lei Rabínica.

As Falas dos Patriarcas, propositadamente, inicia com um magnífico, embora dúbio, rufar de tambores, afirmando a tradição do judaísmo normativo, e, portanto, legitimando a Lei Oral:

> Moisés recebeu o Torá de Sinai e entregou-o a Josué, que o passou aos Anciãos, que o passaram aos Profetas, que o passaram aos homens da Grande Sinagoga. Estes fizeram três afirmações: refleti bem ao julgardes, criai muitos discípulos, e construí um cercado à volta do Torá.

Nesse trecho, "Sinai" é um substituto do próprio Javé; não sabemos onde ficava o Monte Sinai, e, evidentemente, tampouco o sabiam os rabinos. Mas isso não tem a menor importância. A Grande Sinagoga pertence, igualmente, à mitologia; parece indicar os seguidores de Ezra, o Escrivão, talvez, o Grande Redator que nos propiciou as Escrituras Hebraicas conforme hoje delas dispomos, isto é, nas condições em que foram trazidas do exílio na Babilônia. No entanto, ninguém faria objeções à sabedoria inerente às palavras "refleti bem ao julgardes", embora a exortação "criai muitos discípulos" seja mais problemática, e construir um cercado à volta do Torá pareça-me uma péssima idéia. Ainda assim, a grandiosidade das palavras iniciais de *As Falas dos Patriarcas* é sempre tocante, a despeito de serem ou não convincentes.

Como religião, o judaísmo rabínico, normativo há mais de mil e novecentos anos, não é nem mais nem menos atrasado do que o cristianismo. Ambos resultaram de uma terrível catástrofe ocorrida no ano 70 da nossa era, quando as legiões romanas saquearam Jerusalém e destruíram o Segundo Templo, o templo de Herodes, o Grande. Aonde foi Javé, ao ser expulso do Mais Sagrado dos Sagrados, ninguém sabe, assim como desconhecemos a dimensão do gama das versões da religião de Judá, vigentes antes da queda do Templo. Os sábios que se refugiaram (graças à indulgência romana) na cidade de Javné fundaram o que ainda hoje chamamos judaísmo. A própria Javné foi consumida em chamas no ano 132 da nossa era, quando o Rabino Akiba — heróico, idoso, e, talvez, sublimemente insano — cometeu o erro terrível de aliar-se à rebelião de Bar Kochba, contra os romanos. Akiba, cuja religião ainda pode ser considerada a expressão definitiva do judaísmo normativo, proclamou Bar Kochba o Messias. O desastre provocou um holocausto de judeus que só foi superado pelo terror nazista, e culminou com o martírio do próprio Akiba.

Surgido cerca de 120 anos após essa catástrofe, *As Falas dos Patriarcas*, tacitamente, ignora-a e, na verdade, descarta a História como algo inconseqüente, quando comparada à tradição da descendência, em que sábio segue sábio, e a sabedoria sobrevive. Foi-se o Segundo Templo, foi-se a academia de Javné, mas a genealogia da tradição normativa permanece inabalável. O que Donald Harman Akenson, apropriadamente, chama de "grande invenção religiosa" foi concretizado. No entanto, cerca de 1.750 anos separaram-nos de *As Falas dos Patriarcas*. Será que essa grande invenção desperta hoje algo mais do que mera curiosidade histórica, especialmente aqui, nos Estados Unidos, onde judeus, protestantes e católicos começam a se misturar, formando o que tenho chamado de "Religião Norte-americana", a fé nacional, nativa, que, acho eu, ainda não entendemos muito bem?

Retorno ao meu interesse no Rabi Tarphon, que tem merecido a minha atenção desde os primeiros anos de vida. Historicamente, pouco sabemos sobre Tarphon, especialmente quando o comparamos a Akiba, seu contemporâneo. Akiba foi uma personalidade tão forte, e tão central, que temos a impressão de conhecê-lo pessoalmente, mas Tarphon parece circunscrito aos textos rabínicos, e precisamos ouvir atentamente as suas máximas, para termos uma noção desse homem que raramente concordava com Akiba, fosse qual fosse a controvérsia. Uma vez que, invariavelmente, a única fonte de tais argumentos são os próprios discípulos de Akiba, temos motivos suficientes para duvidar dos relatos em que Tarphon sempre leva a pior. Ao contrário de Akiba, homem do povo, Tarphon era um sacerdote, uma espécie de sobrevivente arcaico dos primórdios do Segundo Templo. Por conseguinte, entre suas principais preocupações figuravam as funções e os privilégios dos sacerdotes, o que em nada interessava a Akiba. Os dois sábios entravam em choque quando se tratava da fascinante questão das suposições (subjetivas) *versus* os fatos (supostamente objetivos). De certo modo, isso me remete a Sigmund Freud, Tarphon defendendo o Princípio da Realidade. A primazia do fato sobre a intenção é a idéia dominante em Tarphon. O que importa são os atos, a despeito da nossa intenção de cometê-los ou não. Já Akiba argumentava que aquilo que pensamos e o que desejamos deve ser levado em conta no julgamento de nossos atos. *As Falas dos Patriarcas* atribui a Akiba essa eloqüente formulação:

> O silêncio é a proteção da sabedoria. Tudo é previsto, o livre-arbítrio é dado, o mundo é julgado pelo bem, e tudo de acordo com a quantidade de trabalho realizado.

Essas palavras sugerem algo em comum com Tarphon; nenhum dos dois rabinos concordaria com a visão de Jesus, de que aquele que olha para uma mulher com volúpia no coração já terá cometido adultério. Mas as nuanças de distinções entre Akiba e Tarphon são importantes. Em Tarphon, o rabino jamais chega a substituir o sacerdote, mas, em Akiba, a nostalgia pelo Templo leva ao Mishnah, à Lei Oral. Akiba, portanto, defende a primazia do arbítrio, e insiste que somos aquilo que queremos ser. Tarphon descarta o arbítrio, e sempre faz lembrar a rígida disciplina do Segundo Templo. Somos julgados pelo bem que praticamos, diz Akiba, e acrescenta, com criatividade: "tudo de acordo com a quantidade de trabalho realizado". Mas, para Tarphon, o dia é curto, a lida é interminável, e nossa tendência é trabalhar com lentidão. O Javé do Templo é exigente, pois é alta a recompensa da Aliança: a bênção de vida longa, em um tempo sem fim. Se Tarphon fosse sempre tão implacável, eu preferiria Akiba, mas Tarphon era perfeitamente capaz de dizer:

> Não é necessário concluir o trabalho, mas tampouco tem-se a liberdade de desistir do mesmo.

Sejamos normativos ou hereges, judeus ou cristãos, secularistas ou céticos, a sabedoria de Tarphon é, para nós, infinitamente útil. Continuo a escrever e a lecionar, há quarenta e cinco anos, e sempre retorno às formulações de Tarphon. Se fosse deveras necessário, a qualquer um de nós, concluir o trabalho, talvez nos desesperássemos, pois o trabalho jamais pode ser concluído. O Templo não pode ser salvo, e o teste da realidade sempre há de levar à primazia absoluta do fato que é a morte de cada indivíduo. Se o trabalho não pode ser concluído, por que tampouco temos a liberdade de desistir do mesmo?

A resposta a essa pergunta nada tem de simples, principalmente porque o maior de todos os escritores, Shakespeare, um dia desistiu da extraordinária tarefa de reinventar a língua inglesa e a personalidade humana. O fato de Shakespeare ter abandonado a carreira de dramaturgo em 1613, após escrever *Os Dois Nobres Parentes* em parceria com John Fletcher, é algo que, a um só tempo, me fascina e entristece. Shakespeare tinha apenas quarenta e nove anos, e viveu ainda três anos, mais ou menos inativo, em Stratford-upon-Avon. Talvez nos últimos anos de vida Shakespeare não gozasse de plena saúde, mas os trechos shakespearianos de *Os Dois Nobres Parentes* demonstram um novo estilo, uma nova consciência que merecia ter sido desenvolvida. No espaço que resta deste epílogo, quero considerar o fato de Shakespeare ter abandonado o trabalho, *vis-à-vis* a insistência de Tarphon, de que não temos a liberdade de desistir do mesmo.

Shakespeare estivera relendo "O Conto do Cavaleiro", em *Os Contos de Cantuária*, de Chaucer, para apropriar-se livremente de Chaucer, ao construir o enredo de *Os Dois Nobres Parentes.* O Cavaleiro resume o *ethos* irônico de Chaucer, em um dístico implacável:

> Mais vale ao homem bem se comportar,
> Pois, cada dia, não sabe o que encontrar.

Meu velho amigo, o falecido Talbot Donaldson, especialista em Chaucer, parafraseava esse dístico muito bem:

> É bom que nos comportemos com serenidade, pois estamos sempre nos deparando com pessoas com as quais não marcamos encontro algum.

O discurso do estóico Cavaleiro de Chaucer está a anos-luz de distância de Akiba e Tarphon, mas não se pode dizer que o Cavaleiro os contradiga — com efeito, ele oferece uma alternativa secular. O leitor deve comportar-se com serenidade, pois, ao longo da vida, haverá de se deparar com pessoas com as quais jamais marcou encontro. Faz alguma diferença, se temos ou não de concluir o trabalho, se temos ou não liberdade de desistir da obra, se, forçosamente, teremos encontros imprevistos? Será bastante comportarmo-nos com serenidade? Será bastante termos uma conduta estóica, ou uma reação previsível? Shakespeare, "desistindo do trabalho" nos versos finais de *Os Dois Nobres Parentes*, atenua Chaucer, mas parece insinuar que a serenidade deve ser o bastante, a menos que possamos voltar a ser crianças, ou, o que seria mais feliz, jamais deixemos de ser crianças:

> Ó deuses celestiais!
> O que fazeis de nós! O que nos falta
> nos faz rir; o que possuímos, chorar;
> inda somos crianças. Sejamos gratos
> pelo que temos, deixando convosco
> questões que não competem a nós. Vamos,
> em frente, como o tempo.

Esses versos enigmáticos, os últimos que Shakespeare escreveu, estão muito longe de Tarphon, ou até mesmo de Jesus. Os "deuses celestiais" são, supostamente, os planetas Vênus e Marte, e a Lua, como Diana, e Shakespeare é bastante fantasioso no momento em que abandona o trabalho. Aprendei a rir do que vos falta, ele nos diz, e chorai pelo que possuís, mas que o riso e o choro sejam serenos como os de uma criança. O silêncio pode ser uma proteção para as Escrituras, e ser sereno pode ajudar-nos a enfrentar os encontros não previstos; já, seguir "em frente, como o tempo" parece traduzir: aproveitai sem ansiedade o tempo que vos resta.

A tradição normativa — judaica, cristã, islâmica, secular — afirma, assim como o faz Tarphon, que o trabalho de Javé não deve ser abandonado, ainda que não nos seja possível concluí-lo. Shakespeare, sendo a Escritura Secular, diz que devemos seguir em frente, como o Tempo, o que significa que chega o Tempo de deixar o trabalho. Aos sessenta e nove anos, não sei se é Tarphon ou Shakespeare quem está certo. Contudo, embora decisões de ordem moral não possam ser tomadas apenas com base na boa leitura, as questões como e por que ler são, mais do que nunca, essenciais para nos ajudar a decidir a obra de quem realizar.

Harold Bloom é *Sterling Professor* de Ciências Humanas da Universidade de Yale, e *Berg Professor* de Inglês na Pós-Graduação da Universidade de Nova York. Foi *Charles Eliot Norton Professor* de Poesia da Universidade de Harvard, em 1987-88, e detém títulos honorários das universidades de Roma e Bolonha. Em 1999, recebeu a Medalha de Ouro em Crítica Literária da Academia Norte-americana de Artes e Letras, da qual é membro desde 1990. Entre outras distinções recebidas destaca-se o Prêmio da Fundação MacArthur. Entre os seus vinte e quatro livros constam três *best sellers*: *O Livro de J*, *O Cânone Ocidental* e *Shakespeare: A Invenção do Humano*.

Este livro foi impresso na
LIS GRÁFICA E EDITORA LTDA.
Rua Felício Antonio Alves, 370 – Jd. Triunfo – Bonsucesso
CEP 07175-450 – Guarulhos – SP – Fone. (0xx11) 6436-1000
Fax.: (0xx11) 6436-1538 – E-Mail: lisgraf@uninet.com.br